現代における幻想世界の新たな潮流と源を知る

現代異世界ファンタジーの基礎知識

KANZEN

はじめに

さまざまな娯楽作品であふれる現在、確固たる地位を確立しているのが異世界を舞台にしたファンタジー作品です。その世界観は俗に「剣と魔法の世界」とたとえられ、近年ではこうした作品は「異世界ファンタジー」「異世界もの」などとも呼ばれます。

かつては、「ファンタジー」といえば基本的に「異世界ファンタジー作品」を指しました。しかし、ファンタジーに該当する作品が増えたことや、近年「現代の人間が何らかの事情で異世界に転移（または転生）する」という筋立てのものが増えたこともあり、異世界ファンタジーと呼称するほうが一般的になっているようです。

異世界には、エルフやドワーフ、妖精などの人間以外の種族も暮らし、安全な街から一歩外へ足を踏み出せば、そこには危険なモンスターが跋扈する原始的な世界が広がります。そんな世界で登場人物は武器を振るい神秘的な魔法を行使して敵を蹴散らして名声を得たり、あるいは、世界を脅かす魔王とその軍勢を相手に、頼れる仲間と共に立ち向かうかもしれません。ダンジョンからお宝を持ち帰って一攫千金を手にするということもあるで

しょう。こうした現実世界では決してありえない物語に没入し、思いを馳せるのが異世界ファンタジーの醍醐味なのです。

本書では、そんな魅力あふれる異世界ファンタジーについて「世界」「職業・種族」「武器・アイテム」「魔術・学問」「組織・政治」「街と施設／乗り物」「地理」の7つにわけて解説しています。歴史の長いジャンルですが、なるべく近年のファンタジー作品にも触れるようにし、若い読者にもにも親しみやすいよう心がけています。さらに、巻末には、異世界ファンタジーには欠かせないモンスターについての事典を収録しており、これ一冊で「異世界ファンタジー」についての基礎知識を得ることができるでしょう。

本書が、果てしなく広がるファンタジーの世界を旅する助けになれば幸いです。

異世界ファンタジーの歴史

　一口に異世界ファンタジーといっても、そこには長い歴史があります。ファンタジーの大まかな歴史は右のページにあるとおりです。もっとも重要なのは、やはり『指輪物語』でしょう。イギリスの作家「ジョン・ロナルド・ロウエル・トールキン」が1937年に発表した『ホビットの冒険』の続編で、これがアメリカで空前の大ヒットとなり、この作品に影響を受けたと思われる作品が多数発表されます。それから十数年後には、RPGの原典ともいわれる『ダンジョンズ&ドラゴンズ』も誕生し、ファンタジーブームが巻き起こりました。

ウェブ小説から再び火がつく

　こうした海外発のファンタジー作品の影響を受け、日本でも『ドルアーガの塔』『ドラゴンクエスト』などファンタジー世界を題材にした作品が現れ、一般にも浸透。日本でも大ブームとなり、たくさんの人気作が誕生しました。

　その後、ゲームでは相変わらずファンタジー作品が生まれ続けるも、若者向けのライトノベルや漫画では現代を舞台にした作品が主流となります。しかし、2010年前後から主にウェブ小説を中心に再びファンタジー作品、とくに「現代の人間が異世界に転移して活躍する」という設定のものが人気となり、現在の「異世界ファンタジー」ブームにつながるのです。

●ファンタジーの変遷

年代	主な作品、物語	解説
紀元前 ～ 500年頃	ギリシャ神話 北欧神話 ケルト神話 など	**神話・伝承の時代** ファンタジー作品の基礎となる神話や伝承が生まれます。
501年 ～ 1900年頃	騎士道物語 英雄物語 シェイクスピア作品 など	**古典文学の時代** 神話伝承を盛り込んだ騎士道物語や演劇が創られました。
1901年 ～ 1970年頃	ホビットの冒険・指輪物語（1937～1955） ナルニア国物語（1950～1956） ゲド戦記（1968～2001） など	**近代ファンタジーの幕開け** 『指輪物語』など、著名なファンタジーが生まれます。
1971年 ～ 2000年頃	●海外発の作品 ダンジョンズ＆ドラゴンズ（1974～） ウルティマ（1979～） ローグ（1980） ウィザードリィ（1981～） マジック:ザ・ギャザリング（1993～） ハリー・ポッターシリーズ（1997～2007） など	**ゲーム作品の普及** RPGの原点ともいわれる『ダンジョンズ＆ドラゴンズ』が誕生。この後、コンピューターゲームを含むさまざまなRPG作品が生まれます。
	●日本発の作品 聖戦士ダンバイン（1983～1984） ドルアーガの塔（1984） ドラゴンクエスト（1986～） ロードス島戦記（1988～1993） スレイヤーズ（1989～） 魔術師オーフェン（1994～） など	**日本での一般化** 大ヒットした『ドラゴンクエスト』をはじめ、海外ファンタジーに影響を受けた作品が多数制作され、日本でも一大ブームとなりました。
2001年 ～ 2009年頃	アヴァロン（2001年） .hack（2002～） ソードアート・オンライン（2002～） など	**「ゲーム世界」という舞台** ゲーム内が舞台の作品がヒットし、後続に影響を与えます。
2010年 ～	オーバーロード（2010～） まおゆう魔王勇者（2010※～2012） ログ・ホライズン（2010～） 幼女戦記（2011～） 異世界居酒屋「のぶ」（2012～） この素晴らしい世界に祝福を！（2012～2020） 盾の勇者の成り上がり（2012～） 無職転生（2012～） Re:ゼロから始める異世界生活（2012～） 転生したらスライムだった件（2013～） 乙女ゲームの破滅フラグしかない 悪役令嬢に転生してしまった…（2014～） ゴブリンスレイヤー（2016※～） など	**ネット発作品の隆盛と 世界観の多様化** この頃から、投稿型ウェブサイトで発表された小説が話題になりはじめ、一大ジャンルを築きます。「異世界」をテーマにしたものが多いだけでなく、これまではあまりなかった個性的な設定がされている作品も増えました。

※……書籍の刊行年

現代異世界ファンタジーの基礎知識

目次

武器・アイテム

魔術・学問

column

＊＊＊＊＊

ページの見方

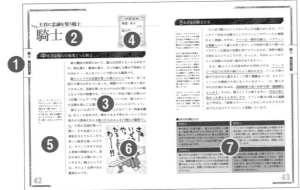

❶カテゴリ（章タイトル）

説明している項目がどのようなカテゴリかを説明しています。

❷項目名

さまざまなジャンルから厳選した、基本的なものから近年話題になっているものまでは幅広く取り上げています。

❸解説

紹介している項目の解説です。基本的な概要や異世界ファンタジー的要素を紹介しています。また、アニメ、映画、ゲーム、小説、漫画など有名な創作作品においてどのように盛り込まれたかを解説していることもあります。

❹関連

解説している項目と関係の深い項目を紹介しています。

❺注釈

解説中に出た専門的な用語や説明に対する補足的な情報です。

❻イラスト

紹介している項目のイメージイラストです。

❼図解、ミニコラム

その項目にまつわることを、表や図、イラストなどで紹介しています。ミニコラムでは解説で紹介しきれなかったことや関係性の高い事柄について取り上げています。

❽パラメーター

異世界ファンタジーにおけるモンスターの一般的なイメージを元に能力を5段階で評価したダイヤグラムです。それぞれの能力の意味は以下のとおりになります。

●各パラメーターについて

STR ：ストレングス（筋力、攻撃力）
VIT ：バイタリティ
　　　　（防御力、HPの多さ）
MAG ：マジック（魔力）
INT ：インテリジェンス（知能）
AGI ：アジリティ（素早さ）
RES ：レジスト（魔法抵抗力）

chapter 1

世界
World

Welcome to the fantasy world!
異世界

関連

異世界転生・転移
　　　　→P.14

神
　　　　→P.20

言語・文字
　　　　→P.28

異世界ってどんな世界?

異世界と聞いて、どんな世界を思い浮かべるでしょうか?「中世ヨーロッパ的な時代背景と文化」「怪物(モンスター)がいる」「魔法など超自然的な力がある」「エルフなど多種多様な種族」……おそらく、多くの人がこうした要素を思い浮かべると思います。

「異世界」の持つイメージに大きな影響を与えたとされるのが、4ページでも触れた、**「ジョン・ロナウド・ロウエル・トールキン」**[注1]です。言語学に精通し、オリジナルの言語を作りたい考えていたトールキンは、出身地のイギリスや周辺の神話、民間伝承などをベースに独自の世界[注2][注3]を作り上げ、そこに住む各種族と話す言語、モンスター、神々などを設定したのです。じつは異世界を舞台にした作品は、トールキンが1937年に発表した『ホビットの冒険』以前からありました[注4]。しかし、『ホビットの冒険』の続編『指輪物語』がアメリカで大ヒットし、その影響を受けた作品が多数登場[注5]したこともあり、異世界といえば、前述の世界観が一般的になったのです。

なお、今日の作品、とくに投稿型ウェブサイトを初出とするものには、登場人物が自分や対象のステータスなどを確認できるなど、ゲーム的な要素が盛り込まれることもあります。コンピューターゲームが浸透した現代ならではの設定といえるでしょう。

[注1] 19～20世紀の文献学者。ファンタジーの父と称される。彼の小説『ホビットの冒険』『指輪物語』、死後に発表された『シルマリルの物語』は、現代に続くファンタジーの金字塔といえる。

[注2] 「中つ国」(ミドルアース)と呼ばれるが、物語の舞台である「エンドール大陸」のみを指すこともある。

[注3] エルフやドワーフなど、ベースとした神話や伝承を原典とする存在も登場している。

[注4] 『不思議の国のアリス』『オズの魔法使い』など、主に児童文学に見られたが、1920年頃から大人も楽しめる作品が増え始めた。

[注5] 後出の作品に影響を与えたテーブルトークRPG『ダンジョンズ&ドラゴンズ』(D&D)もそのひとつ。なお「『D&D』は『指輪物語』が由来」といわれることがあるが、影響を受けているものの、ベースにしているわけではないので注意が必要。

　かつては、ファンタジーといえば今でいう「異世界ファンタジー」を指しました。そして、大きく**「ハイ・ファンタジー」**「**ロー・ファンタジー**」の2つにカテゴリわけされていました。定義は提唱者によってさまざまですが、ざっくりと「ハイ・ファンタジーは、異世界のみを舞台としている」「ロー・ファンタジーは異世界へ転移した人物が登場するなど現実世界とつながりがある」というわけ方がされることが多いようです[注6]。

　現在では、多種多様な作品が生み出されたこともあり、ファンタジーの中でも細かくジャンルわけされるようになっています。現代が舞台なら「現代ファンタジー」、日本が舞台なら「和風ファンタジー」といった具合です。こうしたジャンルわけは、読者に作品テーマをアピールする、という側面もあるようです。

[注6] その他にも「異世界が舞台で魔法が登場するのがロー・ファンタジー、しないのがハイ・ファンタジー」とする説や、「異世界が舞台や、現実世界の人物が異世界に迷い込む、史実や神話の世界を舞台とする（物語の改変を含む）、未来の世界や別の惑星が舞台とするものはハイ・ファンタジーでそれ以外はロー・ファンタジー」とする意見がある。

異世界｜世界

■「中つ国」を構成するさまざまな要素

◇多種多様な種族

異世界ファンタジーでお馴染みのエルフやドワーフをはじめ、多種多様な種族が登場します。また、身長の低いホビット、樹木のような外見のエント、エルフを堕落させて生み出したオークは、トールキンのオリジナルです。

◇独自の神話と歴史

中つ国には数万年の歴史があり、創造神たちと神に反逆した元部下（冥王モルゴス）との争いを繰り返してきました。また、歴史は3つの時代にわけられ、古いほうから「灯の時代」「ふたつの木の時代」「太陽の時代」といいます。

中つ国
Middle-earth

◇オリジナルの言語

元々トールキンは言語学研究の一環としてオリジナルの言語を作りたいと思っていたこともあり、非常に多くの言語が登場しています。全部で15の言語があるといいますが、これらはすべてトールキンが創作したものなのです。

◇独自の世界構築

中つ国は、創造神イルーヴァタールが生み出したアルダという星にあり、独自の地理を形成しています。作中では語られていませんが、このアルダは、じつは別世界というわけではなく、「数千年前の地球」と設定されていたようです。

13

異世界への赴き方
異世界転生・転移

異世界転生・転移

世界

どうやって行くかは設定しだい

異世界ファンタジー作品の舞台である「異世界」は、当然ながら我々の住む現実の世界とは別の世界であり、通常は行き来することはできません。現代人が登場する異世界ファンタジーの場合は、何らかの方法で現実世界から異世界へ移動する必要があるわけですが、大きく2つのパターンにわけられます。

近年、とくにウェブ媒体を初出とする小説で主流なのが、現代人が何らかの事情で命を落とし、異世界の住人に「転生」するというパターンです。『無職転生 ～異世界行ったら本気だす～』『この素晴らしい世界に祝福を！』などが挙げられます。「転生」という制約上、現実世界が物語に絡むことはあまりありません。また、転生した人間は前世の記憶を引き継いでおり、何かしらの特殊能力を持っている、というのがお約束となっています[注1]。

もうひとつは偶然、または意図的に生じた「異世界に通じる門（ゲート）」を通過することです。こちらはゲートさえ開いていれば世界間を行き来することが可能で、3大ファンタジーのひとつに数えられる『ナルニア国物語』では、洋服だんすの扉がナルニア国という異世界につながっていましたし、和ヶ原聡司の『はたらく魔王さま！』では、魔力や聖法気[注2]で作るゲートで異世界と現実世界を行き来できるいう設定になっていました[注3]。

[注1] 死んだときそのままの姿、あるいは別の生物に姿が変わっている、という設定の作品もある。また、前世の記憶については、異世界の住人として生活中に思い出す、という展開もある。

[注2] 作中の聖職者や勇者たちが行使する天界の力。

[注3] 異世界転生の設定が流行する前は、『甲竜伝説ヴィルガスト』『魔法騎士レイアース』『ゼロの使い魔』のように、異世界の神や魔女などの力によって、強制的に異世界へ呼び込まれてしまう作品が多かった。こうした移動は俗に「異世界召喚もの」と呼ばれる。最近でも『ありふれた職業で世界最強』のように、異世界召喚にカテゴリイズされるであろう方法で異世界へ移動する作品が少なからずある。

「異世界転移」による移動

両方の世界を結ぶ門で異世界へと移動します。この門が生成される方法はさまざまですが、膨大な魔力を使う、門を開く条件が厳しいなどの理由で制限されていることがほとんどです。一方で小説『ゲート 自衛隊 彼の地にて、斯く戦えり』のように、門が開き続け、ほぼ自由に行き来できた作品もあります。

現実世界

世界同士を
繋げる門

異世界

門が開いていれば
行き来が可能

「異世界転生」による移動

現実世界で命を落とし、異世界へと移動します。転生、つまり生まれ変わって異世界に移動しているため、基本的に世界間を行き来することはできません。また、一度死亡するという都合上、物語の冒頭や回想で、事故や事件に巻き込まれるといった、悲劇的な展開が多いのも特徴といえます。

現実世界

現実世界で死亡し、
異世界で
生まれ変わる

異世界

基本的に
行き来は不可能

異世界転生・転移　世界

「ゲーム世界」への移動

「異世界」ではありませんが、VRゲームをプレイし、そのゲーム世界に移動する作品もあります。『ログ・ホライズン』『ソードアート・オンライン』などが挙げられ、中には「ゲームからログアウトできなくなる」「ゲーム世界そっくり、またはそのものの世界へ行く（転生する）」という展開の作品もあります。

現実世界

ゲームをプレイ

ゲーム内世界

ゲームなので
行き来は自由

いろいろある国の形
国家

関連

階級・身分
→P.24

王族・貴族
→P.164

領主
→P.166

ファンタジー世界の国は近世に近い

　ひと口に異世界といっても、そこには広大な土地があり、さまざまな生物が暮らしています。そうすると、おのずと共同体である組織的な社会、国家が生まれます。

　異世界ファンタジーの世界はよく「**中世ヨーロッパ風**」とたとえられますが、この頃のヨーロッパは「**封建制度**」が一般的でした。国王（支配者）が貴族などの有力者に領土（土地）を与え、領地の主「領主」は、騎士など身分の低い者に領地を与え、治めさせます[注1]。上の立場の存在は下の立場を守り、逆に下の立場の者は上の立場の者に忠誠を誓うことで国の形が成立し、運用されるわけです[注2]。

　また、国王の権力はそれほど強かったわけでもなく、領主が君主を見限って別の支配者の元へ行くこともありました。なお、異世界ファンタジーの作品では、何か理由がない限りは、国王（支配者）が強い権力をもっていることがほとんどですが、これは中世よりも、支配者が国全体を治めるようになった近世の統治に近いのです。

　さて、現在では国家はいくつかの方法で分類できます。わかりやすいのは主権で「共和制」「君主制」にわけられます。この他にも、国号で分類されることもあります。これは「○○王国」「○○帝国」などの国名につけられることがある単語で、その国の統治体制を表しています。つまり、国号である程度、どんな国なのかがわかるわけです。

[注1] こうした封建制度における支配領土のことを「荘園」という。

[注2] ただし、直接的な主従関係ではない場合、保護と忠誠の関係にはならなかった（この場合は国王と騎士）。また、領主としての責務を果たしていれば、複数の主君に使えることが可能だったという。

■大きく2つに分類できる国の統治

制度	主な国	解説
共和制	アメリカ、フランスなど	国の主権が国民にある制度。日本をはじめ、ほとんどの国では選挙で当選した人間が政治を行ないます（間接民主制）。また、小国では国民全員で意見を述べあう「直接民主制」もあります。
君主制	タイ、バチカンなど	王や宗教指導者など、個人が政治的な国の主権を持つ制度。ただ、権力が制限されていることもあり（制限君主制）、現代では君主制であってもほとんどの国が制限君主制となっています。

■「国号」で見る国の形

共和国 　　　フランス、中国 など

上記の共和制をとっている国家のことです。共和国の国号がなくとも共和制を敷いている国家は多く、日本も共和制の国家です。その反面、一部には共和国を名乗りながら、一部の政治家が独裁的な権力を持つ国もあります。こうした国のことを「寡頭的共和制」と呼びます。

王国 　　　タイ、デンマーク など

名前のとおり、王がトップにいる国家であり、異世界ファンタジーでもよく見られます。現実世界ではイギリスのように「王室」が存在していても政治的権限を持たず共和制をしいている場合もあれば、中東のサウジアラビアのように王が絶対的な権力を持っている場合もあります。

首長国 　　　アラブ首長国連邦、カタール など

イスラム教における君主（首長）がトップの国です。王国と似ていますが、こちらは首長が強い権力を持っています。2021年現在、国号として首長国を名乗っているのはアラブ首長国連邦のみですが、クウェートとカタールも首長が国のトップに君臨しています。

公国 　　　モナコ、リヒテンシュタイン など

貴族がトップを務めている国です。貴族が領地を支配していた中世期はいくつもあったようですが、現在では3国のみで、いずれも領地は狭い「ミニ国家」に分類されています。ちなみに、『機動戦士ガンダム』に登場するジオン公国も、字義としては貴族が統治する国となります。

連邦、合衆国 　　　アメリカ、ロシア など

連邦も合衆国も意味合いとしてはほぼ同じで、複数の国や州が連合体となり、ひとつの主権によって運用される国家です。各国（州）がほぼ均一の権力を持つこともあれば、一部が強大な力を振るうケースもあります。また、ヨーロッパ連合（EU）も連邦の仲間といえます。

帝国 　　　ローマ帝国、モンゴル帝国 など

「皇帝」がトップに君臨する、いくつもの地域や民族を征服した強大な勢力の国家です。ローマ帝国が有名ですが、現在は帝国を名乗る国はありません。戦いによる他民族征服など、現在の価値観では否定的なことを行なっていたためか、創作では「悪役」の国に名付けられることもあります。

国家

世界

異世界にも信仰はある
宗教

関連

神
→P.20

聖職者
→P.56

信仰魔法
→P.122

意外と多彩な宗教が登場

現実世界と同じように、異世界ファンタジーにおいても、宗教（信仰）という文化は存在します。ファンタジー作品の金字塔である『指輪物語』や、ファンタジーRPGの基礎を築いた『ダンジョンズ&ドラゴンズ』がキリスト教圏で誕生したこともあってか、異世界ファンタジーにおいて目につく宗教は、キリスト教をモチーフとしていると思われる描写があります。たとえば冒険者の職業として一般的なプリーストは、キリスト教聖職者の位階です。また、コンピューターRPG『ウィザードリィ』や『ドラゴンクエスト』などには寺院、教会とやはりキリスト教由来の建物が登場しています。ただ、他の信仰や、悪役が崇める邪悪な宗教が存在するなど、さまざまな宗教が登場することも珍しくなく、一部の作品[注1]を除いて宗教色が強く押し出されることはありません。

また、多くの場合、作品オリジナルの宗教が設定されています。小説『ロードス島戦記』では、六大神の1柱ファラリス神を崇めるファラリス教団が、『この素晴らしい世界に祝福を！』には、主人公のカズマと行動を共にしている女神アクアを崇めるアクシズ教団、女神エリスを祀るエリス教などが設定されています。

なお、こうした宗教団体は、物語でしばしば**「裏で暗躍する集団」**として、敵役となることもあります。

[注1] 小説『ナルニア国物語』は、作者がキリスト教の神学者だったこともあり、キリスト教の影響が強い作風になっている。

信仰対象の在り方による宗教の分類

現代社会においても、多種多様な宗教がありますが、これらは「信仰対象の在り方」によって、カテゴリわけできます。詳しくは下の表にまとめています。なお、「邪教」は現代社会で目につくことはほぼありませんが、異世界ファンタジーでは一般的なので紹介しています。

■主な宗教の形態

唯一神教	ユダヤ教、キリスト教、イスラム教 など

この世界に神はただひとつ「唯一神」しか存在しないと考える宗教です。そのため、もし唯一神以外に"神"とするものがあれば、それは神の名を騙る偽物であり、絶対に認めることはありません。中にはいわゆる「神像」などに祈りを捧げることも禁止している宗教もあります。

単一神教	ヒンドゥー教 など

大きなくくりの宗教としては、多数の神が存在していますが、信者はその中の1柱をとくに重要視して崇拝します。インドのヒンドゥー教が顕著で、中でもシヴァ神とヴィシュヌ神は、とくに強力な神として人気を集め、多くの信者を獲得しています。

拝一神教	ゾロアスター教 など

宗教として崇める神はただひとつですが、唯一神教と違い、他の宗教の神も認知しています。そのため、拝一神教の信者が他の宗教の信者と会ったとしても、その宗教の神を否定することはありません。各都市ごとに崇拝対象が異なることが多かった古代は、拝一神教が多かったといえます。

多神教	神道、道教 など

ひとつの宗教の中に多数の神が存在し、それらの神々を崇めるというものです。単一神教と違い、重要視する神を選ぶようなことはありません。神道の場合、アマテラスが最高神とされますが、他の神々もまた、アマテラスと同じように各神社などで信仰されています。

アニミズム	民間信仰 など

万物には精霊のような霊的な存在が宿っていると考え、これらを崇めるというものです。精霊信仰、汎神論などとも呼ばれます。いわゆる民間信仰に多く、アイヌ民族が信仰する神威や、ネイティブアメリカンのマニトゥへの信仰などが、アニミズムとして挙げられます。

邪教	悪魔崇拝 など

邪悪な存在や、人に害をなす存在を崇める宗教の表現です。基本的にはフィクションのみの存在ですが、いわゆる悪魔崇拝なども邪教に含むことがあります。なお、唯一神教では、他の信仰を「邪教」と呼ぶことがありますが、フィクションにおけるそれとはニュアンスが違います。

宗教

世界

19

＊関連＊

宗教
　　　　→P.18

聖職者
　　　　→P.56

教会・修道院
　　　　　→P.203

あらゆる生物の頂上にいる存在

神

偉大だったり、意外に身近だったり

18ページでは異世界にも宗教があることに触れました。そして、宗教があるということは神も存在します。主人公たちに加護を授けたり、導いたりするのは、往々にして神の役割です。また、何らかの事情で現実世界の人間を異世界へ転生、または転移させることもあります。

そして、神々は現実世界と違って明確な個体として存在しているケースも少なくありません[注1]。小説『ダンジョンに出会いを求めるのは間違っているだろうか』では、女神ヘスティアをはじめ多数の神が登場し、積極的に人間と関わりを持ちます。同じく小説『神達に拾われた男』では、主人公を異世界に転生させた神々が彼にさまざまな加護を授けています。

また、また**善の神**の勢力と**邪悪な神**の勢力が対立している、という設定がなされている作品も少なくありません。ソーシャルゲーム『千年戦争アイギス』は、女神アイギスの加護を受けた主人公たちが、人間と敵対する魔王や女神と戦う物語ですが、こうした構図はファンタジー作品の王道ともいえるでしょう。

なお、神といっても、その神格はさまざまです。キリスト教などの唯一神教における神は全知全能ですが、とくに多神教の神々は、「世界を創造した神」「農耕を司る神」など役割があることがほとんどです[注2]。

[注1] おそらくギリシャ神話や北欧神話など、多神教の神話の影響もあると思われる。

[注2] 複数の役割を担っている神も多く、たとえばギリシャ神話のアテナやメソポタミア神話のイシュタルなどは数多くの事柄を司る神である。

■役割で見る神の分類

神の種類	解説
創造神	我々の住む世界や人間、あるいは文化などを生み出した神のことです。自ら能動的に世界を誕生させるケースもあれば、ギリシャのカオスや中国の盤古のように世界（または宇宙）が生じた原初から存在した神もいます。 例：イザナギとイザナミ（日本）、ティアマト（バビロニア）　など
破壊神	文字どおり「破壊」を司る神です。この場合の破壊とは、生物や無機物といったものではなく、世界そのもの秩序などの概念を表します。破壊の先には「再生」があるため、破壊神とは今ある世界を壊し、新しい世界を創る神だともいえます。 例：シヴァ（インド）、スルト（北欧）　など
守護神	人間や生物、または土地など守護する神のことです。災いを防ぎ幸福をもたらす神であるため、信者にとっては身近な存在でもあります。信仰者のみならず、仏教の護法善神のように、宗教そのものを守護する存在もいます。 例：産土神（日本）、アテナ（ギリシャ）　など
軍神	戦争などの争いを司る神です。信者に武功を与え、戦いに勝利する力を与えます。戦国時代など戦いの多かった時代は厚く信仰されていたようです。なお、転じて「非常に強い、戦上手」な武将や軍人のことを軍神と称賛することがあります。 例：マルス（ローマ）、タケミカヅチ（日本）　など
豊穣神	豊穣とは「穀物の実りが豊かになること」で、つまり豊穣神は農作物の豊作を司る神です。「地母神」といわれることもあります。世界各地の神話や信仰に豊穣神が登場し、しばしば重要な神とされています。 例：イナンナ（シュメール）、ハトホル（エジプト）など
太陽神／月神	太陽、または月を信仰していた人々がそれらを神として崇めて生まれた神です。太陽神は権力や支配者と結び付けられ神話や宗教でも重要視されることが多いようです。一方、月神は多くの場合、寿命や繁殖といったものに結び付けられました。 例：アマテラス（太陽神／日本）、アルテミス（月神／ギリシャ）　など
天空神	大空や宇宙を生み出したとされる神です。多神教においては、数いる神々のトップ「最高神」とされることも多いのですが、一方で天空を生み出した以外の役割が薄いこともあり、そうした宗教の天空神は、信仰の重要度は低かったようです。 例：ゼウス（ギリシャ）、アン（シュメール）　など
死神（冥界神）	死者や死後の魂が赴く、死者の国（冥界）を統べる神です。死者が勝手に生き返ったりしないように管理したりする役目があります。なお、ガイコツ姿で巨大な鎌を手する死神は、「死」という概念が擬人化して誕生したもので神話との関連はありません。 例：エレシュキガル（シュメール）、ケルヌンノス（ケルト）　など
職能神	鍛冶や手芸、芸事など人間生活の一部のことに特化した役割を持つ神のことです。その職能と関わりの深い仕事をする人々から信仰されました。なお、豊穣神や軍神なども職能神のひとつと考えられることもあるようです。 例：ヘパイストス（鍛冶／ギリシャ）、アメノウズメ（芸能／日本）
悪神	人間や生活に害を与える神です。いわゆる邪神などとして、創作物で設定されることがあります。また現実世界でも、主だった神々と敵対する神族や疫病をもたらす疫病神などを悪神とすることがあるようです。 例：アンラ・マンユ（ゾロアスター教）、第六天魔王（仏教）　など

神

世界

✦関連✦	
国家	→P.16
議会	→P.170
砦	→P.258

恐ろしくもファンタジーの華のひとつ

戦争

戦争

世界

ファンタジーほど派手ではなかった現実の戦争

[注1] その国の軍が政治家を武力で排除し、政権を握ることを「クーデター」という。

[注2] 過去の戦争を題材に「もしも (if) の展開」を描く作品の場合は「架空戦記」と呼ばれる。また、戦闘描写があっても、物語が主人公など人物の一生に焦点を当てている場合は「大河作品」と呼ばれる。

悲しいことに近代に大きな戦争を2回経験した現代においても、世界各地で争いが絶えません。多くの人々を巻き込む争いは「**紛争**」または「**戦争**」といわれます。紛争はもめ事や争い全般を指すのに対し、戦争は「国家間における軍事的な戦闘行為」を指します。また、国内で起きた武力衝突は「**内戦**」と呼ばれます[注1]。

異世界ファンタジーにおいても、「戦争」を物語のメインに据えた作品があり、こうした作品は「戦記もの」「戦記ファンタジー」などと呼ばれます[注2]。田中芳樹の『アルスラーン戦記』は日本の戦記ファンタジーの代表作といえるでしょう。最近でも『幼女戦記』のように、戦争を題材にした作品がヒットしています。また、異世界ファンタジー作品の王道である「魔王の軍勢に勇者たちが立ち向かう」というような物語も、魔王軍と人間（や魔王戦う者たち）による戦争を描いているともいえるでしょう。

創作における戦争は、大勢が参加し、ときに魔法やモンスターが入り乱れるようなダイナミックな描写が多いですが、中世期のヨーロッパにおける戦争では、激しい戦闘が行なわれることは少なかったようです。ほとんどの場合は、両軍がにらみ合う膠着状態が続き、たまに小競り合いがある程度。そのため死者も少なく、戦闘の決着は士気の落ちた側が逃げ出して決着、ということが多かったようです。

■ヨーロッパにおける戦争（内乱）の例

トロイア戦争（紀元前12世紀頃）
ギリシャ連合 対 トロイア ／結果：ギリシャ連合勝利

ギリシャと現在のトルコ北西部にあったというトロイアの争いです。神話に描かれる争いで、ギリシャの神々も真っ二つに分かれてそれぞれの陣営についています。

なお、この戦争、じつは主神ゼウスが「人間が増えすぎたので、大戦を起こして調整する」ために仕組んだものでした。

レコンキスタ（国土回復戦争）（718〜1492年）
キリスト教連合 対 イスラム教連合 ／結果：キリスト教連合勝利

現在のスペインとポルトガルがある「イベリア半島」を征服していたイスラム教徒と、領土を奪還しようとするキリスト教徒による争いです。イスラム教徒と敵対する

人々は小さな国を興して決起して反撃をはじめ、徐々に勢力を拡大。約800年をかけてイベリア半島を取り戻しました。

十字軍遠征（1096〜1291年）
キリスト教連合 対 イスラム教連合 ／結果：イスラム教連合勝利

キリスト教とイスラム教どちらの聖地でもある「エルサレム」を巡る争いで、十字軍とはエルサレム奪還を目的に編成されたキリスト教の軍のことです。十字軍に

よる遠征は約200年で大規模な遠征は9回行われていますが、最終的にはエルサレムの征服は叶いませんでした。

百年戦争（1337〜1453年）
ヴァロワ朝（フランス王家）対 ランカスター、プランタジネット朝（イギリス王家）／結果：ヴァロワ朝勝利

イングランド王家とフランス王家による争いです。聖女と謳われるジャンヌ・ダルクが参加したことでも知られます。序盤はフランスが内部の勢力争いをしていたこと

もありイングランドが圧倒的に有利でしたが、名将リッシュモンが宮廷に復帰して反撃を開始し、逆転勝利を収めています。

薔薇戦争（1455〜1485年）
ヨーク家 対 ランカスター家 ／結果：和解成立

百年戦争直後、イングランドの有力貴族「ヨーク家」と「ランカスター家」が中心となって起きた勢力争いです。この争いによって、貴族たちは疲弊し共倒れのよ

うな形となります。最後はランカスター家に組するヘンリーがヨーク家を打倒後、ヨーク家の女性と結婚することで和解を図りました。

英西戦争（1585〜1604年）
イングランド 対 スペイン ／結果：和解成立

商業的、宗教的な理由で対立していたイングランドとスペインによる争いです。両国は断続的にお互いの商船を私掠船（国が認めた海賊船）に襲わせるなど断続

的に争っていましたが、共に疲弊していき、イングランドを治めていたエリザベス1世の死後、講和が結ばれました。

三百三十五年戦争（1651〜1986年）
ネーデルラント連邦共和国（オランダ）対 シリー諸島（イギリス）／結果：ネーデルラント連邦共和国勝利？

非常に長期間、かつ銃弾1発も撃たずに終わった戦争です。清教徒革命の際、議会軍と協力していたオランダは国王軍が支配するシリー諸島に宣戦布告したので

すが、攻める前に国王軍が降伏し戦闘は行なわれませんでした。さらに終結宣言も行なわなかったため、記録上335年も戦争状態が続いたのです。

フランス革命（1789〜1799年）
フランス国王軍 対 フランス市民 ／結果：国王軍は打倒されるもナポレオンによる独裁政治へ

フランスの王朝に市民が反乱を起こした内乱です。市民の軍が勝利し、封建的社会を壊して共和制を実現するに至りました。しかし、周辺国は自国の革命を恐れ、

次々とフランスに戦争を仕掛けます。このピンチを有名なナポレオンが救うのですが、今度は彼の独裁を許すことになってしまいました。

ファンタジーでもよく見るいろいろな階級

階級・身分

☙ 関連 ❧

国家
→P.16

君主と貴族
→P.164

領主
→P.166

かつては厳格だった身分

現代では、一部を除き個人の身分や地位というものがさほど重要視されない傾向にありますが、それでも気にしてしまうことはあるでしょう。各々の社会的地位やそれに付随する役割、権力などは、ときに格差や差別にもつながってしまいます[注1][注2]。

現代よりも階級や身分の差が厳格だった時代を参考にしている異世界ファンタジーでは、多くの場合、「封建制度」に似た支配体制を敷いています。国王が有力者に領土を与え、統治させます。領主はさらに他の有力者に領地を与えたり、平民（農民）を使って作物を育てさせたり、工芸品を作らせるなどして発展させていったわけです。国王は領土を与える際、貴族の階級である**爵位**も与え、この爵位の位によって身分も違いました。なお、爵位の日本語訳は、明治期に中国の「**五爵**」という制度を参考にして作られた「**公候伯士男**」の名前が元となっています。

他にも、現実でもファンタジー世界でも登場する身分として「**奴隷**」があります。彼らは人間としての尊厳を与えられず、労働力として売買されたり戦争に駆り出されたりすることもありました[注3]。ただ、近年の作品では、異世界ファンタジーに転生、または転移した現代人が現代人の価値観で奴隷に接することで、信頼を勝ち得たり、友情や恋愛感情が芽生える、という展開の作品も増えています。

[注1] 非常に厳格なインド身分制度「カースト」は、その代表といえる。じつは、「差別行為」は禁止されているものの、カースト自体は現在も残っている。

[注2] なお、近年では「身分の低いところから成り上がる」「身分（実力）は低いとされるが実は隠れた能力がある」というカタルシスを内包した作品も増えている。

[注3] 日本にも、奴隷に近い身分はあったが西洋に比べると結婚や財産を持つことが許されたりと、性質が異なる部分もある。

■主な地位や貴族の爵位

和名	英語名	解説
皇帝	Emperor	ローマ帝国のような帝国のトップを意味する言葉です。もうひとつはかつて中国大陸を統治した国の支配者を指し、日本語の皇帝はこれに由来します。
王	king	その領土（国）を支配している人物の称号です。稀に皇帝よりも格下に見られることもありますが、実質的には同等の立場です。
大公	Archduke／prince	王のすぐ下に地位にあたる階級で、小国の統治者に使われます。また、王族のうち、王以外の者や分家のトップの敬称として使われることもあります。
王子	prince	王子の息子、あるいは王位を継承する権利があるが、まだ王座に就いていない男子を指します。女性の場合は「王女」（princess）となります。
公爵	Duke	爵位の中でももっとも高い位です。王（君主）の傍流の親族や、王家に匹敵するほどの権力を持つ大貴族に使われます。
侯爵	Marquess	領地を所有する有力者のこと。なお、ドイツにはこの爵位ではなく、辺境伯（Markgraf）と呼ばれる爵位が設定されています。
伯爵	Earl/Count	もっとも古いといわれることもある爵位です。やはり領地を所有します。なお、英語のCountは、国や群、州を意味する「Country」の語源となりました。
子爵	Viscount	副伯ともいい、伯爵の補助的な役割を担っています。侯爵や伯爵の跡取りの肩書きとして使われることもありました。
男爵	Baron	王の臣下や、有力な農民に与えられる爵位です。公候伯士男からなる爵位の中ではもっとも低い階級です。
準男爵	Baronet	イギリスのみにある爵位です。名前とおとおり、男爵のさらに下の階級で、貴族に含まれないこともあります。基本的に肩書のみで領地などは与えられません。
騎士	Knight	大きな功績を成し遂げた者や功労者に与えられる爵位です。他爵位と違い一代限りで世襲することができません。

階級・身分

世界

「士農工商」はもう古い!?

　少し年上の世代の読者なら、小学生の頃「士農工商」という言葉を習ったでしょう。江戸時代の身分制度で、武士から順に身分が下がっていき、商人が身分が低いということを表しています。じつはこの言葉、今の教科書では使われていないこともあるのです。理由はいくつかありますが、士農工商以外にも、僧侶や公家などさまざまな身分があり適切ではな

い、農工商の身分には上下関係はなかった、というのが主な理由のようです。

　さらに、明治時代になると「四民平等」という言葉が出てきます。これは士農工商の格差をなくすという意味と捉えられてきましたが、「士農工商」と関連して考えてしまう、そもそも四民平等は公式な名称ではない、などの理由からこちらも使用しない教科書があります。

25

勇者・英雄

関連

異世界転生・転移
→P.14

聖剣・魔剣
→P.112

魔王
→P.312

異世界ファンタジー

ファンタジー作品に欠かせない存在といえば、やはり花形の「勇者」や「英雄」の存在でしょう。最初は強くなかった主人公が成長して、巨悪を倒すなどの偉業を達成し、勇者や英雄と讃えられる筋立ては王道中の王道です[注1]。また、こうした英雄の伝説は世界各地に残っており、おとぎ話として語り継がれたり、ファンタジー作品の設定に盛り込まれたりすることもあります。

本来、勇者も英雄も尊称であり、いわゆる職業ではありません。しかし、RPG『ドラゴンクエスト』が大ヒットしたこともあり、勇者には「魔王や邪神など、世界を脅かす存在を倒す宿命を負った者」というような認識が広まります。なお、基本的に勇者と呼ばれる人物は主人公なのですが、メディアミックス作品『甲竜伝説ヴィルガスト』のように、世界を救う救世主として異世界に召喚された主人公以外に、勇者の肩書きを持つメインキャラクターが登場したり、小説『盾の勇者の成り上がり』のように勇者と称される人物が複数登場する作品もあります[注2][注3]。

ゲーム的な視点で勇者という存在を見ると「能力的に平均的で弱点はないが長所もない」とされることが多いようです。そして、まず間違いなく専用武器の装備や専用魔法を習得することができます。勇者にしかできないことがあることで、唯一無二の存在感を示しているといえます。

[注1] 異世界が舞台の作品では、物語冒頭で「勇者の素質のある者が、現実世界から異世界に転移させられる」という展開を見せる物語も多い。

[注2] 近年の創作では、勇者以外を主人公にし、勇者を悪者、あるいは性格が歪んでいるなど、好感が持てない存在として描いている作品もある。

[注3] 英雄は勇者よりも一般的な単語ということもあり、敵対する存在としてや、強力な味方としてなど、英雄の肩書きを持つキャラクターが登場する機会は多い。

■神話、英雄物語の主役たち

名前	主な伝承地	解説
ヘラクレス	ギリシャ	ギリシャを代表する英雄で、筋骨隆々で不死の体を持ちます。多くの怪物退治など数多くの偉業を成し遂げましたが、ヒドラという蛇の猛毒に苦しみ、最期は不死の力を返上して死を選びました。
アーサー王	イギリス	岩（金床とも）に突き刺さった選別の剣を引き抜き、キャメロットという国の王となった騎士です。円卓の騎士と呼ばれる仲間たちや参謀のマーリンとの物語は、非常に多くのバリエーションが生まれました。
ギルガメシュ	イラク	中東にあったというウルクという国の王です。神の血を引いていて、彼に勝てる者はいませんでしたが、一方で非常に乱暴でした。しかし、エンキドゥという親友に出会ってからは、王にふさわしい人格を身に着けています。
ベオウルフ	イギリス	古英語で書かれた英雄物語『ベーオウルフ』の主人公です。デネ（デンマーク）の王であり、若いときにグレンデルという怪物を素手で倒し、年老いてからは街を襲った火竜と戦い、命を賭して竜を倒しています。
ローラン	フランス	騎士道物語『ローランの歌』の主人公。シャルルマーニュに使える「十二勇士」の筆頭として、岩をもたやすく切り裂くデュランダルを武器に戦いますが、ある戦いでプライドを優先し援軍を呼ばなかったため戦死します。
ジークフリート	ドイツ	英雄物語『ニーベルンゲンの歌』の主人公。竜の血を全身に浴びたことで皮膚が鱗のように硬いという能力を得ますが、背中のある一点だけが血を浴びず硬質化しなかったため、その部分を矢で射られて命を落とします。
ラーマ	インド	英雄叙事詩『ラーマーヤナ』の主人公。ヒンドゥー教の主神のひとりヴィシュヌの化身であり、敵対するラクシャーサの王、ラーヴァナを倒しました。非常に人気があり、インドや東南アジアで信仰の対象となっています。
マナス	キルギス	世界一長大な英雄物語といわれる『マナス』に描かれる英雄。神の力で産まれた存在で火縄銃のアクケルテとアチャルバルスという剣を手に、各地に遠征。他民族や異教徒を倒してキルギスの領土を広げたといわれています。
イリヤ・ムウロメツ	ロシア	『ヴィリーナ』という英雄物語に記される英雄。30歳になるまで寝たきりという生活を送っていましたが、家を訪れた不思議な老人たちの力で手足が動くようになり、以後はキリスト教とロシアを守るために奮闘します。
シグルド	北欧	北欧に伝わる『ヴォルスンガ・サガ』の英雄で最高神オーディンの子孫。父をオーディンに殺されるなど数奇な運命に翻弄されます。ファフニールという竜を殺しその心臓の血を舐めたことで鳥の声が理解できるようになりました。
ヤマトタケル	日本	『古事記』『日本書紀』でも言及される皇族。朝廷に逆らう九州のクマソタケルを、少女の姿に変装して近づき殺すなど数々の勲功を立てます。しかし、山の神の怒りに触れてしまって病身となり、そのまま亡くなりました。
ディートリヒ	イタリア	イタリア北東部のヴェローナを拠点としていたという英雄。名剣ナーゲルリング（のちにエッケザックスという剣に持ちかえる）を手に戦う他、心の奥底から怒ると口から火を噴くという特殊な力がありました。
ファリードゥーン	イラン	イランの英雄物語『王書』に描かれる英雄。ヘッドの部分が聖なる牝牛の頭部を模した形の槌矛を武器に、両肩から生えている蛇に毎日人間の脳を食べさせた暴君「ザッハーク」を打倒、鎖で縛って山に封印しました。
クー・フーリン	アイルランド	半身半人の英雄。普段は美青年ですが、戦闘になると髪の毛を逆立て体中の筋肉が膨れ上がるなど異形の姿になります。愛槍のゲイ・ボルグは、突けば30の棘となって破裂、投げれば30の矢になって降り注ぐ能力があります。

通じないようで、意外と通じる
言語・文字

関連

異世界
→P.12

呪文（詠唱）
→P.150

魔法文字
→P.152

異世界にも独自の言語体系はある

　一説によると、世界には6900もの言語が存在するといわれています。当然、相手が話す言語がわからなければ、意思の疎通を図るのは非常に大変です。文字の場合も同様で、日本人なら中国の漢字くらいはある程度ニュアンスをつかめるかもしれませんが、他についてはお手上げでしょう。

　これが異世界ファンタジーの世界なら、当然その世界独自の言葉や文字が存在するはずです。ファンタジーの父と称されるトールキンは、元々オリジナルの言語を作りたくて『ホビットの冒険』などを制作したこともあり、全部で15の言語を生み出しました[注1]。また、テーブルトークRPG『ダンジョンズ＆ドラゴンズ』でも各種族が使う文字や言語、特殊な言語が設定されています。最近の作品ですと、小説『無職転生〜異世界行ったら本気だす〜』では、記憶を持ったまま異世界の赤ちゃんとして転生した主人公が、はじめは親の話す言葉が理解できませんでしたが、成長するにつれ理解する、という演出がありました[注2]。

　一方で、異世界における言語や文字については追求しない作品もあり、こうした作品ではまったく触れられないか、異世界に転移する際に何かの力でその世界の言語を理解できるようになる、というような理由付けがされています。また、反対に異世界に転移した人物が書いた現代の文字を、異世界の住人が理解できないケースもあります。

[注1] 舞台である中つ国には、英語の筆記体のような「テングワール」、北欧に伝わるルーン文字に似た「キアス」というふたつ文字があり、とくにテングワールが一般的に使用される。

[注2] この作品には6つの言語が存在しており、主人公のルーデンスはそのうちの4つを話せるようになる。

疫病

異世界でも疫病は怖い

異世界での病気の扱い

　2021年現在、新型コロナウイルス（COVID-19）が猛威を振るっていますが、人類の歴史はさまざまな疫病（感染症）との戦いでした。結核やコレラ、エイズ、インフルエンザなど疫病は多数ありますが、根絶したといわれているのは「天然痘」[注1]だけなのです。とくに中世期のヨーロッパで大流行したペスト（黒死病）[注2]は、医療技術が未熟だったとはいえ、ヨーロッパの人口の3分の1が死亡したといわれている、とてつもないものでした。

　翻って、異世界ファンタジーを舞台にした作品に目を向けると、疫病という存在の扱われ方はさまざまです。疫病による被害を解決するために奔走するような作品もあれば、まったく考慮されない場合もあります。疫病の概念が明言されている場合、回復魔法では病気を快復させられないケースがほとんどで、別の専用の魔法や薬が必要と設定されています[注3]。

　ファンタジー作品ならではの設定としては、疫病の感染源が魔法によって生成されたものだったり、神や魔王の力によって引き起こされた「呪い」であったりするケースが一般的です。また、異世界転生、または転移する作品の場合は、「現代の医療知識を活用して人々を助ける」という設定もあります[注3]。いわゆるチートで、どんな病気も治す力を獲得するケースもあるようです。

[注1] 「疱瘡」とも呼ばれる伝染病。昭和の後期まで、日本を含む世界中で感染が確認され、非常に死亡率が高いことから恐れられた。

[注2] ネズミなどのげっ歯類が保有するペスト菌によって引き起こされる感染症。感染すると皮膚が紫黒色し、当時は感染したらほぼ助からないことから「黒死病」と訳された。なお、現在でもアフリカ大陸を中心に毎年4000例ほどの感染が確認されている。

[注3] オンラインRPG『ファイナルファンタジーXIV』では病気というバッドステータスがあり、これを治せるのは、ほとんどの状態異常を回復できる魔法エスナなど一部のみ。ただし、ゲームではバッドステータスごとに回復魔法設定されていることがほとんどなので、仕方がないことともいえる。

[注4] 正確には異世界転移ではないが、漫画『JIN-仁-』では、幕末にタイムスリップした脳外科医が現代医療を駆使して人々を救うために尽力している。

29

ロストテクノロジー

世界

古のアイテムはロストテクノロジーの塊かも

　我々の世界は日々進歩し、さまざまな技術が開発されていますが、一方で非常に高い技術で制作された過去の作品について、その詳細な技術がわからないものもあります。たとえば日本刀。室町時代の1595年頃までに作られた「古刀」に分類されるものは、現在の技術力でも再現が難しい高度な技術が用いられているのですが、伝承が途絶えてしまっていて、その詳細はまだ解明できていません。

　ロストテクノロジー（失われた技術）とは、こうした過去にあった高度な技術のことをいいます。異世界ものにこの定義を当てはめると、「かつて神が作った伝説の剣」「滅びた古代文明の時期に制作された兵器」などは、その世界における現在で作ることができない場合も多く、ロストテクノロジーの産物だといえるでしょう。こうした物品は非常に強力であることが多く、ジブリ映画『風の谷のナウシカ』に登場する巨神兵は、世界を焼き払い、文系を崩壊させたとてつもない代物でした。

　なお、現在の基準を大きく上回る技術のことを「**オーバーテクノロジー**」といいます[注1][注2]。近年では、小説『異世界はスマートフォンとともに。』のように、現代よりも文化基準が劣る異世界を舞台に、転移、または転生してきた現代人が、現代機器[注3]を活用して活躍する作品がいくつも見受けられます。

[注1] 主にSF作品で使われる定義。辞書にもある単語だが、その場合は「普通の人には扱いきれないほどの最新、過剰な技術」というような、少し異なる意味である。

[注2] ゲーム『ファイナルファンタジー』シリーズの飛空艇や、『軌跡』シリーズの動力飛行船のように、高度な技術の産物であっても、その世界の現行技術で作られている場合は、オーバーテクノロジーに当てはまらない場合が多い。

[注3] 転移の際にこうした機器に何かしら特殊な力が備わることも多い。

季節の節目で行われる一大イベント

祝祭

関連

宗教
→P.18

神
→P.20

祝祭

世界

キリスト教由来が多いファンタジーの祝祭

　　今と違って娯楽が少なかった時代は、1年の節目節目で行われる祭りはとても楽しみなものでした。祭りは地域の人間総出で行なわれ、ときには周辺の村や町の住人と一緒にお酒を飲んだりして楽しんだのです。中世では、人の9割が農民だったということもあり、とくに秋に作物の収穫を祝い神に感謝する**祝祭**はどこでも行なわれていました。

　　一方、宗教的な意味合いのある祭りでは、教会などの宗教施設に近隣住民が集まり、儀式や祭祀を執り行うという、厳かなものでした[注1]。

　　こうした祝祭はファンタジー作品にも流入され、作中で盛大な祝祭が行われることも多いようです。キリスト教由来の祭りも多いため、たとえばクリスマスなどはほぼそのままの設定で行なわれることもあります。とくにソーシャルゲームでは、現実の祝祭に合わせてイベントを実施して盛り上げるのが通例になっています。

[注1] 神ではなく邪神や悪魔などに祈りを捧げる儀式は「黒ミサ」「サバト」などと呼ばれた。

■キリスト教の3大祝祭

祝祭の名前	日にち	解説
復活祭（イースター）	3月～4月	磔刑にされたイエス・キリストが復活したとされる日です。「春分の日から数えて最初の満月の日の次の日曜日」とされ、復活や生命の象徴とされる「卵」に色付けした「イースター・エッグ」を飾ったりします。
精霊降臨祭（ペンテコステ）	4～5月	復活祭から50日後に行われる祝祭です。復活、昇天したイエスへの祈りを捧げるために集まった信徒たちの頭上に、「炎のような舌」に見える聖霊が降臨したことに由来しています。
降誕祭（クリスマス）	12月25日	イエスの誕生日を祝う祝日ですが、今ではサンタクロースがプレゼントを配る祭りとしても有名です。なお「クリスマス」はキリストの名前が由来のため、現在は宗教色を消すため「聖夜」と呼ぶことも増えました。

食事

異世界の食事はバラエティ豊か

☙ 関連 ☙

宿屋・馬小屋
→P.188

酒場
→P.190

異世界でも食べなければ生きられない

人間が生きていくためには食事は欠かせないものです。創作のジャンルには「**グルメもの**」という食にフォーカスした一大ジャンルがあることからも、いかに食が人を惹きつけているかがわかるでしょう。

近年、このグルメものが異世界ファンタジーと融合し、漫画『ダンジョン飯』や『空挺ドラゴンズ』など、異世界の食材を使ったグルメものも登場しています[注1]。よくある食材だけでなくドラゴンやスライムなど現代にはいない生物や食材が使われますが、読者の想像を掻き立て、美味しそうに見せるための工夫が施されています。こうした作品では、めったに味わえないような珍味も、モンスターが素材であることが多いようです。なお、ケルト神話における「**知恵の鮭**」、北欧神話の「**ファフニール（ドラゴン）の心臓と血**」のように、神秘的な生物や強力な生物を食べることで特殊な力を獲得する例もあります[注2]。

ゲームでは、食事をすることでステータスが強化されたり、特殊な能力を獲得できたりする作品もあります。そして、たいていの場合、基本的に値段が張る豪華な食事を食べたほうが、より効果が高い傾向があります。おなじゲーム作品でも、ローグライクゲーム『不思議のダンジョン』シリーズのように、食事がゲームシステムに盛り込まれている場合もあります[注3]。

[注1]『異世界食堂』『異世界居酒屋「のぶ」』のように「現在世界の食堂が何かの理由で異世界とつながり、店に来る異世界の人々に現代の料理を振る舞う」という、少し捻った設定の作品もある。

[注2] 知恵の鮭は食べた者にあらゆる知恵を与えるとされ、ファフニールの心臓にも食べた者を賢くする、血には小鳥など動物の言葉がわかるようになる作用があったとされる。

[注3]『不思議のダンジョン』には、行動すると消費する「満腹度」があり、これが0になると行動するたびにHPが減っていく。

　中世の食事事情は、貴族と庶民とではかなり違います。一日の食事回数は時期や地域によっても違いますが、貴族は2回、庶民は3回（または5回）でした。庶民はパンやお粥、野菜のスープ、チーズなど、ほぼ毎日同じメニューで、貴族は上質なパンや肉、魚が中心でした。

■中世の貴族と庶民の食事の例

食べ物	貴族	庶民
主食	小麦を使用した白いパンが主食でした。小麦を育てるには肥料が必要で高価になりやすかったため、庶民には手が届かなかったのです。	ライ麦や大麦を使ったパンが主食でした。なお、庶民は14〜16世紀頃まで自宅でパンを焼くことを許されず、貴族の家や教会などを利用していました。
肉	猪、うさぎ、鶏、七面鳥などさまざまな肉料理を食べていました。焼肉や柔らかく煮込んだものが食べられた他、燻製などの加工品も作られました。	祝祭などを除き、ほとんど食べることはありませんでしたが、豚などの放牧ができた家庭では、冬場に塩漬け肉などの加工品も食べていたようです。
魚介	ニシンやタラ、カレイなどを香辛料で加工して食べていました。庶民は食べられない脂身の多い珍しい魚を焼いたりフライにしたりすることもありました。	肉ほどは高級ではなかったこともあり、よく食べていたようです。保存の効く燻製や塩漬けに加工してから食すことが多かったといいます。
野菜	地面から採れるものは貧しいものという考えから、野菜はほとんど食べられませんでした。そのため、この頃の貴族はビタミン不足が多かったようです。	アブラナ、玉ねぎ、ニンニク、ネギをはじめ、たくさんの野菜を食べていました。基本的には鍋にすべて入れて煮込み、スープにしていました。
果物	パイに挟み込むなど普通に食されていましたが、基本的にはドライフルーツや砂糖漬けに加工することが多かったようです。	さくらんぼ、プラム、リンゴ、梨など採れるものは食卓に並んだ他、ドライフルーツにして冬の非常食にしていたといいます。
飲物	衛生的な理由から生水を飲むことはまずなかったようです。代わりに腐敗しにくいビールやワインのようなアルコール飲料が飲まれていました。	やはり生水は飲まずアルコール飲料を飲んでいました。また庶民のパンは非常に硬かったので、アルコールに浸してから食べることも多かったようです。

中世にあの食材はなかった？

　イギリスといえば、白身魚のフライにフライドポテトを添えた「フィッシュ・アンド・チップス」が有名です。また、パスタやラタトゥイユなど、欧州にはトマトを使った料理が数多くあります。

　しかし、こうしたじゃがいもやトマト、さらにトウモロコシは、中南米が原産で中世のヨーロッパにはありませんでした。コロンブスがアメリカ大陸を発見したこ

とに端を発する大航海時代が訪れると、中南米にたどり着いた冒険家がトマトやじゃがいもを持ち帰ったのです。

　なお、日本にも伝来時期が勘違いされやすい野菜があります。それは白菜です。しばしば時代劇にも登場し、古くからある野菜と思われがちですが、中国大陸から日本に流入してきたのは、明治時代に入ってからなのです。

異世界ファンタジーで使われる
「中世」とは何か

　異世界ファンタジーの世界観を表現するとき、「中世ヨーロッパ風」ということがあります。おそらくファンタジー好きなら一度はいったか聞いたことがある表現でしょう。では、この中世とは何を意味するのでしょうか。

歴史区分のひとつである「中世」

　ヨーロッパの歴史は、大きく「古代」「中世」「近世」「近代」「現代」の5つに区分されます。これは、時代時代の社会の仕組みによるわけ方で、中世は概ね、「西ローマ帝国崩壊（486年）から東ローマ帝国の崩壊前後（15世紀中頃）」の期間を指します。つまり、「中世」とは、歴史区分のひとつで、その期間は1000年もの期間があるのです。

　中世のヨーロッパの特徴は、キリスト教の普及、封建制度（16ページなども参照）の確立などがあります。またペストの流行や十字軍の遠征、悪名高い異端審問もこの中世に始まっています。

　時が流れ、強い王が国内を統一して封建制度が廃れ、中央政権の国家が築き上げられると、時代は近世へと突入していくのです。

　異世界ファンタジーの世界では、中世の文化や出来事を参考にしているのは、確かですが、実際にはそのあとの近代を参考にしている場合も多いようです。また、蒸気機関や魔法を動力にしたメカなどSFの要素など他のジャンルを取り入れた作品も増えていますし、異世界ファンタジーを「中世ヨーロッパ風」とくくるのは不適当になってきたのかもしれません。

日本における中世

　「古代」〜「現代」の時代配分は、日本に当てはめることもできます。「古代＝古墳〜平安時代」「中世＝鎌倉〜室町時代」「近世＝安土桃山〜江戸時代」「近代＝明治〜昭和中頃（太平洋戦争終結）」「現代＝戦後〜」とされることが多いようです。ただ、元々はヨーロッパの時代区分を当てはめているためか、少々強引になってしまっているところもあります。

　中世は、日本とヨーロッパで重なる部分が多いですが、ヨーロッパの近世に比べ、日本の近世である安土桃山〜江戸時代は、封建制度のため違いがあるのです。また、古代と中世、近世と近代の境をどこにするかについては議論の余地があります。こうした事情もあるのか、日本の歴史では、古代や中世といった表現が使われることはあまりありません。

chapter ②

職業・種族
Job・Race

❧ 関連 ❧

異世界転生・転移
→P.14

職業（ジョブ）
→P.38

冒険者ギルド
→P.186

広大な世界に夢膨らます者、あるいは……

冒険者

「冒険者」だけどやることはいろいろ

冒険者は、RPGやその影響が強い作品では欠かせない存在です。とくにテーブルトークRPGやオンラインRPGのような、複数のプレイヤーが集うゲームでは、「プレイヤー＝冒険者（またはそれに類する職業[注1]）」となって、ゲーム内世界を冒険するのです。そのため、冒険者と職業（ジョブ）は別のものとして扱われることも多いようです。また、ゲーム以外の創作でも、こうしたファンタジー世界が舞台のゲームに影響を受けていると思われる作品には、冒険者が登場するケースがあります[注2]。

基本的に、ファンタジー世界に登場する冒険者は、未開の地や隠されたお宝を探求するような「**冒険家**」「**トレジャーハンター**」とは区別されます。しかし、下記のように結果的にやっていることが同じになることもあります。

冒険者の仕事は、概ね次のようなものです。自分が住む町の「**冒険者ギルド**」に赴き、仕事を受注します。そしてその仕事を達成することで報酬を得るというものです。

[注1] アクションゲーム『モンスターハンター』のハンターやソーシャルゲーム『グランブルーファンタジー』の騎空士など。

[注2] 現実世界から異世界に転移してきた人物が冒険者になるのも定番の流れのひとつ。

次はなんだっけ…？

あわわ…あわわ…

この仕事の内容は非常に豊富で、街を襲うモンスターの退治や遺跡やダンジョンにある秘宝の入手、貴重なアイテムの輸送や要人のボディーガードのような、やりごたえのありそうなものから、町人同士のちょっとした諍（いさか）いの仲裁に迷子のペット探し、指定されたアイテムを店から買ってくるといったお使い的なものまであります。つまり冒険者とは、仕事を斡旋（あっせん）するギルドから依頼を受ける「**何でも屋**」でもあるわけです[注3]。

また、作品によって独自の設定を盛り込んでいることもあります。一例を挙げると、小説『ダンジョンに出会いを求めるのは間違っているだろうか』では、神の眷属となってダンジョンでモンスターと戦い、そこから収入を得て生活している者の総称が冒険者とされています。

[注3] 冒険者の場合、犯罪スレスレまたは知らず知らずのうちに加担しているケースもあり、現実世界の何でも屋よりもタチが悪いと言える。

冒険者 職業・種族

冒険者の悲哀

実質的な何でも屋である冒険者は、見方を変えると、大変な存在だといえます。冒険者ギルドに仕事があるかどうかで稼ぎが決まるわけですから、当然仕事がなければ食い扶持（ぶち）にありつけないわけです。また、一般の町民などに比べれば、戦う術を身に付けていることが多いので、有事が起これば戦いに駆り出されることもあるでしょう。

仕事の定番である「モンスター退治」も、受注者の実力が伴わなければ返り討ちに遭ってしまいます。小説『ゴブリンスレイヤー』では、新米冒険者で結成したパーティーが、ゴブリン退治の依頼を引き受けますが、相手を侮った結果、悲惨な目に遭う姿が描かれています。

このように冒険者は自由である代わりに、生き馬の目を抜くようにして立ち回る必要がある、シビアな実力主義の世界といえるでしょう。

関連

冒険者
→P.36

冒険者ギルド
→P.186

ファンタジーならではの職業が目白押し
職業（ジョブ）

職業（ジョブ）

職業・種族

現実世界とは別の意味を持つ職業

　職業（ジョブ）と聞けば、現代の我々は「どんな仕事をしているか」を想像するでしょう。しかし、<u>異世界ファンタジー作品では、職業は少し違った意味合いを持ちます。</u>

　異世界ファンタジー、とくにゲーム作品における職業は、その人物がどのような戦闘、または探索においての特性を持っているかを示しています。<u>戦士なら武器の扱いに長けていて最前線でモンスターと戦い、僧侶ならば傷を癒す魔法を使いこなし味方を助ける</u>、といった具合です。とくにゲーム作品では、4～6人程度でパーティーを組み、ダンジョンを攻略するのが定番ですから、それぞれの職業を確認してバランスよくパーティーを編成するのが基本です。

　こうしたキャラクターに決められた職業は、変更できるケースもあり、作品によっては職業を変えながら各職業で覚える魔法や特殊能力をどんどん習得して強くなっていくのが醍醐味になっている作品もあります[注2]。

　また、職業にはより上位の職が設定されている場合もあります。特定の条件を満たすことでその上位の職業に就くことができ、より強力な魔法や能力を習得することができるようになります[注3]。

　ここまでの職業の解説はゲーム由来のものですが、他媒体のファンタジー作品でも登場キャラクターに職業を設定している作品もあります。

[注1] 商人や武器屋、占い師など、仕事としての職業も存在する。

[注2] 勇者やロードといった特別な職業は変えられないのが通例。しかし、『ドラゴンクエスト』シリーズの一部では、条件さえ満たせれば仲間全員を「勇者」にすることができる。

[注3] 俗に「クラスアップ」「クラスチェンジ」などと呼ばれる（クラスチェンジは、上記の転職の意味で使われることもある）。

モンスターと近接戦を繰り広げる「前衛職」

　ファンタジー作品における職業は、ゲーム的な視点でカテゴリ分けすると「前衛職」「後衛職」「特殊な職（その他）」の３つに分けられます。

　前衛職は、戦いや探索で最前線にモンスターを相手に最前線で戦ったり、発動した罠を受け止めたりして活躍します。主に「腕力を利用した強力な一撃、あるいは技ありの鋭い一撃で敵をなぎ倒していく」**アタッカータイプ**と、「ハードな敵の攻撃を一身に受け止める」**ディフェンダー**（タンクとも）タイプの２つにわけられます。どちらもダンジョンの探索はモンスターとの戦いが不可欠ですから、彼らの出番は多いでしょう。

職業（ジョブ）

職業・種族

■前衛職の例

名前	別名、類似職	解説
戦士	ファイター、ウォーリア、ソルジャー、	武器の扱いに長けた近接戦闘のプロです。重厚な武器も使いこなし、相手の物理攻撃に対する防御力も高いですが、反面魔法は使えず相手の魔法に対する抵抗力も低いことが多いです。
剣士	ソードマン、ソードファイター、剣聖	戦士と違い、刀剣の扱いに長けている職業です。著名な剣術を会得していることもあり、流れるような剣さばきでモンスターを圧倒します。
騎士	ナイト、重戦士、フォートレス	貴族の称号のひとつですが、職業として騎士は重装備で身を固めた防御に優れる職業です。純粋に打たれ強いほか、魔法への抵抗力も持ち合わせていることもあります。
聖騎士	パラディン、ホーリーナイト、クルセイダー	騎士の上位職とされることの多い職業です。神の加護を受けておりより打たれ強くなっている他、僧侶と同じように信仰魔法を行使することができます。
侍	武士、ショーグン、ローニン	切れ味バツグンの日本刀を扱うことができる職業です。攻撃能力はすべての職業の中でもトップクラスですが、防御能力が低く設定されていることが多いピーキーな職業です。
武道家	拳闘士、モンク、グラップラー	拳や脚など、自らの体を武器とする職業です。素早い動きで敵を翻弄しつつ攻撃を叩き込むことを得意とします。名前がモンク（僧兵）の場合は、信仰魔法を扱えることもあります。
魔法戦士	マジックナイト、マジックウォーリア、ルーンナイト	剣戟と魔法、どちらも使いこなすハイブリットな職業です。ほとんどの場合使いこなすのは魔術士と同じ系統の魔法で、武器に魔法の力を宿すという能力を持っていることもあります。
闇騎士	暗黒騎士、魔戦士、ダークナイト	闇の力を携えた職業です。味方よりも敵として登場することが多く、武器による攻撃の他、死霊を操ったり邪悪な魔法を行使したりと、手強い相手です。
狂戦士	バーバリアン、ベルセルク、バーサーカー	戦士を凌駕するパワーを誇る職業です。「狂」の文字どおり、攻撃というよりも暴れるような動きで戦いますが、制御できず味方に被害が及ぶこともあります。

さまざまな能力で味方をサポートする「後衛職」

いわゆる**後衛職**とは、前衛で戦う戦士たちをサポートしたり、遠距離からの攻撃を得意とする職業です。炎や氷の魔法などで相手を攻撃する魔術士は、物理攻撃が効きにくい相手や、強大なモンスター相手に大活躍しますし、僧侶の回復魔法はモンスターがはびこるダンジョンなどの探索を楽にしてくれます[注4]。

また、盗賊の存在も忘れてはいけません。ダンジョンの宝箱には罠が仕掛けられていることも多いので、こうした罠を解除するには、彼らの技術が必要不可欠です。また、盗賊という職業柄、モンスターが隠し持っているアイテムを盗むこともあります。

[注4] 前衛職が一部の魔法を使用できることもあるが、本職よりも効果が薄いことも多い。

職業（ジョブ）

職業・種族

■後衛職の例

名前	別名、類似職	解説
盗賊	怪盗、シーフ、ローグ	名前としては人から金品を奪う泥棒ですが、職業の場合、罠や宝箱の解錠したり、ダンジョンにある財宝の気配を感じ取ったりと探索に欠かせない能力を有しています。
僧侶	クレリック、プリースト、アコライト	その世界の神を信奉する聖職者です。信仰による力で傷を癒したり、毒などを消し去る魔法を得意とします。また、邪悪な被造物を消し去るターンアンデッドを行なうこともできます。
魔術士	ソーサラー、ウィザード、ウォーロック、メイジ	自然にある力を利用した魔法を扱う職業です。魔法による攻撃は強力無比ですが、反面、肉弾戦は苦手であるためモンスターに狙われないようにする必要があるでしょう。
召喚士	サマナー、コーラー、コンジャラー	強力な精霊の力や、あるいは邪悪な悪魔などを呼び出しその力を行使する職業です。作品によっては、天使や神といった高位の存在を呼び出すこともできます。
狩人	レンジャー、ハンター、アーチャー	弓矢（作品によっては銃器も）の扱いに長ける職業です。気配を消して潜伏し必殺の一矢を放ったり、曲芸のように多数の矢を放って複数のモンスターを連続で射抜いたりといった攻撃も可能です。
銃士	マスケッター、ガンナー、ガンスリンガー	狩人と違い、銃の扱いに長けた職業です。威力の高い銃の狙撃による一撃必殺を得意とします。なお、ファンタジーでは、魔法で作られた弾丸を発射するケースもあります。
忍者	隠密、暗殺者、アサシン	日本の忍者のイメージそのままの職業です。「首を刎ねる」という一撃必殺の攻撃を行なえる作品もあります。また、盗賊の上位職とされることもあり、罠や宝箱の解錠も得意です。
賢者	司教、ビショップ、大魔道士	字義としては「隠遁者」と似た意味ですが、職業としては僧侶や魔術士の上位職であることが多く、双方の魔法を使いこなすことができます。
巫女	呪術士、シャーマン、ドルイド、エレメンタラー	召喚士と似ていますが、精霊や悪魔などと交信ができ、こういった存在を使役できる職業です。対象に呪いをかけて死に至らしめるといった恐ろしい魔術を使うこともあります。

個性的な能力ぞろいの「特殊な職」

　　ここで紹介するのは、前衛職または後衛職に当てはまりつつも、それぞれの職業固有の能力を備えていたり、戦闘や探索のどちらにも向かない能力を持っていたりします。

　　ゲーム作品では、こうした職業は扱いが難しい反面、うまく扱うことができれば非常に便利で、無類の強さを発揮することがあります。たとえば、軍師のように知識に優れた職業は遺跡にある古代の文字を解読したり、踊り子が要人を誘惑して情報を聞き出したりすることで、重要なイベントが発生するようなケースもあります。

　　また、下記の商人や鍛冶師などは、自分で商いを行なったり、武器を作成して売ることができたりもします。

■特殊な職の例

名前	別名、類似職	解説
錬金術師	薬師、アルケミスト	錬金術を駆使する化学のエキスパートです。さまざまな薬品や素材を調合して薬品を作り出して味方のバッドステータスを直したり、爆弾などを生成してモンスターを攻撃したりできます。
魔物使い	ビーストマスター、モンスター使い	狂暴なモンスターと心を通わせる、あるいは調教することで味方にすることができる職業です。ドラゴンのような強力なモンスターを使役できれば、大きな戦力となるでしょう。
占い師	フォーチュンテラー、占星術師、風水士	さまざまな事柄について占う職業です。戦いそのものは苦手であることが多いですが、占いで未来予知などを行なうことで、味方を有利にすることができます。
吟遊詩人	バード、トルバドール、ミンストレル	歌や楽器の演奏を得意とする職業です。歌声や楽器の音色でモンスターの精神を攻撃したり、味方を鼓舞してサポートしたりします。
踊り子	ダンサー、大道芸人	踊りを行なうパフォーマーで、ファンタジーでは女性であることが多いようです。魅惑的な踊りで敵を誘惑する他、剣を持って舞う「剣舞」で、流れるような攻撃を仕掛けます。
軍師	兵法家、学者、スカラー	戦術を練るプロフェッショナルです。とくに大多数がぶつかる戦争では、彼らの用兵術が勝敗をわけることになります。また、博識で探索では誰も気づかなかったことに気づくこともあります。
商人	マーチャント、ディーラー	いわゆる商売人です。さまざまな商いに精通しているため、詐欺師の手口を看破したり、商品の相場を見抜いて値切りをしたりと探索の準備段階で役立つことも多いでしょう。
鍛冶師	ブラックスミス、発明家	武器屋防具などを鍛造する術を身に付けている職業です。オリジナルの装備を作成したりする他、力が強く戦闘では前衛職として役立つこともあります。
騎兵	キャバルリー、ドラグーン、ライダー	狭義には「馬に乗った兵士」を指します。ただ、ファンタジー作品においてはドラゴンやスライムなど、さまざまな乗り物に乗った騎兵がいます。

＊関連＊

階級・身分
　　　→P.24

騎士団
　　　→P.168

主君に忠誠を誓う戦士

騎士

騎士

職業・種族

中世では憧れの職業だった騎士

　剣と魔法の世界において、騎士は花形ともいえる存在です。剣を携え、騎馬に乗り、どんな敵にも臆せず勇敢に立ち向かう……そんなイメージで語られる職業です。

　騎士というのは忠誠を誓った戦士のことであり、多くは国王や領主に仕えていました。戦闘スタイルは戦士と変わりませんが、忠誠を誓ったもののために戦うというのが騎士ならではの特徴です。ファンタジー作品で騎士が戦士の上位職（ジョブ）であることが多い[注1]のは、騎士がとくに忠義を重んじる選ばれた戦士だからといえるでしょう。

　騎士といえば『アーサー王物語』に出てくる「**円卓の騎士**」がとくに有名です。舞台となる中世のヨーロッパでは、領主や大貴族に仕える騎士たちはみんなの憧れの職業でした。主君に忠誠を誓って戦い、その見返りとして領地を与えてもらったり、美しい姫君を娶ったりする。そうしてやがて自分も貴族の階級になり、家臣を従える立場になっていきます。騎士というのは、そのような夢のある職業なのです。

[注1]『ウィザードリィ』ではファイター（戦士）の上位クラスとしてロード（騎士の一種）があり、『ドラゴンクエスト』シリーズの一部では、戦士を経験することでパラディン（騎士の一種）になることができた。

さぁ～いっちょやったるわ～!!

さまざまな騎士たち

[注2]『ファイナルファンタジーXI』のナイトは白魔法を使える神聖なジョブだが、ゲーム内の表記は英語圏向けの「Paladin」の略称「PLD」と表記されている。

[注3] 創作独自の単語で、歴史的に使用されたものではない。ただイングランド王妃の「フィリッパ・オブ・エノー」のように、高貴な身分の女性が騎士に叙勲された例もあるため、形式的な「姫騎士」（女騎士）ならば実在する。また騎士ではないが、女王や貴族の女性が戦場の指揮をとったり実際に戦ったという記録は残っている。

[注4] ファンタジーを含め、いわゆる「バトルもの」に該当する作品において、戦う女性を表現する単語は、ほかにも「戦姫」「戦乙女」「バトルヒロイン」などがある。

ひと言で騎士といってもいろいろな騎士がいます。ファンタジー作品では騎士としてナイトとパラディンの2種類がよく登場しますが、ナイトは一般的な騎士、パラディンは聖騎士という違いがあります。この両者の最大の違いは、パラディンは教会の加護を受けてているため、神聖な魔法を使えるというところです。もっとも、作品によってはナイトも同様の力を持つ場合があります[注2]。

また、騎士といえば基本的には男性ですが、ファンタジー作品では女性の騎士もよく描かれます。とくに王族の姫や王女が自ら鎧をまとって戦う**姫騎士**[注3]は、主にライトノベルや漫画で人気となっています[注4]。一方、騎士の中には仕事にあぶれ、盗賊稼業で食い扶持を稼ぐ**盗賊騎士**もいます。さらに、騎士としての誇りを失い、信念が悪に染まった者たちも存在します。こうした敵方の騎士は**黒騎士**と呼ばれ、『聖戦士ダンバイン』をはじめさまざまな作品で主人公のライバルとして登場しています。

騎士　職業・種族

■さまざまな騎士たち

聖騎士
神と教会に忠誠を誓い、聖なる力を授かった騎士。普通の騎士がナイトと呼ばれるのに対し、聖騎士はパラディンと呼ばれます。戦士と僧侶の両方の力を併せ持つ上位クラスであることが多いですが、ナイトとパラディンがほぼ同義で使われている作品もあります。

姫騎士
ファンタジーの世界では女性の騎士が登場する作品も珍しくありません。現実にはあまり存在しない女性の騎士は、創作の世界ならではの神秘的な存在といえます。とくに王族の姫や王女が騎士として戦うケースは姫騎士と呼ばれ、根強い人気を誇っています。

盗賊騎士
騎士の中には出世コースから落ちぶれて食うに食えなくなってしまう者も実在しました。そうした騎士は、戦闘の腕を生かして人々から金品食料を強奪するというケースも。このような騎士は盗賊騎士と呼ばれます。実際にその数は多かったといわれています。

黒騎士
騎士は主君に忠誠を誓った戦士ですが、その主君に裏切られたり主君に絶望したりすると、信条を失って復讐や怨念に生きる黒騎士になる場合があります。騎士の力を持ちつつ悪に忠誠を誓った黒騎士はたいへん手強く、主人公の宿敵となる例も少なくありません。

≈関連≈
武器・防具屋
→P.192

いつの時代にも商人は欠かせない

商人

商店主と行商人

　人間が経済活動を始めて以来、いつの世にも商人の存在がありました。生産者が作った者を仕入れて消費者に売る。これを行なう商人は時代を問わず必要とされる職業です。古代から商人は存在し、中世のヨーロッパにおいても多くの商人が活動していたとされます。

　商人には大きく分けて、町にお店を構える**商店主**と、各地を渡り歩きながら商売をする**行商人**とがいます。中世の頃は人の動きがそんなに活発ではなく、1カ所に留まって商売をしていてもあまりお客さんが見込めないことから、行商人が多かったといわれます。RPGにおいて町で見かける武器屋や防具屋などの商店街は、それなりに人の多い都市部ならではの光景でしょう。イタリアのヴェネツィア[注1]はまさにそんな街で、力を持った貿易商たちが集まって商売で繁栄し、その経済力は国を動かすほどだったそうです。

　一方、多くの行商人は各地を回って商売をし、日銭を稼いで細々と暮らしていたようです。ただ、決して安全とはいえない地域を日々渡り歩いていたことから、ある程度の護身術は身につけていたのではないかと考えられています。『ドラゴンクエスト』シリーズに登場するトルネコは、まさにそんな戦う商人といえます。ただ、ファンタジーの世界では商人はだいたいが脇役であり、主人公をサポートする役割であることが多いのが実態です。

[注1] ヴェネツィアは元々東ローマ帝国の自治領だったが、商人の街として栄えて独立。地中海全域に力を及ぼすほどの国となった。シェイクスピアの作品『ヴェニスの商人』は、この商売で栄えたヴェネツィアが舞台となっている。その後、大航海時代の到来と共にヴェネツィアは衰退し、1797年にナポレオンに降伏して国は消滅した。

鍛冶屋・職人

世の中の製品を生み出す人々

❧ 関連 ❧

ギルド
→P.160

鍛冶屋
→P.191

鍛冶屋・職人

職業・種族

厳しい修行を経て一人前の職人に

戦闘が起こりやすい異世界では、武器や防具を鍛える鍛冶屋は必要不可欠です。当時は機械化された工場などはありませんでしたから、武器や防具をはじめさまざまな製品はすべて職人による手作りでした。鍛冶屋の他にも時計職人、馬具職人、織物職人など、さまざまな職人が存在したそうです[注1]。ただ、何を作るにも、一人前の腕になるには長い年月がかかります。職人を目指す者は親方の下に弟子入りし、徒弟として毎日夜明け前から日没まで修行に励みました。作った物を販売してお金を手にできるのは親方だけだったといいますから、他の職人たちは本当に下働きの生活だったのでしょう。このようにして世の中のさまざまな製品が生み出されたわけですが、ファンタジーの世界では職人が表に出てくることはあまりなく、"縁の下の力持ち"な存在であることが多いようです。

[注1] 鍛冶屋も鍛冶製品を一からすべて作れるわけではなく、製鉄職人が材料を精錬し、炭焼き職人が作った木炭を燃料にするなど、さまざまな職人の助けが必要だった。

■鍛冶屋と職人たち

都市の鍛冶屋

都市にはさまざまな人が集い、鍛冶屋は武器・防具から生活用品までたくさんの製品を作っていたそうです。また、都市にはギルドがあり、そこに属して自分たちの地位を守ったり、作った製品を売ったりもしていたといいます。

農村の鍛冶屋

農村では農作業に従事する人が多く、鋤や鎌などの農具の作成が鍛冶屋の大きな仕事でした。農村の鍛冶屋は元々領主に仕える職人で、領民のための農具を作って納めるなど、領主にとってなくてはならない存在だったそうです。

その他の職人

鍛冶屋のほかにも錠前職人、時計職人、陶器職人、宝石職人、大工、左官、石工、写本師など、さまざまな職人がいました。生活に関わるほとんどの製品は、職人の手作業によって作られているといっていいかもしれません。

各地を旅して芸でお金を稼ぐ人たち
旅芸人

≈関連≈
楽器 →P.99
興行団体 →P.183

吟遊詩人や踊り子なども旅芸人

　旅芸人とは、各地を旅しながら芸を披露して生計を立てる人のことです。現代では近い職業としてサーカスが有名ですが、歴史をたどると、古代のエジプトにそうした見世物があったことがわかっています。ファンタジー世界では、オンラインRPG『ドラゴンクエストX』で補助と回復の両方を担う職業として登場するほか、『ファイナルファンタジーXI』では、吟遊詩人や大道芸人などが集まった「**バレリアーノ一座**」というものも登場しています。

　また、吟遊詩人や踊り子なども旅芸人です。吟遊詩人は元々、古くからの伝承や物語を演奏に乗せて語る人たちでした。それに各地を旅して得たさまざまな知識を歌ったりもする**情報屋的**な側面もあります。ときには吟遊詩人の伝えた詩が国家を揺るがすほどの情報になることもあったとか。そうした背景からファンタジー作品での吟遊詩人は、単に歌うだけでなく、武器で戦ったり魔法を使えたり、魔力の込められた歌を唱えたりと、さまざまな能力を持っている場合があります[注1]。

　一方、踊り子はダンスを踊ってお金を稼ぐ職業です。ダンスは紀元前から存在し、その踊りには呪術的な力が宿っているとされてきました。その魅惑的なイメージから、ファンタジー作品ではとくに女性用の職業のひとつとしてよく取り上げられています。

[注1] 『ダンジョンズ&ドラゴンズ』では吟遊詩人は武器や魔法を使うことができ、盗賊的な能力も持っていた。『ファイナルファンタジーXI』では曲を唱えることで味方の能力を上昇させる強化支援型のジョブとして登場する。

❧関連❧
占術
→P.144

人や世の行く末を占う専門家

占い師

大昔から占いは必要な科学だった

　占い師とは、その名のとおり占いを行なう人です。科学がまだ発達していない時代には、占いはとても重視されていました。西洋では天体の動きに基づいて占いをする**占星術**が発達し、日本でも古くは**卑弥呼**が占いで統治を行っていたという話があります。また、戦国武将の**武田信玄**が占いに傾倒していたのは有名な話です[注1]。

　一方で、ファンタジー作品では、街角で道行く人を占う占い師がお馴染みです。水晶玉に未来の映像を映し出したり、タロットカードを使って占ったりという場面がよくあります。また、『ドラゴンクエストX』では職業（ジョブ）として占い師が用意されており、カードの効果を駆使して戦う一風変わった職業となっています。さらに『プリンセスコネクト！ Re:Dive』のシノブのように占い師のキャラクターが味方に登場することもあれば、正体秘匿ゲーム『汝は人狼なりや?』[注2]のように、他のプレイヤーが人狼かどうかを占えるという、専用の能力を行使できる作品もあります。

[注1] 武田信玄はとくに手相を重んじていたという。手相を見るための軍師（＝占い師）をお抱えで雇っていたとも。その占いの結果を基に、戦術や戦法を考えたといわれている。

[注2] 2001年に発売されたアナログゲーム。複数のプレイヤーが他人にわからないように人狼、村人、狩人などの与えられた役職を演じ、人狼側は仲間以外のプレイヤーを殺す、それ以外のプレイヤーは、人狼側と同じ数の人数にされる前に人狼が誰なのかを探して倒すことを目的とする。

関連
食事
　　　→P.32
辺境
　　　→P.244

世の中の食糧を生産する人たち
農家

ファンタジーの世界ではあまり表に出てこないが……

いつの時代でも食糧を生産する農家は絶対に必要な存在です。ファンタジーの世界もそれは例外ではありません。中世のヨーロッパではまだ農業技術がそんなに発達しておらず、じつに人口の9割近い人々が農業に従事して食糧を生産していたといいます。ただ、農家は歴史的に地位が低く、領主から土地を借りて作物を生産し、代わりに年貢や税を納めるという立場の人が大半でした。こうした人々は「農奴」[注1]と呼ばれ、家庭や農具などは持つことが許されるものの、その土地に縛り付けられる弱い立場にありました。自分で農業を自営できるだけの力を持った農家はごく一部だけだったといわれています。

このような農家の人々は、これまでのファンタジー作品では描かれることはあまり多くありませんでした。ですが、最近のファンタジー作品には、農民にスポットライトを当てた作品も出てきています。また小説『乙女ゲームの破滅フラグしかない悪役令嬢に転生してしまった…』の主人公カタリナのように、とある理由[注2]から、貴族でありながら農業が趣味というキャラクターもいます。

なお、のちに産業革命が起こって農業の技術が進歩すると、人手が余って多くの農民は工場で働く労働者へと転身していきました。そして農業はやがて農地を持つ者が専売的に行なう仕事へと変わっていきました。

[注1] それまでは奴隷同然の農民が多かったが、中世の頃は農民の地位も上がり、自分の生活を手に入れられる農奴という立場になっていった。とくに開墾地域では領主も農奴に頼る部分が大きく、農奴の暮らしは比較的豊かだったといわれる。

[注2] カタリナは、女性向け恋愛シミュレーションゲームで破滅的な結末しか迎えない貴族令嬢に転生してしまい、「破滅を回避するため、最悪逃げた先で自給自足ができるように」と農業に興味を持ち、のちに土いじりが趣味となる。

音もなく忍び寄り対象を殺すプロフェッショナル

暗殺者

暗殺は紀元前から存在した

　暗殺者とは暗殺を生業とする者のことです。暗殺とは対象の相手を密かに殺すこと。主に敵対組織や支配階級の要人に対して殺害を行なうことをいいます。王位継承や遺産相続などを巡って関係者同士が暗殺をするケースもあります。こうした暗殺は、表立って正面からぶつかると分が悪い場合や実行者を知られたくない場合などによく行なわれてきました。アメリカのケネディ大統領をはじめ、日本では犬養毅首相や坂本龍馬などの暗殺事件が有名です。

　この暗殺行為は紀元前からあったとされ、中世のヨーロッパでもスコットランド王やハンガリー王など多数の要人の暗殺が行なわれてきました。このような暗殺を請け負うのが暗殺者ですが、暗殺は秘密裏に行なわれるため暗殺者の実態については詳細は不明です。確かなのは、政治や宗教、思想などの抗争に絡んで暗躍する、殺しのプロフェッショナルであるということだけでしょう。

　ファンタジー作品では職業として暗殺者あるいはアサシン[注1]が出てくるものもありますが、実際に暗殺を仕事にしているのではなく、暗殺者のイメージを具現化した者というほうが正しいかもしれません。たいていは身軽な装束に軽い武器を持ち、素早い動きで敵を仕留めるという姿で描かれます。これは忍者の姿にも近く、暗殺者と忍者をほぼ同一視している作品もなかには存在します。

[注1] アサシンとは暗殺者や暗殺団を意味する英語。ファンタジー作品では暗殺者と同義語として使われる。元々は中世のシリアで暗殺を行なっていたイスラム教ニザール派の秘密集団のことを指す。十字軍の要人を暗殺していたなどの伝説があるが、誇張や脚色が多く真偽は不明である。

病気や怪我を治す専門家

医者

≈ 関連 ≈
教会・修道院
→P.202

中世の頃には専門職として確立していた

[注1] ギリシャ神話に登場する名医。アポロンの子で、ケンタウロスの賢者ケイローンに育てられた。医学に才能を発揮し、やがては死者をも生き返らせたという。それが冥王ハーデスの逆鱗に触れて殺されてしまうも、死後に功績を認められて神となった。アスクレピオスが持っていた杖は、WHO（世界保健機構）のマークにもなっている。

病気や怪我を治す医者という職業は、人類史上とても古くから存在したようで、ギリシャ神話に登場する医神**アスクレピオス**[注1]にまで遡ることができます。古い時代には病気は神や悪魔の仕業と考えられ、医療は祈祷に近いものだったと考えられています。その後、エジプトやギリシャなど各地で医療の研究が進み、大学も設立されて次第に**医学**として確立していきました。中世の頃には修道院に併設する形で病院が建てられ、診療が行なわれていたようです。ファンタジー作品の『ウィザードリィ』で治療や蘇生を行なってもらえるカント寺院も、そんな医療施設のひとつといえるでしょう。また、この頃から内科医、外科医、看護師、薬師といった分業がすでに存在し、各分野でそれぞれ医療の技術が磨かれていったようです。

■医療に関わる人々

内科医

中世の頃には、薬などで治療する内科と体を切る外科とがわかれていました。当時の内科医は大学で高い教育を受けた者が多く、知識に長け、外科医より高い地位でした。

外科医

当時は床屋が調髪だけでなく歯の治療や四肢の切断など外科的医療も行なっていました。床屋は徒弟制度で、師匠のしたで修行を積んだ末に一人前になるのが基本でした。

看護師

看護師は当時はまだ専門職ではなく、宗教的な動機で女性が看護行為を行なっていました。看護師が専門職となったのは19世紀のナイチンゲールの登場以降です。

薬師

医学が確立するはるか以前から、薬草での治療は行なわれていたと考えられています。その専門家が薬師です。中世の頃は内科医の指示に従って薬を処方していたようです。

関連

戦争
→P.22

自警団
→P.175

レジスタンス
→P.176

お金で雇われて戦う戦争屋

傭兵

中世後期から戦争の中心は傭兵だった

傭兵とはお金で雇われて戦う兵士のことです。戦争は国家間の争いや宗教間の対立、自由を求めての戦いなどさまざまな理由で発生しますが、基本的には当事者同士が主義主張や誇りを懸けて戦うものです。しかし、それと関係なく、お金が目的で戦争に参加するのが傭兵です。どちらの主義主張が正しいかなどは関係なく、お金さえもらえれば誰のためにでも戦う、いわばプロの戦争屋です。

中世のヨーロッパでは領主とそれに仕える騎士たちが戦いの主役でしたが、中世後期になるとその主従関係が崩れ始め、忠義のために戦う人が少なくなりました。そこで国王や領主たちは、金で傭兵を雇って戦争をするようになります。**百年戦争**[注1]や**バラ戦争**[注2]の頃には、傭兵の集団である傭兵団が戦いの主力となっていました。その後、近代国家になって正規軍が充実するようになるまで、傭兵は長らく戦争の中心で活躍していました。

翻って、ファンタジー作品でも傭兵は登場しますが、お金次第で動く冷徹な傭兵というよりも、主人公に力を貸してくれる頼もしい助っ人というキャラクターであることが多いようです。また、主人公自身が傭兵という作品も存在します。『ファイナルファンタジーⅦ』では、物語の冒頭で主人公のクラウドがレジスタンス組織に傭兵として雇われ、神羅カンパニーに抵抗活動をしています。

[注1] 1337年から1453年にかけて、イングランドとフランスの領主たちが王位や領土を巡って争った戦争。この戦争により世の中は絶対王政の時代へ向かい、イギリスとフランスという国家が形作られていった。

[注2] 百年戦争が終わったあと、1455年から1485年にかけてイギリス国内で起こった内乱。王位を巡ってランカスター家とヨーク家が争った。最終的にランカスター家の血を引くヘンリー7世がヨーク家を倒し、ヨーク家の王女エリザベスと結婚してテューダー朝を開いた。

人智を超えた力を持つ魔性の者たち

魔女

🍂関連🍂

自然魔法
→P.120

信仰魔法
→P.122

召喚魔法
→P.124

ヨーロッパの伝承から生まれた魔女

元来、魔女というのはヨーロッパの古い伝承の中で、神や精霊の力を得て奇跡を起こす人間のことを指していました。奇跡といっても、占いや呪術などによって人々の病気を治したりする行為がその実態だったと考えられています。のちにこれがキリスト教に異端視され、中世の頃になると魔女は「悪魔と契約して魔力を手に入れた者」として迫害されるようになりました。魔女の弾圧が叫ばれ[注1]、疑わしい者が片っ端から裁判・処刑されたのが、いわゆる**魔女狩り**です。魔女といっても女性とは限らず、男性も相当数含まれていたようです。魔女を意味する「ウィッチ」という言葉には、当時は男女の区別はなかったのです。

このように魔女とは"忌み嫌う存在"を指していた言葉だったのですが、時代が下るにつれて次第に空想的なイメージが付加されるようになっていきます。グリム童話などの児童向けの物語では、魔法を使う怪しげな**老婆（女性）**の姿が広まりました。やがて、魔女とは魔法使いのことを意味するようになっていったのです。

[注1] 当時『魔女の鉄槌』という本が刊行され、魔女がいかに邪悪な存在か、魔女はどう見わけるか、魔女をどう裁くかなどがその中で解説された。この本が魔女狩り（魔女裁判）に拍車をかけたとされている。

■伝承上の魔女

- ●悪魔と契約して魔力を手にした人間
- ●人々に害悪をもたらすと考えられていた
- ●15〜17世紀に多くの魔女が「魔女狩り」によって弾圧された
- ●女性だけでなく男性もいた

現代では魔女といえば、一般的に**魔法使いの女性**のことを指します。当初はグリム童話の『ヘンゼルとグレーテル』や『白雪姫』に出てくるような、怪しげな**老婆姿の魔女**が象徴的でしたが、日本では1960~70年代に『魔法使いサリー』や『魔女っ子メグちゃん』などの**魔法少女**を題材とした作品が人気を博し、従来の魔女のイメージをガラッと変えました[注1]。

近年では『魔法遣いに大切なこと』や『魔法少女まどか☆マギカ』のように若者世代の魔女が登場するものもあれば、『ロードス島戦記』の「灰色の魔女カーラ」[注2]のようにミステリアスな女性が魔女として描かれるものもあります。また、『ドラゴンクエストXI』のベロニカや『東方Project』の霧雨魔理沙のように、しばしばヒロイン的な魔法使いも登場します。このように現代では、魔女といえばヒロイックで魅惑的な女性のイメージが主流です。

さて、魔法使いといえば魔法を武器とする職業で、剣と魔法の世界においては騎士と並んで重要な存在です。魔法使いの登場しないファンタジー作品は皆無といってもいいかもしれません。魔法でないと倒せないような敵が出てくる作品も多々あります。そんな場面で魔女は力を発揮します。もちろん、魔法使いには女性だけでなく男性もいますが、魔女には歴史的背景や神秘的な魅力もあることからか、女性キャラクターのほうが多い傾向があります。

[注1] 東映動画（現在は東映アニメーション）が1966年から1981年にかけて魔法少女アニメをいくつも放映した。本文に挙げた『魔法使いサリー』や『魔女っ子メグちゃん』のほか、『ひみつのアッコちゃん』や『花の子ルンルン』などがある。これらは「魔女っ子シリーズ」と呼ばれている。

[注2] 実際にはカーラはサークレットに埋め込まれた魂で、それを身に着けたレイリアという女性がカーラとして活動した。このレイリアがカーラのキャラクターイメージとなっている。

魔女　職業・種族

■ファンタジー世界の魔女

- トンガリ帽子を被った老婆のイメージが当初はあった
- 魔法や呪術など超自然的な力を使える
- ミステリアスな女性
- 少女から老婆までさまざまなバリエーションがある

隠遁者

世間との関係を断って暮らす者

関連

宗教
→P.18

教会・修道院
→P.202

崇高な志を持って世間から離れた人たち

　ファンタジー作品において森の奥などでひっそりと暮らす老人を見たことがないでしょうか。このような人物が隠遁者です。隠遁者とは世間との関係を断ってひっそりと生きる人のこと。隠者ともいわれます。とくに禁欲生活を基本とする修道士に隠遁者は多いといわれます。

　そもそも、修道士の創始者とされる**大アントニオス**[注1]は元々隠遁者でした。砂漠に籠もって苦行生活をしたのち、彼の説教に心打たれた修道僧たちと修道院を開いたそうです。また、仏教の開祖である**釈迦**[注2]も、悟りを開くまえは隠遁生活を送っていました。日本でも平安時代後期から鎌倉時代にかけて、隠遁者の書いた隠遁文学として**鴨長明**[注3]や**吉田兼好**[注4]たちの名前が挙げられています。

　このように隠遁者には、基本的に崇高な志を持って俗世間から離れた人たちが多く見受けられます。ただ、なかには世間や人付き合いが嫌いで引き籠もる隠遁者もいたようで、これは現代の世の中にも通じる姿といえるかもしれません。

[注1] キリスト教の聖人。修道院を初めて設立した人物とされている。その後も隠遁して苦行生活を送り、105歳まで生きたという伝説が残っている。

[注2] 「人はみんな年老いて病気になっていつか死んでしまう」という苦しみを背負っていることに嘆き、解決方法を求めて苦行の隠遁生活を送った。それがきっかけで悟りを開く。

[注3] 『方丈記』の作者。神職として出世の道を断たれたことで出家し、隠遁生活の中で『方丈記』を書いた。

[注4] 『徒然草』の作者。神職の家柄で、理由は不明だが30歳頃に出家して隠遁者となる。隠遁生活中に『徒然草』を書いた。

『アーサー王伝説』に登場する隠遁者マーリン

ファンタジー作品に登場する有名な隠遁者として、「アーサー王伝説」でアーサー王に仕えた**魔術師マーリン**が挙げられます[注1]。マーリンは小国ダヴェドの王女が夢魔インキュバスに誘惑されてできた子で、生まれながらに不思議な予知能力を持っていました。ある日、時の王ヴォーティガンを的確な予言で助けたことから人々に畏怖の念を抱かれ、森で隠遁生活をするようになります。その後、ヴォーティガンの弟オーレリアン、同じくユーサーと、王位が目まぐるしく変わっていきますが、マーリンの予言は彼らに頼りにされ、マーリンは王家に尽くしました。

やがてユーサーの子であるアーサーが王位に就き、マーリンはアーサーの腹心として共に戦場を駆け巡ります。ただ、女好きの性格が災いし、最期は惚れた女性ヴィヴィアンに騙されて岩の下に埋められてしまいました。

このマーリンはイギリスのドラマ『魔術師マーリン』で描かれたほか、ゲームの『Fate』シリーズなどさまざまな作品にも登場し、人気を博しています。

[注1] マーリンは架空の人物だが、実在のブリテン人の将軍アンブロシウス・アウレリアヌスと、発狂して隠遁生活をするうちに予知能力を身に付けたマルジン・ウィスルトの、ふたりがモデルになっているといわれている。なお、『ドラゴンクエストX』には賢者マーリンという人物が物語のカギを握る存在として登場している。

隠遁者 職業・種族

ファンタジー作品における隠遁者

ファンタジー作品に登場する一般的な隠遁者は、マーリンのように強烈なキャラクター性を持っていることは稀で、たいていは人里離れた場所でひっそりと暮らすNPCだったりします。『ファイナルファンタジーIX』では「隠者の書庫ダゲレオ」という地が登場し、古い書物を読み漁る学者や世捨て人のような老人が暮らしていました。物語の進行には直接関係はないものの、重要なアイテムや情報をもらえる場所となっています。隠遁者は地味ではありますが、ときに重要な鍵を握る人物だったりするのです。

関連
信仰魔法
→P.122
教会・修道院
→P.202

神の教えを人々に説く者たち
聖職者

聖職者 | 職業・種族

信者を導く役目を担う者

聖職者とは、神に仕える集団の中で一定の職位を持った人たちのこと。いわゆる僧侶や神官などのことです。神の教えを信徒たちに伝えるのが聖職者の役割で、宗教が世の中に生まれたときからこうした人たちは存在していました。中世の時代も、修道院や教会において聖職者たちは教えを説き、信徒たちを取りまとめていたようです。

この聖職者には、下記のように**司教、司祭、助祭**という職位があります[注1]。司教はもっとも職位が高く、教会の長たる存在です。その司教の下に司祭が何人かいて、さらに彼らを補佐する助祭がいる、という形です。

なお、聖職者はキリスト教だけでなく、イスラム教や仏教など各宗教それぞれに存在します。ファンタジー作品でも神を信仰する教団や組織が出てくることがありますが、そこにも聖職者は存在すると考えられます。たとえばゲーム『ファークライ5』に出てくる教団エデンズ・ゲートの教祖ジョセフ・シードは、聖職者といえる立場でしょう。

[注1] キリスト教のカトリック教会の場合の職位。教派によっては司教を主教と呼んだり、司祭以下の職位構成が違ったりする。

■聖職者の種類（※カトリック教会の場合）

司教	司祭	助祭
教会の長を務める者。指導者の立場であり、その地域の責任を任されます。司祭を務めた者の中から、厳しい条件を満たした者だけがなれます。	司教を支える立場にある者。一般的に神父と呼ばれる人たちです。司教から任命された者がなることができ、司教の指示でミサなどを行ないます。	司教や司祭を補佐する者。司祭を目指す者が助祭として下働きをしたりもします。司祭と同じく、司教から任命された者がなることができます。

ファンタジー作品における聖職者

ファンタジー作品では、聖職者はお馴染みの存在でしょう。代表的なのは、主人公を支える回復役の僧侶（**クレリック**）や、司祭（**プリースト**）といった人たちです。ほとんどの場合、回復の魔法を使え、死んだ仲間を生き返らせ、アンデッドモンスターを浄化する力を持っています。ゲームでは、彼らなしで冒険することはほぼないといえます。

この聖職者はいろいろな職業名で登場しますが、それをまとめたものが下の図です。司教は**ビショップ**、司祭はプリースト、そしてこれらの総称が僧侶（クレリック）となります。司教が司祭より職位が高いように、ビショップがプリーストより上位である、というのは『ウィザードリィ』の職業システムにも見られます[注2]。ただ、聖職者が1種類のみで僧侶（クレリック）と呼んでいる作品も多くあります。この場合の僧侶やクレリックは、司教から助祭の立場まで含む、広い意味での聖職者といえます。

このほか、教会や修道院にいる聖職者もいます。『ドラゴンクエスト』では、司教と思しき人がひとりで切り盛りしている小さな教会も見られます。

[注2] プリーストは初期から選べるクラスで、回復系の呪文を使える。それに対して上位クラスのビショップは一定の条件を満たさないとなることができず、その代わり魔法使い系も含むすべての呪文を使え、アイテムの鑑定などもできる。

■ファンタジー作品における回復関連職

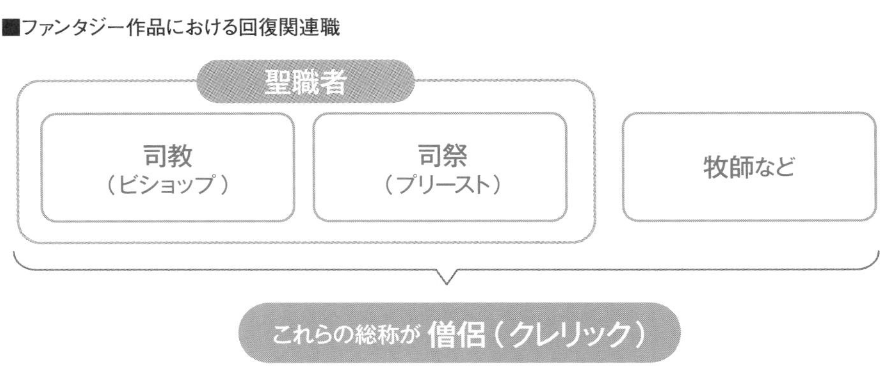

聖職者

| 司教 （ビショップ） | 司祭 （プリースト） | 牧師など |

これらの総称が 僧侶（クレリック）

関連

童話
→P.111

異世界における"我々"の位置づけ

ヒューマン

異世界ファンタジーで一番人間に似ている種族

異世界ファンタジーには多種多様な種族が登場しますが、そのひとつに我々"人間"に相当する者たちもいます。呼び名は作品によって異なりますが、人間を意味する英語「ヒューマン」と名付けられることが多いようです。

多くの場合、ヒューマンはエルフやドワーフのような特化した能力、長い寿命を持ちませんが、学習能力や柔軟性に秀でています[注1]。また、髪や瞳、肌の色は現実世界の私たちと同様、多様性に富み、見た目も人間によく似ていることから感情移入しやすく、創作作品では主役をつとめることも多いです。ここでひとつ注意しておきたいのが、「ヒューマン＝人間」とは限らないことです。さまざまな種族が混在する作品ではヒューマンは「人種のひとつ」に位置付けられることも多いのです。その一例として、人気スマホRPG『グランブルーファンタジー』には「ヒューマン」「エルーン」「ハーヴィン」「ドラフ」の4つの人種が登場しますが、彼らは総称として「ヒト」と呼ばれています。

[注1] RPGの原点とされる『ダンジョンズ＆ドラゴンズ』では、職業や居住地を選ばない適応力の高さがヒューマンの特長とされている。

身体的特徴

なし!!!

"デミ"ヒューマンとは何か

種族としてのヒューマンから派生した言葉として、創作作品ではしばしば「デミヒューマン」という単語が使われます。「デミ（demi）」とはフランス語で「半分」を意味する言葉であり、「デミヒューマン」は「人間に近い特徴を持った種族」というような意味で使用します。また、デミヒューマンの日本語訳に「亜人」という単語が使われることもあります。どちらも近年生まれた造語であり、辞書や百科事典には載っていない新しい言葉です。

「デミヒューマン」というカテゴリに明確な定義はなく、人間に似ていればデミヒューマンに分類されることが多いようです。本書で取り上げている、エルフやドワーフ、ハーフリング、獣人の他、「雪男」「悪魔」、日本の「天狗」などもデミヒューマンとされることもあるのです[注2]。

[注2] 本書ではゴブリンやコボルトなどはモンスターとして紹介しているが、人型をした怪物をデミヒューマンとして扱っている作品や解説書もある。

ヒューマン

職業・種族

デミヒューマンを多数収録した書物『博物誌』

紀元1世紀の古代ローマの人物、ガイウス・プリニウス・セクンドゥスがまとめた『博物誌』という書物があります。全37巻のこの本には、世界の動植物や鉱物、天文学などさまざまな分野のことが書かれていますが、なかにはデミヒューマンに該当しそうな生物についても実在する種族として解説されています。

たとえば、インドとエチオピアに住むとされる「スキアポデス」は、上半身は人間ですが、下半身は巨大な1本足になっている生物です。横になるときは巨大な足を空に向けて日傘のように使うとされます。また、「アストミ」はインドのガンジス川付近に住み、体は毛むくじゃらで口がありません。彼らは食事の代わりに花や木の根っこなどの香りを鼻から吸収して生きているそうです。

この他にも、『博物誌』には現実には存在しない生物やドラゴン、スフィンクスのような神話伝承の生物についても書かれています。じつは『博物誌』は2000以上の文献を参照してまとめられたもので、元の本にある創作や著者の解釈なども混ざってしまっているのです。そんな眉唾な記載も多い『博物誌』ですが、広く愛読されたのも事実で、後世の創作作品にも影響を与えています。

優美で長命な森の賢人

エルフ

☙ 関連 ❧

ダークエルフ
→P.62

ドワーフ
→P.64

自然魔法
→P.120

世界で愛されるファンタジー作品の定番種族

エルフは、ファンタジー作品に登場する数多くの種族の中でも、人間（ヒューマン）に近い容姿で、類まれな美貌と叡智の持ち主として知られる存在です。

そのルーツは北欧神話にあり、「原初の巨人ユミル」[注1]の死体から湧き出たウジ虫のうち、光り輝いていたものに主神オーディンが人型の身体と知性を与えて、最初のエルフが生まれました。彼らは古ノルド語で「アールヴ（妖精）」と呼ばれ、神々に似た姿は眼を見張るほどに美しいといわれました。この伝承はのちにトールキンの『指輪物語』において、賢明で魔法の扱いに長け、高い身体能力と美貌を兼ね備えた種族「エルフ」へと昇華し、その設定はのちの多くのファンタジー作品に流用される中で、現代のエルフ像として定着していったのです。

また、エルフといえば、人間の十数倍ともいわれる長い寿命と尖った耳をしていることでも有名です。エルフの寿命は500年とも1000年ともされ、あまりに長命なため、寿命で亡くなる者は少なく、多くは戦いや事故で命を落とすといわれています。一方、耳の形は従来「木の葉のように先が尖った耳」とされていましたが、のちに水野良の作品『ロードス島戦記』に登場するエルフ・ディードリットの長い耳の印象が強く、現在、日本ではこちらのイメージが一般化しつつあります[注2]。

[注1] 北欧神話の創成期に灼熱の世界ムスペッルスヘイムに生まれた最初の巨人。オーディンによって殺され、その死体から大地や海、山などの世界が作られたとされる。また、死体に湧いたウジ虫はエルフやドワーフといった妖精の基となった。

[注2] 古い作品では、エルフは細身の体つきをしていると設定されていることが多かったが、近年は肉感的なエルフが登場するなど、見た目も多彩になってきている。

意外と知らないエルフのバリエーション

じつはトールキンの創作世界には、さまざまなエルフの部族が存在しています。映画の人気キャラクターのレゴラスは「**シンダール**」の一族で、彼が映画『ホビットの冒険』で好意を寄せていたタウリエルは「**シルヴァン・エルフ**」だったため、レゴラスの父はふたりの交際に否定的でした。こうした部族間の閉鎖的な気質もエルフならではといえるでしょう。

大妄想♡衝撃 ビフォー・アフター

Before **After**

■トールキンの創作世界におけるエルフの分類

```
┌ エルダール ┐
中つ国からアマンへと旅立ったエルフたちの総称
```

分裂

カラクウェンディ（光のエルフ）
西方の国アマンへと旅立ち、移住したエルフたち。ときに「ハイエルフ」とも呼ばれる

ヴァンヤール
上級王イングウェに率いられた第1陣。金髪で詩歌を愛する民

ノルドール
旅の第2陣。手技と知識を愛する黒髪のエルフ

テレリ
旅の第3陣で、「遅れてくる者」の意。銀髪で水を愛するエルフ

ファルマリ
テレリの分派で、アマン到着後は海辺に住み着き「海のエルフ」と呼ばれた

ウーマンヤール
旅の途中、テレリとわかれ、アマンの地を目指すことをやめたエルフたち

シンダール
アマンへの旅の途中で中つ国の北西ベレリアンドに留まった者たち。別名「灰色エルフ」

ファラスリム
ベレリアンドの西の岸辺、ファラスに留まったエルフたち

ナンドール
「引き返す者」の意。西方への移住を望まずに分裂し、さらに「ライクウェンディ（緑のエルフ）」と「シルヴァン・エルフ（森のエルフ）」に細分化していった

ライクウェンディ　　シルヴァン・エルフ

アヴァリ
中つ国に残ったエルフたち。「アヴァリ」とは「（エルダールから見て）気の向かない者」という意味

モリクウェンディ（暗闇のエルフ）

関連

暗殺者	→P.49
エルフ	→P.60
ドワーフ	→P.64

人間に害なす闇のエルフ

ダークエルフ

ダークエルフ

職業・種族

冷酷、非道な褐色のハンター

[注1] 北欧神話の闇の妖精。ダークエルフ（Dark Elf）という呼称は、デックアールヴ（Dokkalfar）の英語訳から来ている。一方でドワーフのルーツである「ドヴェルグ」と同一種であるとする説も根強い。

[注2] 個人のダークエルフとしては、水野良の『ロードス島戦記』に登場する「ピロテース」が有名。グラマラスな美しい姿をしたライバルキャラとして人気を博した彼女は、日本のみならず世界にも影響を与え、のちの作品に登場する女性のダークエルフは、豊満な姿で描かれることが増えた。

　透き通るような白い肌に光り輝く金髪と神々しいほどの容姿を持つエルフを"ファンタジーの花形"とするならば、その対極に位置する"闇の存在"こそがダークエルフです。北欧神話に登場する「**リョースアールヴ（光の妖精）**」と対をなす「**デックアールヴ（闇の妖精）**」[注1] がダークエルフのルーツとされ、多くの創作作品で闇の森の住人、エルフと敵対する邪悪な存在として描かれてきました。

　ダークエルフはエルフの近親種ともいわれ、その姿形はエルフにそっくりです。すらりとした細身の体型に美しく端正な顔立ち。上部がわずかに尖った耳とパーツ単位では一般的なエルフのイメージと変わりありません。しかし、その外見は暗い褐色、髪は黒やグレーなどエルフとは対象的な暗い色調をしていることが多く、見る者にどこか冷淡で不吉な印象を与えます。ひと昔前はダークエルフが持つ褐色の肌と黒髪は「**邪悪さの象徴**」といわれていましたが、現代では人種差別を助長する表現として忌避され、青白い肌に純白の髪など、人類には存在しないユニークな色の組み合わせで描かれることも増えています。

　近年は「ダークエルフ＝邪悪」というイメージは薄らいでいて、むしろ保守的なエルフに比べ、気取りがなく付き合いやすい相手として人間など他種族との良好な関係も生まれているようです [注2]。

『ダンジョンズ&ドラゴンズ』世界におけるダークエルフ

[注3] 元はダークエルフ
だったが、地下世界で終わ
りなき権力闘争を繰り返す
うちに狡猾さ、残忍さに磨
きがかかり、次第にドラウ
へと変容したといわれる。

TRPG『ダンジョンズ&ドラゴンズ』の世界には、ダークエルフの原型[注3]である「**ドラウ**」という種族が登場します。彼らは漆黒の肌と純白の髪を持ち、その性格は傲慢で残忍。他人を痛めつけ、蹴落とすことを快楽とし、邪悪といわれるダークエルフがかわいく見えるほどの非道っぷりです。彼らの住む世界「アンダーダーク」では、子どもの躾に「悪い子はドラウにさらわれる」という脅し文句が定番化するほどにドラウは怖れられています。

ダークエルフ

職業・種族

■ダークエルフとドラウの違い

ダークエルフ	
肌の色	茶褐色、灰色、青灰色など
髪色	白色、銀色、茶色など
瞳の色	褐色、赤色など
性格	多くは邪悪で攻撃的だが、中には忠義に厚く、種族の垣根を超えた友情、愛情を育む者もいる
出典	北欧神話の原典『散文エッダ』
背景	暗黒神により妖精界から召喚され、信仰を魂に刻みつけられている。身体能力や魔力は一般的なエルフよりも秀でている場合が多い

ドラウ	
肌の色	漆黒
髪色	純白、淡黄色など
瞳の色	白色、淡い紫色など
性格	狡猾にして残忍、極めて自己中心的な快楽主義者。地位や権力に対する欲求が非常に強い
出典	TRPG『ダンジョンズ&ドラゴンズ（D&D）』のキャンペーン世界「ワールド・オブ・グレイホーク」「エベロン」「フォーゴトン・レルム」など
背景	地下世界に巨大な都市国家を築き、数多くのミノタウロスやオーガを奴隷に従え、貴族家間での権力闘争を繰り広げている

童話でもお馴染みの気さくな小人

ドワーフ

❧ 関連 ❧

鍛冶屋・職人
→P.45

エルフ
→P.60

鍛冶屋
→P.191

優れた戦士にして熟達の職人

　　エルフと肩を並べるほどに有名で、ファンタジー作品ではお馴染みの種族といえばドワーフです。身長は1〜1.5メートル程度と小柄で、太く短い手足にがっしりとして恰幅のよい体躯は、相撲でいう「あんこ型」。顔の下半分を覆うほどの豊かなヒゲがトレードマークで、中には長く伸ばした顎ヒゲをきれいに編み込んでいる者もいます。

　　このように外見的な特徴を羅列すると、ややコミカルな印象のドワーフですが、見た目に似合わず手先が器用で、鍛冶や細工技術の高さは他種族では到底真似ができないともいわれています。坑夫としての技術、嗅覚も超一流で、気に入った鉱山や洞窟に住み着き、そこで何世代にも渡って地下都市を築く者たちもいるそうです。一方でドワーフは、優秀な戦士の一族としても知られ、必要とあれば頑健な身体と腕力を武器に勇猛果敢に敵を迎え撃ちます。

　　ドワーフの原点といわれるのが、北欧神話に登場するド**ヴェルグ**[注1]です。当初は巨人ユミルの死体に湧いたウジ虫でしたが、神より人型と知性を与えられると、多くの魔法のアイテムを創造[注2]していきます。ちなみにドワーフはドイツの民話『白雪姫』に「七人の小人（Seven Dwarfs）」としても登場しています。小さい頃から童話に慣れ親しんだ人にとっては、鍛冶屋や坑夫よりも陽気な小人のイメージの方が強いかもしれません。

[注1] 北欧神話に登場する小人の妖精。神によって人の姿を得たあとも、巨人ユミルの肉で作られた大地を離れることなく、地中深くに住み続けた。ちなみにドワーフという呼称は「ドヴェルグ（Dvergr）」の英語読み。闇の妖精「デックアールヴ」と同一視されることもある。

[注2] 有名なグングニルやミョルニルなどの武器をはじめ、折り畳める船や黄金のカツラ、馬より速く走る雄豚など、驚異的な性能のアイテムをいくつも作り出し、その多くは神の持ち物となった。そのうち代表的なものを右ページで紹介している。

ドワーフは女性もヒゲが生えている!?

驚くべきことに当初ドワーフには女性が存在しないとされていました。そのため、子孫は粘土をこねて造り出したといわれています。のちにトールキンの『指輪物語』が発表され、初めてドワーフの女性に関する記述が見られました。それによると女性は人口の約3割で、表に出ることは少なく、結婚も生涯一度だけ。一生未婚の人も多いそうです[注3]。こう見ると控えめで奥ゆかしいイメージですが、その容姿は男性とほぼ変わりなく、中にはヒゲを生やした者もいるとか……。リアルなドワーフ女子があまり描かれない理由は、このあたりにあるのかもしれません。

[注3] 非常に稀なケースだが、人間とドワーフが結ばれることもあるようで、その子孫にあたる半ドワーフのグループ「ウムリ族」というのも存在する。

ドワーフ

職業・種族

■北欧神話に伝わるドワーフ（ドヴェルグ）の主な創造物

スットゥングの蜂蜜酒

ドワーフのフィヤラルとガラルの兄弟が賢者クヴァシルを騙して殺し、その血と蜂蜜を混ぜて作った酒。飲むと賢者の知恵が得られる。

スキーズブラズニル

神々とすべての武器を乗せることができる大きな帆船。その帆はつねに追い風を受けて進み、使わないときは小さな布切れほどに折りたたむこともできる。

ティルヴィング

ドゥリンとドヴァリンのふたりのドワーフが鍛えた魔剣。鉄も岩も容易く切り裂くほどの切れ味を誇るが、同時に持ち主に破滅をもたらす呪いがかけられ、行く先々で不幸を振りまきながら持ち主を転々とした。

ミョルニル

「潰すもの」の意を持つ鉄槌で、雷神トール愛用の武器。決して壊れることなく、「グングニル」同様、狙った的に必ず当てることができるといわれる。物や人を清める効果も持つ。

グングニル

イーヴァルディの息子たちが「スキーズブラズニル」といっしょに作った槍。投げれば絶対に的を外すことなく、標的を貫くと自動的に手元に戻ってくるといわれる。名は「揺れ動くもの」という意味。

関連

冒険者
→P.36

陽気で愛想のいい小さな隣人

ハーフリング

ハーフリング

職業・種族

優れたスカウト能力と社交性が武器

[注1] 元々は北欧地域で15歳前後の未成年者を指す言葉だった「Halfling」が語源。イギリスの下級通貨である「1ペニー銀貨」の半分という意味でも使われていた。

ハーフリング（Halfling）[注1]とは、その名のとおり人間の半分ほどの背丈しかない小型の種族です。成人した大人でも身長は1〜1.2メートルほどですから、人間なら小学校低学年とほぼ同じ。そんな見た目だけに子どもに間違えられることもよくあるそうですが、小さくても顔つきは大人で、耳もエルフのようにわずかに先端が尖っているため、よく見ればその違いに気づくでしょう。

もうひとつ、よく知られたハーフリングの特徴として、靴を履かないというのがあります。彼らは足の裏の皮膚が非常に厚くて固く、しかも剛毛に覆われているため、足を保護するための靴を必要としません。また、徒歩での長距離移動も苦にしない健脚の持ち主であり、足音を立てずに俊敏に動くこともできるので、**偵察や伝令、泥棒**[注2]といった隠密性の高い任務で力を発揮します。

[注2] 身体的特徴や能力的にシーフやローグといった職業が向いているというだけで、ハーフリングが根っからの泥棒気質であるとか、手癖が悪いというわけではない。

ハーフリングの多くは陽気で朗らかな性格で、誰に対しても気さくに接する人当たりのよさが魅力です。また、歌や踊り、お祭りなどの楽しいことが大好きで、日々楽しみを見出すことに余念がありません。溢れる好奇心を抑えきれず、故郷を飛び出して冒険の旅に出る者少なくないといいます。身体は小さく力も弱いですが、逆境や困難にも挫けない強靭な意思と勇敢さを備えており、仲間に加えれば、旅を盛り上げるよき相棒になってくれるはずです。

出典により異なる呼称、派生種族も

[注3]『指輪物語』の舞台である「中つ国」に住む小柄な人型種族。作者のトールキンが生み出したオリジナルの亜人種で、普段は気さくで穏やかな連中だが、非常に好奇心旺盛で、それに負けないタフな精神力も兼ね備えている。

ハーフリングには、そのルーツとなった別の種族が存在します。それがファンタジーの金字塔ともいわれる、トールキンの『指輪物語』に登場した「**ホビット**」です[注3]。きっかけとなったのは、とあるゲームでこのホビットを種族として登場させようとしたこと。版権問題を指摘されたゲームの作者は、それに代わる名称として、『指輪物語』の中で使われていたホビットの蔑称「**小さき人**（Halfling）」を種族名に用いたのが始まりといわれています。のちにテーブルトークRPG『トンネルズ＆トロールズ』も同様の理由で、それまで「ホビット」と表記していた種族名を「**ホブ**」へと改めています。

一方、ホビットの派生種族として独自の発展を遂げたのが、テーブルトークRPG『ソード・ワールドRPG』の舞台であるフォーセリア世界の住人「**グラスランナー**」です。彼らは明るく前向きな一方で、図々しくて空気を読まない、やんちゃな子どものような気性の持ち主ですが、虫や植物と意思疎通ができたり、優れた詩人で演奏家だったりと一芸に秀でており、ホビットやハーフリングとは性質の異なる小型の亜人種としてポジションを確立しています。

ハーフリング

職業・種族

■ハーフリングの派生種族

種族名・呼称	特長
ホビット	J・R・R・トールキンの創作世界「中つ国」の住人。身長は2〜4フィート（60〜120センチ）と小さく、小太り。尖った耳を持ち、足の裏は毛に覆われていて、靴を必要としません。牧歌的な生活を好む素朴で陽気な人々で、たっぷりの食事と温かな暖炉がある我が家を何よりも愛し、くつろぎの時間を大切にしています。また、多くは喫煙の習慣があり、自分たちでタバコの生産も手掛けています。
ホブ	TRPG『トンネルズ＆トロールズ』に登場する小型のデミヒューマン。元の種族名は「ホビット」でしたが、著作権の問題などもあり、のちに「ホブ」で統一されました。身長は人間の半分ほどと小柄ですが、見た目によらずタフで俊敏。並外れた視覚と聴覚を活かし、斥候として力を発揮します。平和な暮らしを好む一方で、冒険心も非常に旺盛で、ときに無鉄砲な行動に出てしまうことも。
グラスランナー	TRPG『ソード・ワールドRPG』や『ロードス島戦記RPG』に登場する妖精族の一種。身長は1メートルほどで、見た目は人間の子どもによく似ていますが、耳の上部が少し尖っています。性格はやんちゃで好奇心旺盛。そのため、ひとつの場所に長く留まることは好まず、放浪生活を送る者、冒険者の一団に加わる者も少なくありません。

竜人

半人半竜の神話生物

世界各地に伝わる竜人伝説

　ファンタジー界における最大最強の生物ドラゴンと、ポピュラーな人型種族であるヒューマンを組み合わせたような外見を持つ種族が竜人です。「**ドラゴニュート**（Dragonute、Dragonewt）」や「**ドラゴンピープル**（Dragon People）」などの呼称でも知られますが、映画や小説などの創作物でその姿を見かけることはあまり多くありません。『遊戯王』や『シャドウバース』など、カードゲームのクリーチャーとしては比較的メジャーなキャラクターで、いくつかのバリエーションを見ることができます。

　竜人の外見や能力については、エルフやドワーフのように確固たるものがなく、物語によってさまざまです[注1]。それらを集約すると、「二足歩行の人型をしているが、頭と尻尾はドラゴン」「全身（または身体の一部）に竜の鱗がある」「手足の指が鉤爪になっている」といった具合で、特徴的には半人半トカゲのリザードマンに非常に近いイメージです。一方で、ルーマニアの伝承『勇士ペトレアとイレアナ』に登場する竜人ズメウは、ペトレアの母と恋仲になるほど美しい容姿をしていたといいます。ズメウとふたりで暮らすため、母は息子ペトレアの排除を企てるほどですから、それほど魅力的だったのでしょう。また、竜を神聖視するアジア圏では、竜人も同様に神、もしくはそれに近い存在として崇められていたようです。

［注1］インド神話に登場する蛇神ナーガラージャが竜人のルーツだとする説もある。仏典と共にナーガラージャの伝承が中国へと伝わり、それが「龍」や「竜神（竜人）」と漢訳されて広まったという。

人と竜の姿を使いわける者も

　　　前述の竜人とはだいぶイメージが異なりますが、普段は
人間の姿で、必要に応じてドラゴンへと変身する異能の者
たちを竜人と呼ぶこともあります。RPG『ブレス・オブ・ファ
イア』シリーズの歴代主人公はまさにこのタイプです。人
間時も戦士として人並みの能力を備えていますが、ドラゴ
ンに変身後は圧倒的な火力（シリーズによってはほぼ無敵
状態）で敵を蹂躙できるため、ここぞという場面を盛り上
げる演出として大いに効果を発揮しました。

竜
人

職業・種族

■各地の竜人伝説と特徴

名前	概要
ズメウ	ルーマニアの民話に登場する竜、または竜人。まれに吸血鬼と混同されることもあります。
メリュジーヌ	フランスの伝承に登場する水の精霊。上半身は美しい女性、下半身は蛇、背中には竜の翼があります。
ドラゴンメイド	半人半竜の乙女。ケルト神話では、不妊に悩む夫婦に子を授けるといわれています。ジョン・マンデヴィルの著書『東方旅行記』にも記述があります。
ケクロプス	アッティカの王としてギリシャ神話に登場。半人半竜（または半蛇）の姿といわれています。
八大竜王	法華経に登場する竜族の八王です。古代インドのナーガラージャ（蛇神）がルーツともいわれています。
四海竜王	『西遊記』や『封神演義』などに登場する4人の竜王。海を統治し、雲や雨を操るといわれています。
伏羲・女媧	中国神話に登場する人首竜身（または蛇身）の神。それぞれ三皇五帝の三皇に数えられています。
獣面人身十二支像	日本に伝わる獣面人身の十二支。玄武・朱雀・青龍・白虎の「四方の四神」と共に描かれたといいます。

幻想世界の住人

フェアリー

関連

エルフ
→P.60

ドワーフ
→P.64

変身魔法
→P.129

フェアリーという種族は存在しない？

　一般的な「フェアリー」のイメージといえば、人間の手の平や肩に乗るくらいの大きさで、背中には蝶やトンボのような美しい羽の生えた小人の妖精を思い浮かべる人が多いと思います。ピーター・パンの相棒の妖精ティンカー・ベル[注1]を想像する人も多いかもしれません。たしかにこれらも「フェアリー」のイメージとして間違いではないのですが、本来的には神話や伝承に登場する妖精、精霊、魔人、小人といった神秘的な存在全般を指す総称が「フェアリー」であり、特定の種族を表す名前ではないのです。一説では、人間と神のどちらにも属さない中間的な存在や、天界を追われたが地獄に落ちる（堕天使になる）ほどではない存在を「フェアリー」と呼ぶ場合もあるそうです。

　世界でもっとも有名なフェアリーといったら、前出の**ティンカー・ベル**でしょう。自由奔放で仲間思い、ヤキモチ焼きで気まぐれな面もありますが、時折見せる意思の強さは、多くの人々にフェアリーを身近でフレンドリーな存在として強く印象づけました。その一方で、人間を騙したり、イタズラを仕掛けたりして引っ掻き回すパックやゴブリンのような厄介なフェアリーもいれば、「**チェンジリング**」[注2]の元凶とされ、子どもをさらう悪魔として怖れられるフェアリーもおり、その本質は人間に対して必ずしも友好的であるとは限らないようです。

[注1] イギリスの童話作家ジェームス・マシュー・バリーの小説『ピーター・パンとウェンディ』に登場する小人の妖精。彼女の羽から落ちる妖精の粉を浴び、信じる心を持てば、空を飛ぶことができる。その外見や「ピクシー・ホロウ」と呼ばれる妖精の谷の出身であることから、種族はピクシーであると思われる。

[注2] ヨーロッパの民間伝承で、子どもをひそかに連れ去り、代わりにエルフやトロールの子が置き去りにされる怪現象。魔法によって木の枝を子どもに見せかけたり、年老いた妖精を置いていったりすることもある。

■世界に伝わる妖精たち

フェアリー

世界各地に伝わる妖精や精霊、超自然的存在の総称が「フェアリー」です。一方で、背中に昆虫のような羽を持つ愛らしい小人の妖精を指す呼称としても使われており、一般にはこちらの方がよく知られています。

ピクシー

イギリスの民間伝承に登場するイタズラ好きの妖精。普段は透明で人間には見えませんが、頭に四つ葉のクローバーを乗せるとその姿を見ることができるといわれています。

ブラウニー

イギリスに伝わる精霊。古い家に住み着き、家人の寝ている間に家事を片付けてくれる、ありがたい精霊です。ボロをまとい、髪やヒゲが伸び放題の姿から「ブラウニー（＝茶色い）」と名が付きました。

エルフ	ゲルマン神話や北欧の民間伝承などに登場する妖精の一族。姿形は人間と似ていますが、体つきは細身で男女共に美しい容姿をしています。耳が長く尖っているのも特長のひとつ。また、非常に寿命が長く、魔法の扱いに長けていることでも知られています。
ドワーフ	北欧神話を起源とする小人の妖精。短い手足に長いヒゲ、ずんぐりむっくりとした容姿は愚鈍そうな印象を受けますが、じつは非常にタフで屈強。勇猛な戦士として力を発揮します。手先の器用さも一級品で、鍛冶や細工など優れた職人としても知られています。
ゴブリン	ヨーロッパの民間伝承などに登場する生物。醜い小人のような姿で描かれることが多く、その性格はイタズラ好きで意地悪。悪意に満ちた者も少なくありません。太陽が苦手で洞窟や坑道などを棲み家としています。
コボルト	ドイツに伝わる妖精の一種。小鬼のような醜い姿でイタズラ好きの性格ですが、意外にも人間との関係は悪くありません。納屋や家畜小屋などに住み着き、家主に食事を贈られると家事や家畜の世話を手伝ってくれることから「家事の精」とも呼ばれています。
ウンディーネ	世界を構成する四大元素のひとつ、「水」を司る精霊。泉や湖などに住み、美しい女性の姿をしていますが、人間のような性別の概念はありません。本来は魂を持たない存在ですが、人と結ばれることで魂を得られると伝えられています。
サラマンダー	錬金術師パラケルススが定義した四大精霊のうちの1体で「火」を司っています。燃え盛る炎の中に住み、その姿はトカゲやドラゴンのようだと伝えられています。また、その性格は炎のように激しく、気難しく、つねに怒りに満ちているそうです。
シルフ	別名シルフィード。世界を構成する四大元素のひとつで「風」を司る精霊です。ほっそりとした少女のような美しい容姿といわれますが、一方で移り気、浮気症な性分であり信頼できないともいわれているそうです。
ノーム	四大元素のひとつである「大地」を司る精霊です。身長は12センチほどで、長いヒゲをたくわえた老人のような風貌。派手な色の服に三角帽子と目立つ格好をしていますが、普段は地中で暮らしているため、あまり目に触れないといわれています。
ジン	アラブ世界に伝わる精霊や魔人など超自然的な存在の総称。自由に姿や大きさを変えられる変身能力を持ち、姿を消すこともできるといわれています。あくまで「ジン」は総称であるため、すべてのジンが人間に好意的であるとは限りません。
デュラハン	アイルランドに伝わる首のない騎士の姿をした妖精。同じく首のない馬が引く馬車、またはその馬にまたがり、片手には自分の首を抱えています。近く死人が出る家の前に姿を現し、死を宣告する「死の予言者」として怖れられているそうです。
トロール	北ヨーロッパに伝わる妖精の一種。変身能力があり、有名な巨人の姿もそのひとつです。トロールと人間の子どもとすり替える「チェンジリング」を引き起こすことでも知られています。
パック	イギリスに古くから伝わる妖精で、人間の子どものような容姿をしています。人間に対しては概ね好意的ですが、イタズラ好きな一面もあり、しばしば人を困らせることも。

フェアリー

職業・種族

人から凶暴な獣に変身する怪物

獣人

関連

有翼人
→P.74

ケンタウロス
→P.78

ワーウルフ
→P.302

狼男以外にも複数の獣人が存在する

　獣人とは、動物の姿に変身する力を持った人間や人型生物のことを指す言葉で、「**ライカンスロープ**」と呼ぶこともあります。ワーラット（ネズミ）、ワーベア（クマ）、ワータイガー（トラ）など、さまざまな獣人が存在し、その中でもとくに有名なのが、人狼やワーウルフ、ウェアウルフ、ル・ガルーなどとも呼ばれる「**狼男**」です。

　獣人の形態は主に2種類あり、ひとつは「**完全変身タイプ**」で、全身が体毛に覆われ、対象の動物とまったく同じ姿に変身できるのが大きな特徴です。もうひとつは「**部分変身タイプ**」。こちらは体の一部分を対象の動物に変身させるという特徴があります。また、獣人として生まれた者や獣人の能力を得てから長い年月が経っている者は動物形態の特徴（牙や体毛など）が、変身前の姿に色濃く反映されており、その者が獣人かどうかを見わけるひとつの判断材料になるといわれています。

　現代の創作作品では、動物に人の性質や性格を与える「**擬人化**」[注1]というジャンルも人気になっています。その多くが、人の姿を残しつつも、体の各所にベースとなっている獣の部位を持っており、部分変身タイプに近い存在といえます。ゲーム『ウマ娘 プリティーダービー』には馬を擬人化させたウマ娘という種族が登場し、人の姿でありながら馬の耳や尻尾が備わっているのです。

[注1] 創作作品における一大ジャンル。獣だけではなく、武器や戦艦、兵器といった命を持たないカテゴリを擬人化させる場合も多い。

狼男の発生原因にまつわる複数の説

　獣人の中でもとりわけ有名な狼男は西欧において、悪魔の手下と考えられていました。15世紀になると魔女の手先と見なされ、人喰いや殺人を犯した者を狼男として訴える裁判が増加したのです。そういった裁判の中で自身を狼男と称する者も現れるようになり、そこで変身能力を宿すようになった経緯が語られることもありました。裁判で語られたものを含め、狼男の主な発生原因は、**種族説、魔術説、刑罰説、病気・呪い説**の4つとされています。

獣
人

職
業
・
種
族

■狼男の主な発生原因

種族説	魔術説
狼に変身できる種族がいるという説。17世紀の裁判では、狼男を自称する男性がいました。彼いわく、狼男は人類のために魔王と戦う「神の猟犬」であり、魔女に奪われた穀物の種を奪い返すのも自分たちの役目とのことです。	狼への変身は魔女が扱う魔術のひとつであるとする説。魔女は自身が作った軟膏を塗り、狼に変身して家畜などを襲うとされています。16世紀のスイスでは、軟膏ではなく、魔王からもらった魔法のベルトを身につけて狼に変身する、と主張した人もいました。

刑罰説	病気・呪い説
神に反逆するような行為（墓を荒らす、魔術に手を出すなど）を犯して社会から追放された人のことを指すという説です。社会から追放された人のことを狼と呼び、物資を狙って村を襲う狼のことを狼男と呼んでいたのです。他の説と違って、実際に狼に変身するというわけではありません。	何らかの病気または呪いによって、本人の意思とは関係なく、狼男に変身してしまうという説です。狼男に変身すると、自らの腹を満たすために墓から死体を掘り起こしたり、家畜を襲ったりします。狼男のときの記憶を覚えている者もいれば、覚えていない者もいるとされます。

獣人伝説に影響を与えた「ベルセルク」

　ベルセルクは個人の名前ではなく、北欧神話の最高神オーディンより神通力を賜った戦士たちの総称です。彼らは戦闘が始まると自我を失い、クマやオオカミといった野獣になりきって戦います。その戦闘力は計り知れませんが、戦いが終わると放心状態になってしまうそうです。しかも、一度我を忘れると敵味方の区別がつかなくなるなど、危険な一面もあり

ました。そんなベルセルクは創作に登場する「バーサーカー（Berserker）」の由来でもあり、北欧の伝承には「ウールヴヘジン（ウルフヘズナルまたはウルフヘジン）」と呼ばれる狼皮の上衣をまとった狂戦士も登場します。この他にも北欧には狼男にまつわる伝承が数多く残されており、ベルセルクの影響を受けていることがわかります。

関連

竜人
→P.68

獣人
→P.72

背中に翼の生えた亜人種

有翼人

有翼人

職業・種族

伝承や伝説ではややマイナーな存在

誰しも一度は、「鳥のように大空を自由に飛んでみたい！」と思ったことがあるのではないでしょうか。じつはそんな夢を実現させた種族がいます。それが「有翼人」と呼ばれる種族です。この種族は背中に翼を生やし、空を自由に飛行することができます。

ギリシャ神話に登場する怪鳥ハーピーを退治したことで知られる英雄**カイラス**と**ゼテス**や、探検家ヘンリー・モートン・スタンレーが記した『暗黒大陸』[注1]に出てくる有翼戦士「**キバガ**」などが比較的有名ですが、有翼人は他の種族と比べて神話や伝承がなぜか少ないです。

対して創作作品では、『ダンジョンズ＆ドラゴンズ』のラプラトン、『異種族レビュアーズ』のメイドリー、『ブレスオブ ファイア』の飛翼人ニーナ、『僕のヒーローアカデミア』のホークス、『ONE PIECE』の海賊ウルージなど、幅広い年代のアニメやゲームなどに登場しており、異世界ファンタジーにおいてはかなりメジャーな存在といえます。

[注1] ヘンリー・モートン・スタンレーはイギリスの探検家で、彼がアフリカ大陸を横断したときの冒険を記した書物。暗黒大陸という名称はアフリカの内陸の地理が不明だったことに起因する。

天使と翼の関係

有翼人の多くが鳥のような翼を持っていますが、有翼人に関する明確な定義は現在でも曖昧なため、必ずしも鳥の翼である必要はないです。しかし、悪魔や妖精との混同を避けるためか、コウモリの翼や昆虫の羽根を持つ有翼人はあまり見られません。

有翼人と区別されていますが、背中に翼が生えた存在といえば、**天使**も有名です。創作作品に登場する天使には、必ずといっていいほど、翼が生えています。しかし、天使が登場する『聖書』には、翼を持つ天使の姿が描かれていません[注2]。天使＝翼というイメージが広まったのは、西洋の芸術家が天界と地上を行き来する天使の力を翼で表現したのが主な要因とされています。その絵が広まり、私たちが思い描く天使像が生まれたのです。また、天使が翼を生やした姿で描かれるようになったのはギリシャ神話に登場する有翼の神々を参考にしたという説もあります。

[注2] イスラム教の聖典「クルアーン」には、イスラムの天使には翼があるという記述があった。

有翼人 職業・種族

中国に伝わる有翼人「羽民」

カイラスとゼテスやキバガ以外にも伝説・伝承に登場する有翼人がいました。中国の地理誌『山海経（せんがいきょう）』には、有翼人「羽民（うみん）」と、彼らが住んでいる国「羽民国」のことが記されています。羽民は細長い頭と鳥のように尖ったくちばし、大きな翼を持っていますが、長時間の飛行はできなかったようです。人間なのか、はたまた妖怪なのか、記録からは判断できないものの、「鳥と同じように卵から生まれた」と記されているため、獣人に近い種族だったのかもしれません。ちなみに羽民国の隣には、卵から生まれる種族「卵民」がいたといわれていますが、羽民との関係性は解明されていません。さらに『山海経』には、羽民国の隣国に翼を持った他の種族がいたことが記されています。この種族は、羽民国の東南に位置する国「讙頭国（かんとう）」に住んでおり、羽民と似た容姿をしていますが、空を飛ぶ能力は持っておらず、背中の翼は体を支える杖の役割を担っていたそうです。

♣関連♣

ヒューマン
→P.58

エルフ
→P.60

ケンタウロス
→P.78

美しさと強さを併せ持つ戦闘民族
アマゾネス

完全な女社会で男は徹底的に排除される

アマゾネス（アマゾン）とは、圧倒的な美貌と屈強な力を併せ持つ女性戦士のことです。異世界ファンタジー作品では、女性だけの集団や部族を指す言葉として使われることもあります。密林などに住む戦闘力の高い蛮族として描かれることも多く、しばしば敵役に回ることもあります。

元々アマゾネスは、ギリシャ神話に登場する剣や弓の扱いに長けた女性だけの部族で、戦神アレス[注1]の子孫でもあります。狩猟と純潔の女神アルテミス[注2]を信仰しており、現在のロシア東端にあたるコーカサス山脈から黒海の北側に住んでいました。"亜熱帯地域に住む蛮族"というイメージはのちの創作作品によって生まれたものであり、本来のアマゾネスは戦神の血を受け継いだ立派な戦士なのです。中には弓矢を射る際の邪魔にならないよう、左の乳房を切除していた者もいたそうです。

アマゾネスの社会は特殊で、女王を頂点とし、男性を排除した女社会を形成しています。子孫を作る場合は、近隣の部族の男と交わり、子種だけをもらっていたそうです。女性が生まれた場合は一族の戦士として育てますが、男性が生まれた場合は殺したり、奴隷にしたりするなど、我が子であっても男であれば徹底して排除するのがアマゾネスの社会なのです。現在の野蛮なイメージは、残忍なまでの男性排除っぷりが一因なのかもしれません。

[注1] ギリシャ神話に登場するオリュンポス十二神の一柱で戦を司る神。人間であるディオメデスに敗北したり、巨人の兄弟アロアダイに幽閉されたりと、散々な目に遭っている。

[注2] ギリシャ神話に登場する狩猟と純潔の女神。狩人アクタイオンに裸を見られた際に彼を鹿に変え、犬に八つ裂きにさせたという逸話が残っている。

アマゾネスの女王「ヒッポリュテ」の悲恋の物語

ギリシャ神話の伝承には、戦神アレスの帯を持っているアマゾネスの女王**ヒッポリュテ**と、英雄**ヘラクレス**[注3]の悲恋の物語が存在します。この他にもアテナイの王**テセウス**が捕虜にしたヒッポリュテと関係を持ち、息子**ヒッポリュトス**を授かるという話もあるようです。

[注3] ギリシャ神話に登場する半神半人の英雄。王エウリュステウスの命を受け、12の難業に挑戦した。

■物語のおおまかな流れ

英雄ヘラクレスに試練が課される

怪力の英雄ヘラクレスは12の難業のひとつとして、アマゾネスの女王・ヒッポリュテが持つ「軍神アレスの帯」を取ってくることを命じられます。

戦力を整えるヘラクレス

ヒッポリュテと対峙するために、勇士を募ってアマゾネスが支配する地域へと出発。そして、軍神アレスの帯を所有するヒッポリュテと接触します。

惚れるヒッポリュテ

ヘラクレスのたくましさに惚れたヒッポリュテは、ふたりで子作りをするのと引き替えに軍神アレスの帯を渡すという交換条件を提案します。ヘラクレスはこの提案を受け入れ、ふたりは子どもを作ることになりました。

女神ヘラの横槍が入る

ヘラクレスとヒッポリュテの関係が気に食わない女神ヘラは、他のアマゾネスに「ヘラクレスがアマゾネスの国を乗っ取ろうと画策している」と嘘をつきます。

命を落としたヒッポリュテ

女神ヘラの嘘を信じたアマゾネスたちはヘラクレスを襲います。これにより、ヘラクレスはヒッポリュテに騙されたと勘違いし、自らの手でヒッポリュテを殺害。軍神アレスの帯を奪い、国へと帰っていったのです。

アマゾン川とアマゾネス

南米のブラジルとその周辺地域を流れる「アマゾン川」は、アマゾネスが語源という説があります。アマゾン川流域にも女性だけの部族が住んでいて、遭遇したスペインの探検家が名づけたというのです。ただ、本当に女性だけの部族がいたのかは不明で、冒険家が見たのは髪を伸ばした男性だったともいわれています。

* 関連 *
獣人
→P.72
アマゾネス
→P.76

下半身が馬の亜人種
ケンタウロス

ケンタウロス

職業・種族

酒と女が大好きな暴れん坊

　ケンタウロスは、ギリシャ神話に登場する上半身が人間で下半身が馬の種族です。ギリシャ語で「牡牛を刺す者」という意味があり、別名の「セントール」は、ケンタウロスの英語読み「セントーア」が由来とされています。黄道十二星座[注1]では、「射手座」に割り当てられ、創作作品では誠実で知識旺盛な弓の名手として描かれることが多いため、高貴な種族に見られがちです。しかし、本来のケンタウロスは酒と女性が大好きで、ひとたび暴れ出すと手がつけられない種族であり、乱暴者の代名詞とされることまでありました。ケンタウロスの粗暴な性格は彼らの祖先ラピテス族の王子**イクシオン**が原因とされています。

　イクシオンは神々の宴会に招かれた際に主神ゼウスの妻である女神ヘラを寝取ろうとしますが、その行為はゼウスに見抜かれており、ゼウスはヘラの姿をしたネペレというニンフを身代わりとして用意。イクシオンはそれに気づかずにネペレを抱いた結果[注2]、ケンタウロスが誕生したのです。

[注1] みずがめ座やてんびん座、おひつじ座といった、星座占いなどでお馴染みの12星座のことを指す。

[注2] ネペレという名のニンフ（下級女神）と不貞行為に及んだイクシオンだが、その様子をゼウスに目撃されてしまい、罰として地獄の底にあるタルタロスに送られてしまう。

ケンタウロスの英雄ケイロン

　　乱暴者の代名詞であるケンタウロスの中にも「賢者」と呼ばれる者が存在しました。その名は「**ケイロン**」。彼はティターン神族のひとりで農耕の神クロノスと海神オケアノスの娘ピリュラーの子で、他のケンタウロスと違い、神から生まれたため、不死の特性や高い知性を有していました。弓の技術や医学などの知識も豊富で、アキレウスなど、数々の英雄にその知識を授けたとされています。またゼウスは亡くなったケイロンの才能を惜しみ、彼を天に上げ、射手座を作りました[注3]。弓の名手や高い知性という優秀なイメージ、そして、射手座のモチーフになった理由はすべてケイロンの功績によるものなのです。

[注3] ケイロンの死因は、英雄ヘラクレスが放った猛毒を塗った矢が誤って彼に命中し、あまりの苦しさに不死の力を他の神に譲って死を選んだからである。

■ケイロンと彼の両親について

父・クロノス

● ギリシャ神話の巨人族。大地の神ガイア（母）と天空神ウラノス（父）の子どもで、ティターン神族のひとりです。

● ガイアの命を受け、ウラノスの性器を切断して王位を奪った過去を持ちます。

● 大地の女神レアーとの間に、海の神ポセイドンや冥界の王ハーデス、神の王ゼウスなどを授かります。王位の簒奪を恐れたクロノスは、ゼウス以外の子どもたちを飲み込みますが、のちにゼウスと対峙した際に吐き出します。

母・ピリュラー

● ギリシャ神話に登場する海神オケアノスの娘で、ニンフという下級の女神。

● 妻であるレアーから逃れるために馬に姿を変えたクロノスと交わり、ケイロンを産み落としました。

子・ケイロン

● クロノスが馬の姿でピリュラーと交わったため、半人半馬の姿として生まれたとされています。

● 神から生まれたため、不死の特性や高い知性を有しています。

● 弓の技術や医学などの知識が豊富で、その知識を多くの英雄に授けました。

● ニンフのカリクロと結婚して、娘のエンデイスを授かります。

● のちにヘラクレスとケンタウロス族のいざこざに巻き込まれ、ヒュドラの毒を塗った矢を受けてしまいます。毒による永遠の苦しみを味わうことになったケイロンは、神に不死を捨てることを願います。その願いは聞き届けられ、死ぬことが許されました。

● 死後、ゼウスによって星座の射手座として天に置かれることとなったのです。

美しい姿が特徴的な半身半漁

人魚

❦ 関連

クラーケン
→P.296

サハギン
→P.297

元々人魚は悪しき存在だった

　　上半身が人間で、下半身が魚の姿をしている種族。「**マーメイド**」と呼ばれることもあり、"マー"は海、"メイド"は未婚の女性という意味を持ちます。なお、ファンタジー作品では男性の人魚を「**マーマン**」、人魚全体のことを「**マーフォーク**」と呼ぶことが多いようです。

　　人魚の伝説や伝承は世界中にありますが、その起源は古代バビロニア（トルコ）の半人半魚の海神**オアンネス**[注1]であると考えられており、その伝承がギリシャなどに伝わり、人魚が生み出されたようです。

　　人魚といえば、ディズニー映画『リトル・マーメイド』のヒロイン、**アリエル**やジブリ映画『崖の上のポニョ』に登場する魚の女の子**ポニョ**が有名です。いずれも心優しく人間に友好的な存在として描かれています。しかし、本来のマーメイドは美しい歌声で舟乗りたちを誘惑して死へと誘う恐ろしい怪物なのです。そのため、古代の伝承やアンデルセン童話『人魚姫』[注2]では、不幸や不吉の象徴として描かれています。また、中世のキリスト教においては、「**悪魔の代理人**」と考えられていました。

　　ちなみに、日本には人魚の肉を食べた女性が不老不死の体を手に入れる『**八百比丘尼**』の伝説がありますが、人魚の肉＝不老不死という考え方は日本特有のものであり、海外の伝承にはこういった概念はないようです。

[注1] バビロニアで信仰されていたという海の神。昼間は陸、夜間は海で生活していたため、半人半魚の姿で描かれている。当時の人々は航海の安全をオアンネスに祈っていた。

[注2] 童話に登場する人魚には、人間に姿を見られると災厄を呼び寄せるという特性があった。王子様が乗る船を難破させたのも人魚姫の特性が原因だった。

さまざまなタイプの人魚

　　嵐や不魚の前兆されている「**ハゥフル**」や、船を転覆させて長い髪で人を絡めて湖底に引きずり込む「**タクラハ**」など、世界中には多種多様な人魚伝説が残っています。人に害をなす非常に恐ろしい伝承が数多く残る人魚ですが、中には、善良な人魚も存在しています。朝鮮半島の伝承に登場する「**シンジキ**」は何らかの方法で音を立てて、船乗りたちに座礁事故を警告してくれるのです。

■人魚の主な種類

人魚名	出典	特徴
アイヌソッキ	アイヌ民話	かつて北海道の内浦湾に住むと伝えられている人魚に酷似した生物。文献によっては人魚の別名とするものもあるようです。アイヌソッキを食べると長寿になるとされています。
海人魚	中国の伝承	鱗の代わりに毛が生えている人魚。船や船乗りに災いをもたらす不吉な存在とされています。
シンジキ	朝鮮半島の伝承	巨文島（こむんとう）に住むと伝えられている色白で長い黒髪を持つ人魚。何らかの方法で音を立てて、船乗りに座礁を警告してくれるといわれています。また台風から人々を救ってくれるという伝説もあるようです。
セイレーン	ギリシャ・ローマ神話	船乗りたちを美しい歌声で誘惑します。その歌を聴いた者は自分自身を見失ってしまい、自ら海に飛び込んで溺死してしまうのです。
タクラハ	台湾の伝承	性格が凶暴な人魚。船を転覆させたり、長い髪で人を絡めて湖底に引き込んだりするとされています。
ハゥフル	ノルウェーの伝承	漁師の間で、嵐や不魚の前兆されている人魚。ハゥフルを見た漁師は、そのことを仲間に話さず、火打石で火花を立てることで不穏な前兆を回避できるといわれています。
メロウ	アイルランドの伝承	女性は美しく、男性は醜い見た目をしている人魚。嵐を呼ぶとされており、船乗りたちに恐れられています。
ローレライ	ヨーロッパの伝承	ライン川を渡る船乗りに美しい歌を聴かせる存在です。あまりの美声に舟の舵を取り損ねて、川底に沈んでしまう人もいたといわれています。

おぞましい見た目が特徴的な半魚人

　二足歩行の人型で体の大部分が魚の形質で埋め尽くされた「半魚人」（サハギン）という種族もいます。人魚のような美しさはなく、醜悪でおぞましい見た目をしていることが多いです。この恐ろしいイメージは、アメリカの小説家ハワード・フィリップス・ラヴクラフトの作品に登場する、魚の容姿に蝕まれていく呪いを受けた人々「深き者（ディープ・ワン）」によって広まったとされています。

機械が大きな進化を遂げた姿

オートマタ

オートマタ　職業・種族

独自の進化を遂げて感情を持つ者も

　オートマタとは、人の代わりに自動的に作業を行なう機械人形や自動人形を指す言葉で、現代的にいうなら「ロボット」のような存在です。ファンタジー世界においては感情を持たず、与えられた命令を遵守する存在として描かれるケースが多いです。その一方で、人と接したり、膨大な知能を蓄えたりすることで、感情やそれに準ずるものを宿す場合もあります。オートマタと似た存在として、人を模した機械「**アンドロイド（人造人間）**」、人の体に機械を埋め込んで身体機能を補助している「**サイボーグ**」、魔力で動く人工物「**ゴーレム**」などもいます。

　オートマタを題材とした創作作品でよくモチーフにされたり、名前が登場したりするのが、「**デウス・エクス・マキナ（機械仕掛けの神）**」です。デウス・エクス・マキナとは、古代ギリシャの演劇における演技手法で、物語が解決困難な局面に陥った際に絶対的な神がその混乱を解決し、物語を収束させるというものです[注1]。さらに、演劇の中には『**コッペリア**』という動く人形を題材にしたバレエ作品があり、同名の自動人形がゲーム『ロマンシング サガ』シリーズにも登場しています。

　ちなみにオートマタの起源はギリシャ神話に登場する鍛冶の神ヘパイストスが作り出した、青銅の自動人形「**タロス**」が最初と考えられているそうです。

[注1] 物語を収束させるために神を演じる役者がクレーンのような仕掛けで舞台上に登場する。このときに使用する機械が、機械仕掛けと呼ばれたことから「機械仕掛けの神」と呼ばれるようになった。

現代のロボット工学に影響を与えた三原則

ロボットという言葉はチェコの作家であるカレル・チャペックが、「領主の指示に従う農民の労働」を意味する「**ロボタ**」を元に考案した言葉といわれています。そこから人の命令を受けて仕事をこなす従順なロボット像が生まれたのです。そんなロボットと切っても切れない関係なのが、人間への安全性、命令の服従、自己の防衛を目的とした「**ロボット工学の三原則**」です。作家アイザック・アシモフ [注2] の小説『われらはロボット』の中で登場したもので、この原則は小説のネタにとどまらず、現実のロボット工学や、のちの創作作品に多大な影響を与えました。

[注2] アメリカのSF作家で、三大SF作家と称される人物。『鋼鉄都市』や『夜来たる』、『ファウンデーション』シリーズなど数々のSF小説を生み出した。

オートマタ

職業・種族

■ロボット工学の三原則

【第一条】

ロボットは人間に危害を加えてはならない。また、その危険を看過することによって、人間に危害を及ぼしてはならない。

攻撃✕

【第二条】

ロボットは人間に与えられた命令に服従しなければならない。ただし、与えられた命令が、第一条に反する場合は、この限りでない。

人間への攻撃
以外の命令○

【第三条】

ロボットは、前掲第一条および第二条に反する恐れのない限り、自己を守らなければならない。

自己防衛○
反撃✕

出典：『われはロボット』

善なる存在と悪しき存在
神族・魔族

關連

神
→P.20

魔王
→P.312

神族・魔族

職業・種族

人智を超越した力を持つ

「神族」と「魔族」とは、神話、伝承、創作作品の中で頻繁に使われている言葉で、神族が善の神々や天使、魔族が悪の神々や悪魔などのことを指しています。ではどういった者たちがそれぞれの種族に分類されているのか、以下で詳しく紹介していきましょう。

人々の信仰対象であったり、愛されたりしている者たちが多く属している神族。とくに有名なのは、主神オーディンが属する北欧神話の「**アース神族**」や善悪二元論のゾロアスター教の最高神「**アフラ・マズダ**」、人々を善なる道へと導く天使のトップに君臨する「**大天使**」などです。イザナギ、イザナミ、アマテラスといった、日本神話に登場する高天原（たかまがはら）の神々も神族に分類できるでしょう。

逆に魔族は人々に危害を加えたり、人をそそのかして罪を犯すように仕向けたりする存在です。地獄の支配者である大魔王「**サタン**」や、アフラ・マズダの対となる悪神で16の災難を創造した「**アンラ・マンユ**」、ソロモン王に使役された「**ソロモン72柱の魔神**」など、悪の代名詞ともいえるカリスマたちが属しています。また、魔族の中には、日本の仏教では「阿修羅（あしゅら）」と呼ばれているインド神話の魔族「**アスラ**」[注1]や炎の天使と呼ばれる「**ウリエル**」[注2]のように元々は神族でしたが、とあることがきっかけで魔族へと堕落した者もいるのです。

[注1] アスラは神々の王インドラ（帝釈天）に娘を奪われて激怒し、インドラに何度も戦いを挑んだ。娘がインドラに惚れ、ふたりが夫婦になっても怒りは収まらず、アスラは戦いを止めなかった。その結果、アスラは天界から追放され、魔族と認識されるようになった。

[注2] 745年にローマ教会が『聖書』に記載されているガブリエル、ミカエル、ラファエル以外の天使への信仰を禁止した。大天使であるウリエルは不名誉なことに堕天使と見なされてしまった。現在は天使ではなく「聖人」という扱いになっている。

神族・魔族の主な種類について

種族	名称	特徴
神族	アース神族	北欧神話に登場する神族で、女性の巨人ベストラが原初の神ブーリの息子であるボルと結婚し、さまざまな神が生まれます。主神オーディンがとくに有名で、彼はアースガルズという国に住んでいます。
	アヌンナキ	シュメール人が信仰していたメソポタミア神話に登場する神族。天神アヌ、地母神キ、メソポタミアの都市エリドゥの都市神エア、エアの息子マルドゥクなどがおり、世界や人の運命を決めていたとされています。
	アフラ・マズダ	善悪二元論のゾロアスター教の最高神。悪神アンラ・マンユと戦いを繰り広げると同時に、世界の終末の日に最後の審判を下し、善なる者と悪しき者をわけるという役目も担っています。
	天津神	高天原に住む神々と、皇室の祖先神・天孫に従い、高天原から降臨した神々の総称。イザナギ、イザナミ、アマテラス、ツクヨミなどが属しています。
	オリュンポス十二神	ギリシャ神話で最高の地位を与えられた神々。ゼウス、ヘラ、アポロン、アルテミス、ポセイドン、アテナ、デメテル、アフロディテ、ヘパイストス、ヘルメス、アレス、ヘスティア（デュオニソスを入れる場合もある）が属しています。海の神であるポセイドン以外の神々は、オリュンポス山の頂上に住んでいるとされています。
	大天使	人々を善なる道へと導く天使。神と人間の連絡役であると同時に、地獄との戦いでは守護天使を率いる役目を担っています。主にミカエル、ガブリエル、ラファエル、ウリエルのことを指します。
	ノルン	北欧神話に登場する女神たち。一般的には、ウルズ、ヴェルザンディ（ヴェルダンディ）、スクルドの三姉妹を指します。世界樹ユグドラシルから伸びる泉のほとりに住んでいるとされています。
魔族	アスラ	インド神話の魔族で、元々は神の眷属。日本の仏教では阿修羅と呼ばれています。
	アンラ・マンユ	善悪二元論のゾロアスター教の最高善である神アフラ・マズダに対抗する悪神。光の世界を創造したアフラ・マズダに対抗するべく、病気や悪といった16の災難を創造したとされています。
	ゴエティアの悪魔	かつて中東に存在していたというユダヤ教徒による国「イスラエル王国」の3代目の国王ソロモンが作成した魔術書『レメゲトン』に記された悪魔「ソロモン72柱の魔神」を指します。さまざまな徳のある指輪を召喚者に与えるアスモデウスや、どんな人間も召喚者に服従させ、さらにあらゆる知識を授けるパイモンなどが有名です。
	サタン	すべての悪魔を統べる地獄の王。元々は神の命令を受けて人々に試練を与える役目を担う神の使者でしたが、神に逆らい堕天し、悪魔の王となりました。すべての悪の根源とされており、地獄の支配や人々を誘惑して悪の道に引きずり込む悪事を働きます。大天使ミカエルの兄弟ルシファーと同一視されることが多いです。
	シャイターン	地獄の業火で作られた悪魔で、シャイターンとはヘブライ語でユダヤ・キリスト教の魔王を指す言葉ですが、階級は悪魔です。変身能力を使って人間に近づき、罪を犯させて捕らえたのち、永遠の苦しみを与えます。
	バロール	ケルト神話の魔神。目を見た者を殺す力を持っています。
	魔女	西洋の伝承に登場する悪魔と契約を交わし、多彩な魔法を使う人間。悪魔が夜間に開く秘密の集会「サバト」に参加して、参加者同士で性行為を繰り返していたそうです。

人とエルフの間に生まれた者

ハーフエルフ

関連

ヒューマン
→P.58

エルフ
→P.60

ダークエルフ
→P.62

ハーフエルフ

職業・種族

迫害の対象になりやすい悲しき運命を背負う

ファンタジー世界に登場する「ハーフエルフ」とは、<u>人とエルフの間に生まれた種族</u>のことを指します。そのルーツは北欧神話に出てくる人間と**アールヴ**[注1]の子どもだと考えられています。

生まれてきた子どもは<u>親であるエルフの特徴や特性を少なからず引き継いでいます</u>が、純粋なエルフと比べると人間っぽさが残っていたり、特性が弱かったりするケースも珍しくありません。たとえば耳がそれほど尖っておらず、長寿は半分ほどになっていることもあるのです。また、純粋な人でもエルフでもないためか、人とエルフの双方から迫害されやすい[注2]という悲しい特徴もあります。

トールキンの小説『指輪物語』には、物語の舞台である中つ国を邪悪な存在から解放した、英雄**エアレンディル**というハーフエルフが登場しています。なお、本作のハーフエルフは、現在広く知られている設定とは大きく異なり、人間とエルフの運命のどちらも持っているという、やや特殊な存在です。

[注1] エルフの語源とされている妖精種族で、神の世界で暮らしている。

[注2] 周りの種族から理解されたり、幸せな家庭に生まれたりすることもある。また早くに両親が他界して孤児になるというパターンも珍しくない。

ホムンクルス

関連

オートマタ
→P.82

錬金術
→P.138

人の血液と精液でホムンクルスは誕生する

ラテン語で「小さい人」を意味するホムンクルスは錬金術によって人工的に作られた人造人間のことです。ファンタジー世界だけの存在かと思いきや、15世紀から16世紀のヨーロッパで錬金術師として活動していた「パラケルスス」[注1]という人物がホムンクルスを生み出すのに成功したという記録が残っています。

パラケルススの著書『ものの本性について』では、ホムンクルスは蒸留器の中で人の血液と精液を混ぜることで生成されています[注2]。生まれたときの容姿は人の赤ん坊とほぼ同じですが、生まれながらにしてあらゆる知識を備えており、人と言葉を交わせるとも記されています。

後生の学者たちはパラケルススのいうホムンクルスとは、錬金術師が求める英知「賢者の石」と密接な関係を持つ金属の胚の誕生を比喩的に語っていたのではと考えられています。ちなみに賢者の石とは、鉛などの卑金属から金を作り出す物質で、錬金術師たちが行なう研究の到達点とも呼べる代物です。そのため、パラケルススの残した情報はのちの錬金術界に多大な影響を与えたとされています。

創作作品におけるホムンクルスといえば、メディアミックス作品『Fate』シリーズに登場する少女イリヤスフィール・フォン・アインツベルンや、漫画『鋼の錬金術師』に登場するラスト、グラトニーなどが有名です。

[注1] 本名はテオフラストゥス・フォン・ホーエンハイム。彼が書いた『ものの本性について』にはホムンクルスの特徴や細かい生成方法が記されていた。

[注2] 蒸留器の中に人の血液と精液を入れて密閉し、40日間放置。血液と精液は腐敗し始め、やがて人の形をした透明な物質へと変化する。そののち、馬の胎内と同等の温度で保温しつつ、物質に人の血を毎日与え続ける。さらにそこから40週間が経過すると、赤ん坊の姿をしたホムンクルスが生まれるとされている。

今の異世界ファンタジーのトレンド？
「追放」と「破棄」

　創作作品には、そのジャンル内において流行りの設定や展開ができることがあります。たとえば、異世界ファンタジー作品では前々から「異世界に転移（転生）する」作品はありましたが、2010年以降、主にウェブサイトを初出とする作品で広く使われ一般化しました。さらに、「異世界の住人が、同じ世界で転生して人生をやり直す」という、現実世界が登場しない「転生もの」も増えてきています。

　こうした流行の中でいま今流行しているのが、俗に「追放もの」「婚約破棄もの」と呼ばれるものです。

「追放された者」の成り上がりと「した者」の没落

　「追放もの」とは、「主人公が共同体から追い出されてしまう展開がある」作品です。主人公は勇者が率いるパーティーや優秀なギルドなどに所属していますが、一方的に追い出されてしまい、その後、他の冒険者たちと出会って再起したり、別の暮らしをするようになる……というのがおおまかな流れです。追放された主人公に「お荷物扱いされていた主人公はじつはすごい能力で周囲を助けていた」あるいは「追放後にすさまじい特殊能力を獲得する」という展開が多いのも特徴です。

　一方、追い出した側は、勇者や王のような権力や地位ある立場にいて、追放理由もまず間違いなく身勝手なものです。そして、追放後にピンチに陥ったり、追放された人間の活躍で辛酸を舐めさせられたりと、多くの場合は悲惨な結末を迎えます。過激な展開の作品では、追放した人間に復讐されて命を落とすこともあるようです。こうした「追放された弱者、あるいは弱者に見える者が成り上がり、悪質な権力者に罰が下るというカタルシス」が、追放ものの魅力といえるでしょう。

　もうひとつの「婚約破棄もの」は、そのままの意味で、主に貴族令嬢が主人公の作品で見られる展開です。何らかの事情で婚約者に婚約破棄を宣告されてしまった令嬢のその後を描きます。追放ものと同じように、婚約を破棄した側が不幸に陥ったり復讐されたりするケースもありますが、中には「婚約を破棄しないと内乱が起きる可能性がある」「堅苦しい生活から解放されて気ままな生活を送りたいから」など、主人公側が婚約を破棄されるように働きかける場合もあります。

chapter 3

武器・アイテム
Weapon・Item

ファンタジー世界における武器の代表
刀剣

関連
防具
→P.100

ヨーロッパの刀剣は創作作品でもお馴染み

　ファンタジー世界でもっとも一般的な武器が刀剣です。どちらも斬撃、刺突ができますが、両刃で形が直線的な剣はより刺突に、片刃でやや湾曲した刀はより斬撃に向いています。世界には古くからさまざまな刀剣がありましたが、ファンタジー作品は多くが中世〜近世のヨーロッパ的世界を舞台としているため、ヨーロッパの刀剣が一般的なようです。とくに片手で使用する剣[注1]は登場しない作品のほうが稀といっても過言ではなく、他にも**ダガー**のような短剣、両手用の**ツーハンデッド・ソード**など、実在した剣が登場しています。『ソードアート・オンライン』の主人公のような**二刀流**の使い手は稀ですが、じつは2本の剣を用いた剣術[注2]もあり、テーブルトークRPG『ダンジョンズ&ドラゴンズ』のように、二刀流をルール化したゲームも存在します。ただ、ヨーロッパでは剣が比較的高価だったため、徴用された農民兵などは剣以外の武器を使う者も多かったようです。

　一方、刀は登場しない作品も多いですが、何らかの形で日本や中国、中近東系の文化が登場する作品では、**日本刀**や**中国の刀**、中近東の**三日月刀**なども登場しています。また、コンピューターゲームでは西洋と東洋の武器が混在している場合が多く、ゲーム世界を舞台としている作品では世界各地のさまざまな刀剣が登場しています。

[注1] かつて片手用の長剣はロングソードと呼ばれていたが、現在欧米の研究者は「シングルハンデッドソード（single-handed sword）」「ナイトリーソード（Knightly sword）」などと呼び、ロングソードは片手、両手どちらでも使える剣の呼称になっている。『ダンジョンズ&ドラゴンズ』のようにルールに反映したゲームもあり、片手剣はショートソードとして扱われている。

[注2] ヨーロッパでは15世紀頃からさまざまな武術書が制作されており、二刀流の記述もある。ただ、基本的には決闘や道場での訓練で使われるもので一般的ではなく、使用する武器もレイピアとダガーのように長剣と短剣を組み合わせて用いるのが主流だった。

■創作作品にも登場する主な刀剣

実在の刀剣は数多いが、創作作品ではある程度傾向がある。主人公ならロングソードかこれに類する片手剣、ヒロインはレイピア、ダガーやファルシオンは盗賊などがよく使用する。

ダガー

刃渡りの平均は40センチ程と長め。相手を組み伏せたのち、鎧の隙間を狙う目的で騎士も携帯していた。

ロングソード

重量は約1.5～2キロ。全長80～90センチ程で切先にカーブがある剣は11～14世紀半、全長80～100センチ程で鋭い二等辺三角形の剣は14～16世紀半頃の剣。

レイピア

決闘や護身に用いる細身の長剣。突いて使うが刃も鋭利で切れ味は鋭い。他の武器を相手にする場合は受け流す必要があり技術を要する。

ツーハンデットソード

両手で使う剣で「グレートソード」とも呼ばれる。ドイツのツヴァイハンダーやスコットランドのクレイモアなども有名。

ファルシオン

形が直線的な直刀型、日本で一般的に知られる肉切り包丁型、刃の先端が峰側に凹んだ逆刃型の3タイプがある。史実では直線的な直刀型が一般的。

倭刀

日本刀や日本刀を模した中国・朝鮮の刀。ゲームの他、日本や中国風の世界が舞台だったり和風の文化圏の人物が登場する作品などで見られる。

長柄武器

リーチを活かして戦う武器

関連
打撃武器
→P.94

長柄武器

武器・アイテム

使い方によって種類が分かれる

[注1] 槍以外の長柄武器は、ほとんどが戦争用の武器として生まれた。誕生経緯が異なるためか、長柄武器に含めず「槍」として独立させて紹介されることも多いが、本書では長柄武器として紹介している。

[注2] 中国における長柄武器の総称。ゲームなどでは小説『三国志演義』を元にした創作作品が多く、その関係で主要人物が使用する青龍偃月刀や方天画戟、蛇矛などは、比較的知られている。

　長柄武器は棹状武器とも呼ばれ、木や金属でつくられた長い棒の先に金属製の刃や鈍器を取り付けた武器の総称です。英語では「ポールアーム（pole arm）」「ポールウェポン（pole weapon）」と呼ばれ、たいていは人間の身長よりも長いのが特徴です。斬撃、打撃、刺突と、用途によっていくつか種類がありますが、なかでも刺突に向いた細長い穂先の槍[注1]が一般にもよく知られています。槍は石器時代から存在した狩猟の道具でもあり、世界中でさまざまな槍が誕生しました。ヨーロッパでも長さ1〜2メートル程度の**ショートスピア**、2〜3メートルの**ロングスピア**、5メートルを超える**パイク**などいくつか種類があります。

　他の長柄武器としては、刀のような刃の**グレイブ**、刃が半月状の**バルディッシュ**、刃の先端がフックのように曲がっている**ビル**、湾曲した内側に刃がある**戦鎌**、打撃用のハンマーと刺突用のピックを備えた長柄の戦鎚などがあり、なかでも長柄武器の完成形である**ハルバード**が有名です。また、斬撃と刺突が可能な矛、柄と直角に刃がある**戈**、矛と戈を合わせた**戟**といった中国の長兵器[注2]や、日本の薙刀なども長柄武器です。創作作品での登場頻度は西洋の武器ほどではありませんが、西洋と東洋の武具が混在するゲームや東洋風の世界を舞台にした作品などにはしばしば登場しています。

■創作作品にも登場する主な長柄武器

スピア

もっとも基本的な長柄武器で、銃が登場するまでは戦場の主役だった。創作作品でも主人公の仲間から街の衛兵まで幅広い人物が手にしている。

グレイヴ

斬撃に適した武器。初期は刃のみだったが、のちに騎兵に引っ掛けたりするフックがついたものも登場した。主にゲームなどに登場する。

ポールアクス

斧の柄を長くしたような武器。当初は刃のみだったが、のちに刺突用の鋭利な突起と騎兵を引っ掛けるフックがついた形に発展した。

ハルバード

斬撃と刺突、フックでひっかけることも可能な武器。15世紀から登場し、スイスの傭兵たちが好んで使用した。

薙刀

平安時代に登場した日本の代表的な長柄武器のひとつ。源義経に仕えた武蔵坊弁慶のように、僧兵たちもよく使用していた。

方天戟

斬撃と刺突が可能な武器。日本でも『三国志演義』の武将呂布の武器として有名だが、実はもっと後年になって登場した。

関連

長柄武器
→P.92

防具
→P.100

原始的攻撃方法ゆえに使いやすい
打撃武器

意外と実用的だが人気は今ひとつ

　打撃武器は対象を叩いた衝撃でダメージを与える武器です。もっとも原始的な棍棒は木や骨を削ったもので、狩猟道具のひとつでした。紀元前1万2000年頃には、木の棒の先に石のヘッドを取り付けた**メイス**が登場します。重量のあるヘッドに重心があるため、ただの棒で殴るよりも大きな衝撃を与えられる武器で、紀元前3000年頃の古代エジプトやメソポタミアでは青銅製のメイスが使われました。

　一方、木材を得るために欠かせない斧も世界中で使われており、メイスと同じ頃に**戦斧**[注1]も登場しています。これらは特別な技術が必要ない誰でも使える手軽な武器で、ヨーロッパでも各地で使われていましたが、やがて武器の主役は槍や剣へと移っていきました[注2]。

　しかし、時代が進んで金属鎧が発達すると、打撃武器が見直され始めます。とくに全身を板金で覆うプレートアーマーには槍や剣での攻撃があまり有効でなくなり、鎧の上から叩いても衝撃を与えられる打撃武器が注目されたのです。歩兵の武器としては12〜13世紀頃からさまざまな長柄武器が登場しましたが、剣より安価だったこともあり、接近戦での武器として打撃武器を携帯する者もいました。また、騎乗して戦う騎士たちも、敵の騎士を殴って落馬させるために使用していました。ゲームなどではあまり人気はありませんが、本来はかなり実用的な武器なのです。

[注1] 戦闘用の斧で、厚みがある刃で切断する。重いヘッドの重量を活かした武器であり、鎧の上から攻撃しても衝撃でダメージを与えられる点はメイスと同様なので、本書では打撃武器として紹介している。

[注2] ヨーロッパを席巻したローマ帝国では、統制された集団戦法が用いられたこともあって、兵士たちの武具は投げ槍、剣、大型の円盾などで統一されていた。中世になって騎士が登場したのちも、戦場で主役の武器は槍だった。

■創作作品にも登場する主な打撃武器

メイス

基本的な打撃武器。6〜8枚の金属板が放射状についていて、突き出た部分に力が集中する仕組み。棘付き鉄球を取り付けたものはモーニングスター・メイスと呼ばれる。

ウォーハンマー

戦闘用のハンマー。打撃部分の反対側にある尖ったピックで突き刺すこともできる。ピックでの攻撃をメインとしたウォーピックもあるが、打撃と刺突が可能な点は同じ。

バトルアックス

いわゆる戦斧。片手用は現代で市販されている斧とあまり差はないが、大型の両手用のものもある。創作作品では両刃のものをよく見かけるが、実際は片刃が多かった。

フレイル

柄の先端に鎖や革紐で短い打撃部を取り付けた武器で、元々は農民などが脱穀用の農具を武器として持ち出したもの。同じ仕組みの長柄武器もある。

モーニングスター

鎖に棘付き鉄球を取り付けたフレイルの一種。本来「モーニングスター」は棘付き鉄球を指すので、「ボール・アンド・チェイン」とも呼ばれる。

金砕棒

14世紀に登場した日本の武器。六角や八角の棒を鉄板で補強した2〜3メートルのものが多いが、すべて鉄製のものもある。創作作品では鬼やモンスターが手にしている。

関連
防具
→P.100

遠距離から一方的に敵を攻撃

射出・投擲武器

射出・投擲武器

武器・アイテム

種類は少ないがゲームでは定番

射出・投擲武器は離れた目標を攻撃する武器です。射出武器の代表は弓で、実在した**ロングボウ**や**クロスボウ**、日本の**和弓**などは創作作品にもよく登場します。一方の投擲武器としては、**投げ槍**や**投げ斧**が代表的です。こちらは小説やアニメではあまり見かけませんが、射出武器も含めゲームの武器としてはよく登場します。

最古の射出・投擲武器は投げ槍のようで、ドイツでは40万年前のものが発見されました。チャリオット[注1]が広まった紀元前2000年以降は戦争で盛んに用いられ、なかでも古代ローマの兵士が使った**ピルム**[注2]が有名です。投げ斧は投げ槍ほどメジャーではありませんが、7〜8世紀頃に使われた**フランキスカ**が比較的知られています。

一方の弓は中石器時代[注3]に登場し、同時期に誕生した投石器[注4]と共に狩猟の道具でした。単一の素材でつくった**単弓**（セルフボウ）は長いほど威力があり、長さ120センチを超える長弓の代表がロングボウです。これに対し、複数の素材でつくった弓を**複合弓**（コンポジットボウ）と呼び、紀元前500年頃に中央アジアの騎馬民族が使ったものが、近東や東地中海地方を経てヨーロッパにも伝わりました。機械的なクロスボウの起源は紀元前5世紀頃に中国で使われていた弩で、これがのちにヨーロッパへ伝わって、中世初期の10世紀頃にクロスボウが登場しました。

[注1] 中国からエジプトまで広範囲に普及した戦闘用の馬車で、2輪のものと4輪のものがある。御者と兵士が搭乗し、兵士は弓や投げ槍、長柄武器を使った。

[注2] 紀元前4世紀頃から使われ始めた投げ槍。相手に防御させて盾を使用不能にさせる効果もあった。

[注3] 紀元前1万〜8000年頃の時代。日本の時代区分では縄文時代にあたる。

[注4] 紐の中央に幅広の石受けがあるだけの単純な道具。石を挟んでふたつ折りにし、2本の紐の端を掴んで回転させたのち、紐の片方を離すと遠心力で石が飛んでいく。狙った場所へ石を飛ばすには訓練が必要だが、扱いに習熟した者なら400メートルも飛ばせるうえ、弓のように矢をつくる手間がない。戦争でも多用されたが、複合弓の登場などにより4世紀頃に使われなくなった。

■創作作品にも登場する主な射出・投擲武器

長弓

一般的に120センチ以上の弓を指す。ゲームなどに登場するロングボウは2メートル近くある戦争用の弓で、日本の和弓はこれよりもさらに長く2メートルを超える。

合成弓

薄く削いだ骨や動物の腱など、複数の材料を組み合わせて強度を高めた弓。長弓より小型で扱いやすく、創作作品でも主要人物がよく使っている。

クロスボウ

水平に構えて矢を放つ武器。あまり技術がいらず貫通力も高いが、先端の鐙を足で踏んだり道具を使って弦を引くため連射速度は通常の弓に劣る。

■創作作品にも登場する主な投擲武器

投斧

投擲用の斧。ヘッドが刺さりやすく設計されているが、回転して飛んでいくためヘッドが当たらないこともあり、挑発や威嚇用だったと考えられている。

投槍

英語での総称はジャベリン（Javelin）。投擲の際に使う専用の道具も存在した。北欧のように、突きと投擲の両方に対応した槍を使う地域もあった。

ダート

長さ30センチ程の投擲武器。古くから存在し、15〜17世紀には狩猟でもよく用いられた。図は5世紀頃に東ローマの兵士が使ったヴェリトゥウム。

魔法使いにとっては代表的な装備

杖

関連

職業（ジョブ）
→P.38

魔女
→P.52

杖

武器・アイテム

杖といっても種類はさまざま

　医学が未発達な時代では平均寿命が短く、腰が曲がって歩行に杖が必要なほど長生きする高齢者は稀な存在でした。そのため、周囲の人々は「特別な力があるのでは？」と考え、彼らが魔法使いの原型になったので、童話などの魔法使いは老人なのだともいわれています。西洋ファンタジーの原点とされる『指輪物語』にも、主要人物として長い杖を手にした魔法使いの老人ガンダルフが登場しました。

　英語での杖は、**スタッフ**（Staff）、**ステッキ**（Stick）、**ロッド**（Rod）、**ワンド**（Wand）といくつか種類があり、それぞれ長さが異なります[注1]。テーブルトークRPG[注2]やコンピューターゲームによく登場し、ゲームのなかには「魔力を増幅する」「呪文を唱えるうえで精神集中を助ける」など、理由付けをしている作品も見られます。

　一方、かつての小説や映像作品ではスタッフを手にした魔法使いが定番でしたが、『ハリー・ポッター』が有名になってからはワンドを手にした魔法使いも増えています。また、主にアニメ作品に登場する魔法少女も杖を手にしていますが、「○○ステッキ」のように「ステッキ」と呼ぶ場合が多いようです。もっとも、近年多数制作されているアニメ作品では、魔法使いが魔導書や水晶球を持ち歩いていたり、何も手にしていないケースもあり、「杖＝魔法使い」という図式ではなくなってきています。

[注1] スタッフは約2メートル、ステッキとロッドは約1メートル、ワンドは約50センチ。

[注2] 西洋ファンタジーを題材としたRPGの多くは、魔法使いが装備できる武器に制限があり、杖は数少ない装備可能な武器のひとつ。スタッフのモデルはクォータースタッフと呼ばれるイギリスの打撃武器。といっても、物干し竿のように太さが均等な木の棒に過ぎず、あくまで護身用のもの。

古代から存在した人類の友

楽器

☙ 関連 ❧

旅芸人
→P.46

音・詩魔法
→P.131

ゲームでは吟遊詩人の装備

[注1] 現在のハープは三角形に似た形だが、当時のハープは弓の弦を増やしたような形が主流だった。

[注2] 吟遊詩人と呼ばれる存在として、11世紀頃の南フランスに登場したトゥルバドゥールや、その影響で北フランスに登場したトルヴェール、ドイツのミンネザンガーなどがいる。ただ、彼らの多くは貴族や騎士でプロの芸人ではなく、宮廷芸術家なので基本的には各地を旅することもなかった。「吟遊」は「詩作をしつつ旅をする」意味なので、厳密には吟遊詩人ではない。

[注3] 多くの場合、吟遊詩人は歌で味方の能力を高めたり敵を弱体化させたりする。楽器は効果を十分に発揮するための装備だが、なかには敵を殴る武器として使える作品もある。

音楽は古くから人類と共にあり、ドイツでは約3万6000年前のものと推定される笛が洞窟から発見されています。紀元前4000年頃のメソポタミアでは、弓型のハープ[注1]やリラと呼ばれる竪琴、金属製の管楽器が、古代エジプトでも紀元前3000年頃には同様の楽器が登場しており、祭祀の場などで演奏されていました。

ヨーロッパの音楽は、5世紀から15世紀頃まで教会の聖歌を中心に発展しますが、これと並行して世俗では宮廷芸人のミンストレル（minstrel）やフランスの大道芸人ジョングルール（jongleur）など、日本で吟遊詩人[注2]と呼ばれる人々が登場します。彼らはリラや日本の琵琶に似た**リュート**といった弦楽器をはじめ、オーボエの元になった**ショーム**などの管楽器、太鼓などで演奏しました。

創作作品では、ゲームの道具や装備品としてしばしば楽器が登場します。かつてはモンスターとの遭遇率を上昇させたり、重要アイテムの位置を特定する魔法の道具でしたが、のちにクラスやジョブとして吟遊詩人が設定された作品が登場し、演奏に欠かせぬ装備[注3]となっています。なかでも『ファイナルファンタジーXI』には数多くの管楽器や弦楽器が登場し、また『ファイナルファンタジーXIV』では弓とハープが融合したハープボウのような変わり種も登場しています。

敵の攻撃を防ぐ防壁

防具

☙ 関連 ❧

刀剣
→P.90

長柄武器
→P.94

射出・投擲武器
→P.96

武器の発達に応じて防具も進化

戦いにおいて、武器と並んで欠かせないのが身体を守る防具です。とくに頭部と胴体には重要器官が多く、これらを守る兜と鎧、武器が身体に届く前に止める盾が防具の中心です。古代の戦争で主力だった歩兵はこれらに加えてすね当てもつけました[注1]が、腕はほぼ無防備でした。　攻撃を防ぐ性質上、防具の進化は武器の発達と連動しています。地域差はありますが、兜と鎧は概ね革製から青銅製、鉄製へと変化しました。とくに兜は比較的早くから金属製になった地域が多いようです。また同じ鉄を用いた鎧でも、小さな鉄の輪で編んだ**チェインメイル**[注2]と革鎧の裏に小さな金属板を張った**ブリガンダイン**[注3]、さらに全身を板金で覆う**プレートアーマー**[注4]では防御力が違い、後年のものほど鎧の防御力が高くなります。

　一方の盾は事情が異なり、金属製のものもありましたが、主流は木製でした。兜や鎧よりも登場は早く、古代エジプトのような暑い地域では武器と盾のみ装備した例もあります。形状にはやはり進化が見られますが、ヨーロッパではプレートアーマーが普及すると次第に使われなくなりました。日本でも3〜7世紀の古墳時代頃まで手持ちの盾が使われていましたが、平安時代から戦闘を担った武士たちが騎射[注5]を重視したため消滅し、代わり鎧に矢を避ける工夫が凝らされていました。

[注1] 武装は長い槍に大型の盾という地域が多い。身体はほぼ盾に隠れるため、狙われがちな足元を守る必要があった。

[注2] 小さな鉄の輪を鎖のように繋いで編んだ鎧。当時は単に「メイル（mail）」と呼ばれており、日本では「鎖帷子」と呼ばれた。斬撃に効果的だが、打撃武器の衝撃は防げない。刺突への効果も薄く、クロスボウなどには容易に貫通された。

[注3] 12世紀頃に登場した鎧。革鎧の裏に金属の板を張ったもので、チェインメイルよりも防御力は高い。

[注4] 成形した鉄の板で全身を覆う鎧。「転ぶと自力で起き上がれない」などといわれることもあるが、それは実戦用ではなく可動部などがより制限された馬上槍試合用のものだ。ただ、下馬して戦うには相応の体力が必要となる。

[注5] 騎乗して弓を射ること。10世紀に登場した武士たちに武芸の基本として重視されていた。

胴体への致命傷を防ぐ鎧

ファンタジー世界において、比較的誰でも装備できるのが革鎧です。防御力は低めですが、動きやすく音がしないため、テーブルトークRPGでは盗賊の装備として定番です。史実では紀元前2000年頃に硬化処理[注6]をした革鎧が登場し、エジプトなどで使われていました。

一方、初期の金属鎧は青銅製ですが、あまりに重いという欠点があり、ギリシャではリネンをニカワで12層に重ねた布の鎧[注7]が開発されました。ゲームでもお馴染みのチェインメイルは紀元前4世紀に登場し、3世紀頃からローマ帝国で使われています。普及が遅れた西ヨーロッパでも10世紀以降に主流となり、チェインメイルは中世ヨーロッパの代表的な鎧になりました。

しかし、イスラム教徒との戦いが増えた12世紀頃から、脚や腕に鋼鉄板が追加されていき[注8]、先述したブリガンダインやプレートアーマーが誕生します。しかし、その戦場だった近東地域では暑さのためにプレートアーマーのような鎧は登場せず、主に小さな金属板をいくつも繋ぎ合わせたラメラー・アーマーを使っていました。チェインメイルより防御力は高く、日本にも似たものがあります。

こうして鎧の防御力は頂点に達しますが、15世紀に銃が登場するとプレートアーマーは衰退。防御力を胴体に集中した胸甲[注9]も登場しますが、最終的に銃器の進化に敗れ鎧は姿を消しました。

[注6] 革をオイルやワックスで煮込むと固まって変形しなくなり、ある程度の打撃にも耐えられる。

[注7] 「リネンキュラッサ」と呼ばれる鎧。青銅の鎧を貫通する矢も止める防御力があり、テーブルトークRPGの『ダンジョンズ＆ドラゴンズ』には「パデッド・アーマー」の名で登場している。

[注8] ヨーロッパ人同士の戦いは捕らえて身代金を得る目的で殺害に至らない場合が多かったが、イスラム教徒との戦いはより過酷で装備の見直しに迫られた。

[注9] 胴体のみを守る鎧。これだけで重さは10kg以上もあるが、当時の銃弾に耐える防御力があり、これを装備した騎兵が18世紀にナポレオンの軍隊で活躍した。

●プレートアーマー

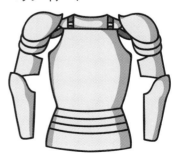

直接的に武器を防ぐさまざまな盾

盾は古代から存在し、紀元前2500年頃のメソポタミアではすでに大きな木製の盾が使われています。盾の用途は敵の攻撃を受け止めたり受け流すのが主ですが、盾自体で殴るという使い方もあります。材質が金属や革のものもありますが、基本的には木製で、表面に革を張ったり縁を金属で強化していました。ただ、北欧のヴァイキングなどは相手の近接武器を食い込ませて使用不能にするため、盾を補強していなかったともいわれます。

盾の大きさや形はさまざまで、直径約45センチの**バックラー**、ギリシャの重装歩兵が使った1メートルほどの**ホプロン**といった円盾のほか、ローマ兵士が用いた長方形の**スクトゥム**[注10]、騎士たちが手にした縦長の**カイトシールド**[注11]などがあります。11世紀頃に登場した**ヒーターシールド**は騎士たちに人気で、創作作品にもよく登場します。

[注10] 大きさは概ね縦が100〜120センチ、横が60〜80センチ程度。使用者側にやや湾曲していて衝撃を逃しやすくなっている。

[注11] 水滴を逆さにしたような盾で、名前は形が似ている西洋凧（kite）に由来する。縦の長さが1メートルほどあるが、12世紀頃に70センチほどに縮めたヒーターシールドが登場して人気を博した。

防具
武器・アイテム

■持ち方によるタイプの違い

盾には握りを手で掴むだけの手持ち型と、革帯に腕を通すストラップ型のものがある。直径数十センチ程度の円盾は前者が多く、前に突き出して武器を受け流したり相手を殴ったりと積極的な使い方ができる。大型の盾に多いストラップ型は腕に固定するため取り回しは悪いが、保持力が高く大きな衝撃にも耐えられる利点があり、また手綱を握る騎士の使用にも適している。

●手持ち式の盾

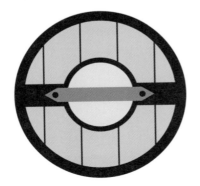

●ストラップ式

兜は露出しがちな頭部に必須

戦いでは敵を目視する必要があるので、頭は盾の防御範囲から外れがちです。そこで比較的早い時期から兜が登場しました。しかし、首まで覆う兜は音が聞こえにくい問題[注12]があり、9世紀頃からは北欧のヴァイキングたちが使った**ノルマンヘルム**が広まりました。

その後、10世紀に頭から膝下付近まで覆う一体型のチェインメイルが登場し、ノルマンヘルムと合わせて使われます。しかし、武器の進化や戦闘の激化からか、11世紀に頭部全体を覆う**グレートヘルム**[注13]が登場。以後、騎士たちの兜は頭部全体を覆うものが主流になって可動式のバイザーが開発され、のちには首元まで一体化した兜も登場しました。

[注12] 古代ローマでは、頭部の耳から上と後頭部を保護する一体化した兜に頬当てを追加していた。耳を塞がない工夫だが、一体化していない顎両側の防御は弱めになる。

[注13] バケツをかぶったような鋼の兜で、目の位置に横長のスリット、口元に呼吸用の小さな穴が空いている。平らな頭頂部への攻撃に弱く視界もかなり悪いため、のちに廃れていった。

防具 武器・アイテム

■創作作品にも登場する主な兜

●イリリア式ヘルム
紀元前600年頃に登場していた古代ギリシャの兜。顔がむき出しで、ゲームなどの「オープンヘルメット」もこれに似た形。音が聞こえにくいが、何度も改良されて解消された。

●ノルマンヘルム
ヴァイキングたちが使用した兜。中央の板は鼻を守るもので、これだけでも意味がある。これをもとにバシネットという顔を露出した兜が生まれ、バイザー付きの兜へと発展していった。

●クロースヘルム
15～16世紀頃の騎士たちが使っていた兜。前身となるバイザー付きのバシネットは顎や首は保護されていなかったが、のちに顎や首元まで一体化した板金で覆うタイプに進化して誕生した。

103

関連

防具
→P.100

自然魔法
→P.120

作品のカテゴリで扱いが違う装身具

アクセサリー

アクセサリー

武器・アイテム

ゲームでは防具の一種

[注1] 力の強さや敏捷さ、身体の頑丈さといったキャラクターの能力。攻撃の命中率や回避率、敵に与えるダメージ、防御力などを算出するベースとなる。

[注2] プレイヤーキャラクターに付与される不利な効果のこと。「ステータス異常」や「バッドステータス」とも呼ばれる。行動不能になる麻痺、攻撃の命中率が下がるブラインド、同士討ちをさせられるチャーム、HPが下がり続ける毒などがある。主に敵の特殊攻撃や魔法などで付与されるが、ダンジョンの罠などで付与されることもある。

[注3] テーブルトークRPGには必須の存在。冒険の目標やダンジョンのデザイン、遭遇するモンスターの設定など舞台設定を担当する他、ゲームが始まってからは進行役としてプレイヤーが置かれた状況を伝え、彼らの行動による各種判定などを行なう。

アクセサリーといえば一般的には装身具を指しますが、本来は付属物、付属品などの総称です。とくにゲームでは、武器と防具以外の装備がまとめてアクセサリーと呼ばれます。何を装備できるかは作品によって違いますが、首にかける**ネックレス**や**ペンダント**をはじめ、耳に装着する**ピアス**や**イヤリング**、**指輪**などが一般的で、さらに**腕輪**や**ベルト**、**マント**などを装備可能な作品もあります。たいていはこうしたアクセサリーにも何らかの能力があり、装着したキャラクターの基本能力[注1]を若干上昇させたり、各種の状態異常[注2]を防止するといった補助的な効果がある場合が多いようです。

一方、同じゲームでもテーブルトークRPGの場合はやや事情が異なります。能力を高めるアクセサリーもありますが、基本的には敵の不意打ちを防止する、敵を感知しやすくなる、一定時間空を飛べる、暗視能力を得るなど、移動やダンジョンの探索をするうえで有効な魔法のアイテムが多いようです。このようにテーブルトークRPGは公式ルールにあるアイテムがすべてではなく、むしろ新たな物品を独自に設定できる自由度の高さが大きな特徴です。どのような装備でも存在し得るため、新たなアイテムの創造はゲームマスター[注3]の腕の見せどころであり、プレイヤーの楽しみのひとつでもあります。

小説やアニメ作品におけるアクセサリーは、多くの場合登場人物の<u>ファッションアイテムのひとつ</u>です。それ以外では、『指輪物語』に登場した「**ひとつの指輪**」のように強大な力を秘めたもの、「盗品を取り戻す」といった依頼の対象物、主人公や仲間など主要人物間でのプレゼント、両親や恋人の形見などがあります。ただ、この場合はアクセサリーの能力がどうというよりも、物語の進行や登場人物同士の関係性や背景を描く上での<u>キーアイテムという性格</u>が強くなります。とはいえ、近年ではレベルやスキルといったゲーム的要素が実在する世界[注4]を舞台にした作品も多く、「特定の属性攻撃を防ぐ」などゲーム内の装備と同じ、実用的な装備品としてのアクセサリーが登場するケースも増えています。

[注4] ゲームにおけるレベルやスキルといった概念は、プレイヤーがキャラクターの強さや能力を把握する必要性から、その指標として設定されている。よって、キャラクター自身が能力画面やキャラクターシートを確認することはない。しかし、近年では登場人物が「ゲームのように自身の能力画面を開き、能力を確認したりスキルを成長させたりできる」世界を舞台にした作品が増えている。

アクセサリー

武器・アイテム

オンラインRPGと相性がいいアクセサリー

昔のゲームはキャラクターの装備品が武器と防具だけという作品が多く、それ以外に装備できたとしてもたいていはひとつかふたつだけでした。装備品がキャラクターの外見に影響する作品も稀でしたが、これが大きく変化したのは主にパソコンで遊ぶオンラインRPGの登場によると思われます。

とくにキャラクターを３Dで描くゲームでは、装備した武器や防具がキャラクターの外見に反映されるのが当たり前になり、装備できるアクセサリーも増えていきました。武器と防具は強さに直結するため同じ職業のプレイヤー同士は装備も同じになりがちですが、補助装備のアクセサリーは好みで選ぶプレイヤーも多いようです。

近年ではキャラクターの顔や体型をもカスタマイズできる作品が増えていますが、これもキャラクターに個性を持たせたいプレイヤーが多く、需要があるからこそ搭載されたシステムでしょう。極みを目指すプレイヤー同士は、最終的にアクセサリーも同じ装備になります。ただ、全体的に見ればそこまでではない中堅プレイヤーとライトプレイヤーが大半で、自己主張という意味でもアクセサリーは欠かせない存在になっています。

冒険に必須の道具類

アイテム

🐉関連🐉

冒険者
→P.36

各種アイテムが豊富なTRPG

　ファンタジー世界ではさまざまな状況に遭遇します。モンスターや山賊などは武器や防具で対処できますが、傷を負えば治療が必要ですし、暗い洞窟やダンジョンは明かりがなければ進めません。長旅をするなら野宿することもありますから、携帯食料や簡単な寝具、火を起こす道具も必要でしょう。各種アイテムはこうした戦闘以外の状況への備えで、とくに「状況への対処も楽しみのひとつ」であるテーブルトークRPGには数多くのアイテムが登場します。

　個々のアイテムは作品によって差がありますが、火起こし道具がセットになった**ほくち箱、松明、ランタン**と予備の油、**水袋、保存食**のほか、これらを収納する**背負い袋**はどの作品にも存在するので、最低限用意しておきたいところです。松明とランタンは「一方でいいのでは？」と思いますが、ランタンは長時間安定した光源が必要な場合に有用な一方、落とすと割れてしまいます。戦いの際、油を撒いて火をかけるような場合は松明が必要なので、両方用意したほうがよいのです。他にも、ダンジョン探索ならマッピング[注1]するための**ペン、インク、紙**は必要で、床を突きながら進んだり怪しげなスイッチを遠くから押して罠を避けるための**木の杖、ロープ**と**鈎フック**もあると便利です。ダンジョンでは宝箱の周囲に罠がある場合もあるので、宝箱にロープを掛けて別の場所へ引きずっていき、そこで開

[注1] ダンジョンや洞窟を探索する際、通った場所を記録すること。ゲームマスター次第だが、テーブルトークRPGは基本的にプレイヤー＝キャラクターではないので、道具を用意しないと許可されないことが多い。

けるという慎重なプレイヤーもいました。ただし、テーブルトークRPGの多くは重量制限があるので、とくに誰かが持っていればいいアイテムの場合、通常はメンバー内で相談して決めるようです。このように目的地の状況を想像しながら準備するのも、冒険の楽しみ方のひとつです。

コンピューターゲームでは回復系が充実

[注2] キャラクターがどれだけのダメージに耐えられるかを数値化したもので、HP（ヒットポイント）と表記されることが多い。

[注3] プレイヤーキャラクターに付与される不利な効果のこと。「ステータス異常」や「バッドステータス」とも呼ばれる。行動不能になる麻痺、攻撃の命中率が下がるブラインド、同士討ちをさせられるチャーム、HPが下がり続ける毒などがある。主に敵の特殊攻撃や魔法などで付与されるが、ダンジョンの罠などで付与されることもある。

同じゲームでもコンピューターゲームに登場する道具はそれほど多くありませんが、それでも体力[注2]を回復したり各種の状態異常[注3]を治す道具は充実しています。『ドラゴンクエスト』シリーズの「**やくそう**」「**どくけし草**」などはその代表で、戦闘不能になった仲間を復活させる「**せかいじゅの葉**」などもあります。回復系以外のアイテムとしては、敵との遭遇率を下げる「**せいすい**」、一度訪れた城や街へ瞬時に飛ぶ「**キメラのつばさ**」など、プレイ時間の短縮に役立つアイテムも存在します。こうした便利なアイテムは、他の作品にも見られ、同じような効果の道具がよく登場します。『ドラゴンクエスト』には「**ちからのたね**」のように基本能力を上昇させるアイテムもありますが、ゲームバランスに影響する可能性があるためか、類似アイテムがまったく存在しない作品も少なくありません。

一方、小説や映像作品は「場面を描写する」という点でテーブルトークRPGとの共通部分が多いのですが、とくに小説はすべて文字で表現することもあり、特別な意味がない限り道具を使う行為は描写されないようです。映像作品では場面描写が詳細な作品にキャンプ道具などが登場しますが、それ以外ではやはり少なめです。また、いわゆる「チート系」の作品では、あらゆる状況に対し魔法やスキルで対応する場合が多く、そもそも使われないので通常の道具はあまり登場しない傾向にあります。

魔導書

魔法には欠かせない重要な書物

♨関連♨

自然魔法
→P.120

召喚魔法
→P.124

錬金術
→P.138

いくつかのタイプに分けられる魔導書

魔導書とは、<u>魔法についての知識や各種の呪文などを記した書物</u>です。内容はさまざまですが、ある程度は傾向があり、魔法についての基礎概念や習得方法について記した**学習書**、実際に魔法を行使するための各種呪文が記された**呪文書**、何かを呼び出すための手順や道具などを記した**召喚術の書**、物質変換についての研究結果をまとめた**錬金術書**、失われた文明や異界の存在についての知識を記した**禁断の書**などが挙げられます。

学習書は以前の創作作品にはあまり見られなかったタイプですが、近年の異世界もの[注1]では転生者や召喚された人物が魔法を学ぶケースも多く、その過程で手に取る書物としてよく登場します。呪文書は主にテーブルトークRPGの魔法使いが必ず所持している書物で、キャラクターが使用可能な魔法のリストという面もあります。また、個々の魔法の力を封じ込めた**スクロール**[注2]も魔導書の一種で、冒険では重宝します。召喚術や錬金術は手順や使用する道具、物質の掛け合わせなどが重要ですし、これらを間違えるととんでもない結果[注3]が生じることもあるため、魔導書の存在はむしろ当然です。最後の禁断の書はジャンルを問わず創作作品でよく見られますが、なかでも「クトゥルフ神話」[注4]には数多くの魔導書が登場しており、直接関係ない作品にもしばしば登場しています。

[注1] 主人公が異世界の人々に召喚されたり生まれ変わるなどして、異世界で活躍する作品。近年は主人公が魔法を習得する過程を描写した作品も増えている。

[注2] 魔法が記された巻物。たいていは一度きりの使い捨てだが、好きなときに発動できる。テーブルトークRPGには、高度な魔法に使用回数や事前準備が必要など制限を設けた作品もある。冒険では想定外の敵が現れることもあるので、制限の枠外で使えるスクロールは重宝する。

[注3] 召喚魔法は呼び出した存在と契約して使役、協力させるが、作法を誤ると襲われることもある。一方の錬金術は化学の一種で、誤って爆発したり毒ガスが生じる危険がある。

[注4] アメリカの作家ハワード・フィリップス・ラヴクラフトを中心に、複数の作家たちによる作品群で展開する架空の神話。日本では、とくにゲーム作品で神話の要素を独自設定にアレンジしたものが多い。

実際に存在していた魔導書

じつは魔導書は完全に架空の存在というわけではありません。原本が失われているため明確ではありませんが、13〜19世紀にかけてヨーロッパでは数多くの魔導書が登場しています。有名な魔導書もいくつか存在し、なかでも古代イスラエルのソロモン王[注5]が使役したという悪魔などについて記した『レメゲトン』と、その一部である『ゴエティア』は比較的知られています。近代のものとしては、イギリスのアレイスター・クロウリー[注6]による『法の書』やジェームズ・フレイザー[注7]の『金枝篇』も有名です。この他、ユダヤ教の経典のひとつである『形成の書』や、同じくユダヤ教に関連する『天使ラジエルの書』、キリスト教で偽典とされる『エノク書』など、宗教に関わる書物が魔導書とされることもあります。

[注5] 紀元前10世紀頃に古代イスラエルを統治した王。紀元1〜3世紀頃には悪霊を使役したという話がユダヤ人の間で広まっていた。

[注6] 19〜20世紀にかけて実在したオカルティスト。オカルト界では有名な人物で、1904年に『法の書』を記した。

[注7] イギリスの社会人類学者。各地に伝わる古くからの儀礼や習慣、神話などを比較研究し、後世の研究家に多大な影響を与えた。

■創作作品に登場する主な魔導書

レメゲトン	5つの魔術書を合わせてつくられた書物。ソロモン王と悪魔について記した第1部『ゴエティア』が有名だが、他にも占星術で天空を12頭分した黄道十二宮に宿る精霊などについても記されている。
エノク書	エチオピアで独自に発展したエチオピア正教会の聖典で、天使や堕天使、悪魔についての記述が多い。初期のキリスト教では聖書の一部だったが、のちのキリスト教では聖書と認めない偽典とされた。
形成の書	120年頃に成立したと考えられているユダヤ教の経典のひとつ。神による創造、やがて訪れる終末、救世主であるメシアなどについて、カバラと呼ばれるユダヤ教の神秘思想に基づいて記されている。
エメラルド・タブレット	3世紀頃までにエジプトで成立したと思しき神秘思想に関わる文書。錬金術の祖とされる伝説的存在ヘルメス・トリスメギストスにより、錬金術の奥義がエメラルドの板に刻まれていたといわれる。
天使ラジエルの書	天使学や数字に依った占いである数秘術、防護の呪文、魔術的なお守りなどについて記した書物。伝承では天使ラジエルがアダムに対して開示したとされるが、成立は13世紀頃だと考えられている。
大奥義書	18世紀以降のものと思しき魔導書。悪魔の階級と名称の他、ルシファーに従う悪魔ルキフゲ・ロフォカレの召喚手順や、その際に必要となる杖の制作方法などが記されている。
金枝篇	ジェームズ・フレイザーが40年以上もかけて完成させた全13巻に及ぶ大著で、魔術や術、精霊信仰などについて記されている。純粋な研究書だが魔術書に数えられ、『クトゥルフ神話』にも登場する。
法の書	アレイスター・クロウリーが、謎の知性体「アイワス」からのメッセージを書き留めたもの。アイワスはクロウリーが魔術を使った際に妻に憑依した存在で、クロウリーは自身の守護天使だと考えた。
ネクロノミコン	「クトゥルフ神話」に登場する魔導書ではもっとも有名な書物で、アラブ人のアブドゥル・アルハザードが記したとされる。「仮に存在したら」というコンセプトの基、『ネクロノミコン断章』と題した書籍も制作された。また『ネクロノミコン』の一部とされることもある『ルルイエ異本』という架空の魔導書もあり、「Fate/Zero」の魔術師ジル・ド・レェの所持する『蝶埋城教本（プレラーティーズ・スペルブック）』として登場した。「クトゥルフ神話」関連の魔導書は他にもあるが、失われた古代大陸ハイパーボリアの大魔道士が記したとされる『エイボンの書』は、マンガ『ソウルイーター』に登場している。

支配者の正当性を象徴する重要品

レガリア

❧ 関連 ❧

王族・貴族
→P.164

王位継承に関連して登場する

レガリア（regalia）とは、それを所持することによって正当な支配者であると周囲に承認させる、王権を象徴した物品のことです。日本の場合は皇室に伝わっている三種の神器、すなわち**草薙剣**[注1]、**八咫鏡**[注2]、**八尺瓊勾玉**[注3]がこれに当たり、皇位継承の際に新たな天皇に受け継がれます。ただ、草薙剣と八咫鏡はそれぞれ熱田神宮、伊勢神宮に安置されており、儀式では形代[注4]が用いられています。また、一般に情報公開されているイギリス王室には141点の戴冠宝器[注5]が伝わっており、王冠、王笏、宝珠、指輪などのレガリアも含まれています。

レガリアは創作作品にも登場し、王位継承問題が発生した場合にしばしば登場します。近年の例では『Re:ゼロから始める異世界生活』に登場する、グルニカ王国の「**竜歴石**」がレガリアの一種といえるでしょう。

グルニカ王国は主人公が渡った異世界の国で、当時は王族が病に倒れて王位継承者が不在の状態でした。しかし、国が危機に瀕した際に啓示が記されるという竜歴石により、各地から募った候補者のなかから次期国王を選ぶ「王選」の開催が決定。これに参加するヒロインを応援する形で、主人公も王選に関わっていくことになります。

この例に限らず、作品内で主人公が王族と関わって王位継承問題に絡むケースはしばしば見られ、継承者同士がレ

[注1] 『古事記』や『日本書紀』に登場する剣。スサノオがヤマタノオロチを退治して入手し、姉のアマテラスに献上。その後、ヤマトタケルの手に渡り、のちに熱田神宮に奉納された。

[注2] アマテラスがスサノオの狼藉に怒って洞窟に引きこもった際、アマテラスを連れ出すためにイシコリドメという神が制作した。

[注3] 動物の牙のような形をした装飾用の大きな玉。スサノオの狼藉に怒ったアマテラスが洞窟に隠れた際、アマテラスを連れ出す計画の一環として神々が用意した真榊（神事に用いる木）に飾った。

[注4] 御神体から分祀され、オリジナルと同等の宝とされている存在。

[注5] 戴冠式に用いられる歴史的な儀式用の物品。

ガリアを奪い合ったり、王位簒奪を狙う外部の者に奪われたりという展開はお約束的なパターンです。

王権とは異なりますが、ゲーム『ドラゴンクエスト』に登場する「**ロトのしるし**」は、持ち主が勇者ロトの血を受け継いだ勇者であることを証明するアイテムでした。勇者の権威の象徴という意味では、これも一種のレガリアといえるかもしれません。

レガリアも含む創作作品の定番レリック

レガリアと関連するものに、**レリック**（relic）があります。主に歴史的な遺物を指し、キリスト教にまつわる聖遺物[注6]や先に紹介したレガリアもまた、レリックのひとつです。創作作品の例としては、『ドラゴンクエストⅢ』の「**ひかりのたま**」が挙げられます。主人公が「神の使い」と称して世界を見守っている竜の女王から託されたアイテムで、魔物を封じる力がありました。このときはまだ歴史的遺物とはいえませんが、大魔王ゾーマを倒した主人公が魔物たちを封じたのちにひかりのたまはラダトームの城に保管され、のちに竜王がこれを奪い去って『ドラゴンクエスト』の冒険が始まるのです。よってひかりのたま、さらには先述した「ロトのしるし」もまた、後年の新たな勇者にとってはレリックというわけです。この他では神々や古代文明の遺産などもレリックですから、創作作品においてレリックはかなり一般的な存在です。

これを授けましょう

特殊な力を備えた魔法的な剣

聖剣・魔剣

≈ 関連 ≈
呪いのアイテム
→P.116

代表的な英雄の聖剣

神話や伝説には、神々や英雄が使用していたり特殊な力を秘めていたりするなど、さまざまな剣が登場します。これらのうち、英雄などに由来する剣は民族の象徴として神聖なものとされ、聖剣とされることもあるようです。

聖剣とされるもっとも有名な剣といえば、やはり「アーサー王伝説」[注1]に登場する「**エクスカリバー**」でしょう。アーサー王が所持した[注2]魔法の剣で、決して折れずにあらゆるものを斬り裂いたともいわれ、グレートブリテン島の正当な統治者である証とされることもあります。エクスカリバーは日本でも有名で、とくにRPGでは物語後半で入手できる強力な剣としてよく登場しています。なかには悪魔やアンデッドモンスターにより効果的といった、聖剣としての面を強調した作品もあります。

もうひとつ挙げるなら、『ローランの歌』[注3]の主人公ローランが所持する「**デュランダル**」でしょうか。剣の柄に聖遺物[注4]が収められた岩をも両断する聖剣で、やはり数多くのゲームに登場しています。

一方、テーブルトークRPGでは、こうした剣が登場するケースは少ないようです。一般に「強力な剣」という印象が強いため、扱いが難しく登場させにくいのでしょう。ただ聖剣自体が存在しないわけではなく、やはりアンデッドモンスターに効果的な武器として登場することはあります。

[注1] 5〜6世紀頃の伝説的な王アーサーを主軸とした物語群の総称。15世紀に伝説の集大成となる作品『アーサー王と死』が登場し、現代の映画なども多くがこれを元にしている。

[注2] アーサーは「引き抜いた者が王になる」という剣を岩から抜いて王になるが、この剣をエクスカリバーとする説がある一方、この剣はカリバーンという剣で、これが折れたのちに湖の乙女から授かった剣がエクスカリバーだとする説もある。

[注3] 11世紀に作られたフランスの叙事詩で、王を守って倒れた主人公の聖騎士ローランを讃えた物語。8世紀の史実がイスラム教徒との戦いにアレンジされており、のちの騎士道に影響を与えるほど人気だった。

[注4] 聖人の遺品のこと。デュランダルの柄には聖人の歯、毛髪、血、聖母マリアの服の一部などが収められ、祝福を受けていたとされる。

魔剣とされる神話・伝承由来の剣

聖剣以外にも特別な力を備えた剣は多く、これらは魔剣と呼ばれます。聖剣は神聖なものに限られるので、創作作品では魔剣のほうがより一般的かもしれません。通常は斬れないものを斬る、素材が特別、折れたり錆びたりはしないなどが主な特徴で、持ち主に試練を課したり破滅をもたらす剣や、意思を持つもの[注5]もあります。その代表が小説『エルリック・サーガ』シリーズの「ストームブリンガー」です。邪悪な精霊が宿った魔剣で、斬った相手の生命力を吸収して使用者に与える力があり、敵のHPを吸収する剣はまずこれが元だといえるほど有名です。

　ゲームでは神話や伝承由来の剣が数多く登場し、たいていは何らかの効果を備えた強力な剣として扱われていますが、アップデート頻度が高いブラウザゲームではそこまで特別な存在ではないようです[注6]。また、ゲーム『デビルメイクライ』シリーズの「**リベリオン**」や「**スパーダ**」のようにオリジナルの魔剣が登場する作品も多く、小説ではこちらが主流のようです。

[注5] テーブルトークRPGなどでは「インテリジェンス・ソード」と呼ばれる。持ち主を選ぶ、持ち主の身体を乗っ取るなど、特徴はさまざま。

[注6] サービス開始直後の強力な武器として設定されることが多く、新たな武器が次々追加されるシステムの性質上、ほどなく重要な武器ではなくなるケースがほとんど。

■魔剣とされる代表的な剣

カラドボルグ	アイルランドのアルスター伝説に登場する剣。有名なクー・フラン（クー・フリン、クー・フーリンとも）の養父フェルグス・マク・ロイヒが所持していたとされ、「虹の端から端までの長さに伸びて丘の頂上を削ぎ落とす」「3つの丘の頂上を切った」などと伝えられている。
グラム	北欧神話の代表的な剣のひとつ。英雄シグルズが養父レギンに与えられ、ファーヴニルという名の竜を退治した。伝説物語の『ヴォルスンガ・サガ』では、元々シグルズの父シグムンドが北欧神話の主神オーディンから授かり、シグルズに受け継がれてファーヴニル退治の際に打ち直されている。ドイツの叙事詩『ニーベルンゲンの歌』や楽劇『ニーベルングの指輪』はこの伝説と起源が同じで、それぞれに登場する剣バルムンク、ノートゥングはグラムに相当する。
ダーインスレイヴ	北欧神話や伝承に登場するホグニ（ヘグニとも）という人物の剣で、一度抜けば血を吸うまで鞘には収まらないという。確実とはいえないが、一般的にはダーインというドヴェルグ（ドワーフ）がつくったと考えられている。
ティルフィング	ティルヴィングやテュルヴィングとも呼ばれる北欧神話の剣で、一度抜けば誰かに死をもたらすとされる。スヴァフルラーメという王が、ふたりのドヴェルグを捕らえてつくらせたもので、望みを三度叶えるが持ち主に破滅をもたらす呪いがかけられている。
フラガラッハ	ケルト神話の光の神ルーが養父のマナナーン・マク・リルから贈られた剣。どんな鎧も切り裂くという。英語では「アンサラー（Answer）」、日本では「応答丸」「報復するもの」などと訳されることもある。

関連

ドワーフ

→P.64

神々や英雄が用いた伝説的武具
神聖武具

ギリシャ神話の武具は創作作品で定番

前項で紹介した聖剣や魔剣以外にも、神々や英雄の武具は多数存在します。代表的なものとしては、ギリシャ神話の主神ゼウスが手にする「**ケラウノス**」があります。キュプロクスが製作した神話中最強の武器で、怪物テュポーンとの戦いなどで活躍しました。ただ、ゼウスが放つ雷そのものとされるためか形が明確でなく、登場するゲーム作品でも杖や槍などさまざまです。また、同時に作られた三叉槍[注1]「**トリアイナ**」は海神ポセイドンに贈られた武器で、ひと振りするだけで大波を巻き起こし、大地を突けば地震を起こすといわれています。

同じくギリシャ神話に武具としては、あらゆる災厄を払うともいわれる女神アテナの防具**アイギス**[注2]も非常に有名です。肩当てや胸当てという説もありますが、一般的には盾とされており、創作作品でもたいていは強力な盾として扱われています。同じ女神の武器としては、弓の名手でもある狩猟の女神アルテミスの弓も有名です。ゲームによく登場しますが、固有の名称が不明[注3]なため、たいていは「**アルテミスの弓**」の名で登場しています。弓といえば、アルテミスと双子の太陽神アポロンや恋と性愛を司るエロスの弓もゲームによく登場しますが、やはりこちらも固有の名称は不明で、「**アポロンの弓**」「**エロスの弓**」という名で登場しています。

[注1] フォークのように先端が３つに分かれている槍。魚を突いて捕らえる手銛（ヤス）に同様の形のものがある。

[注2] 英語ではイージス（Aegis）で、アメリカ海軍が開発した防空システム及びそれを搭載したイージス艦の由来でもある。

[注3] ケラウノスのように名称が明らかなものもあるため、相当する特別な名はないと思われるが、元々はあった名称が伝わらなかった可能性もゼロとはいえず定かではない。

創作作品での扱いが増えたインドの武具

ギリシャ神話の武具に次いで創作作品に登場するようになったのが北欧神話の武具で、なかでも主神オーディンの槍「**グングニル**」と雷神トールの戦鎚「**ミョルニル**」は、数多くの作品に登場しています。どちらもドウェルグ（ドワーフ）たちが製作した武器で、グングニルは向けた軍勢に勝利をもたらす他、的を外さないもしくは的を貫いたのち手元に戻るといった力があり、一方のミョルニルは大きさを自在に変えられるうえ、どれほどの力で打ち付けても壊れず、投げつければ必ず命中して手元へ戻ります。また、トールは欧米でも人気がある神で、アメリカンコミックでは『マイティ・ソー』というスーパーヒーローになっており、ミョルニルも「**ムジョルニア**」の名で登場します。

さらに比較的近年に創作作品で扱われるようになったのが、インドの神々や英雄たちの武具です。もっとも代表的なのがインドラ神[注4]の「**ヴァジュラ**」。神々の道具を作るトヴァシュトリという神が製作した武器で、ゼウスのケラウノスと同様にインドラが放つ雷の象徴です。ただ、こちらは密教などで儀式に使う金剛杵という法具でもあり、形が明確な点が異なります。また、インドの二大叙事詩のひとつ『ラーマーヤナ』[注5]には、主人公のラーマ王子が羅利王ラーヴァナ[注6]との戦いで使用した「**サルンガ**」という弓が登場します。これは太陽の光や炎でできた矢を放つ魔法の弓で、強力な再生能力があるラーヴァナを一撃で打倒した武器でした。ラーマ王子はヴィシュヌ神の化身のひとつ[注7]なので、サルンガはヴィシュヌ神の弓でもあります。この他では、ヒンドゥー教のシヴァ神が手にする三叉の槍「**トリシュトラ**」があり、ヴァジュラやサルンガと並んでゲームなどによく登場します。

［注4］ヒンドゥー教の雷神。ヒンドゥー教の前身であるバラモン教時代は人気絶大で、大蛇ヴリトラの退治をはじめ、さまざまな敵と戦った。

［注5］タイトルは「ラーマ王行伝」という意味で、名前のとおり古代の英雄ラーマ王子の活躍を描いた物語。ふたつの王族による戦いを主題とする『マハーバーラタ』と共にインドの二大叙事詩でもある。

［注6］ラークシャサと呼ばれる悪鬼たちの王。身体は山のように大きく、10の頭と20の腕がある。一族の再興を願って苦行をし、ヒンドゥー教の神ブラフマーに認められて神仏に負けない力を得ていた。

［注7］ヴィシュヌ神はヒンドゥー教ヴィシュヌ派にとっての主神。アヴァターラと呼ばれる数多くの化身があり、ラーマ王子も重要なアヴァターラのひとり。

神聖武具

武器・アイテム

所有者に不幸をもたらす災いの品
呪いのアイテム

関連

ドワーフ
→P.64

聖剣・魔剣
→P.112

呪いのアイテム　武器・アイテム

世の中で話題になった呪いの噂

呪いとは、他人や社会に悪意を抱いた人間や霊魂などが、霊的もしくは精神的手段によって災いや不幸をもたらそうとすることです。こうした負の力はときに物品に宿ることもあり、それが呪いのアイテムです。

昔から呪いに関する話は数多く存在し、古くは「**ツタンカーメン**[注1]**の呪い**」のように世界的にも知られた呪いの話がありました。1922年に王家の谷[注2]でツタンカーメン王の墳墓を発見した、イギリスの発掘チームにまつわるもので、資金援助をしていた貴族のカーナヴォン卿をはじめ、墳墓の開封に立ち会ったりミイラの調査をした人物が次々と亡くなり、8年後にはひとりしか生き残っていなかったというものでした。「ミイラの呪いだ」と騒がれたのですが、のちの調査で呪いに関する話がほとんど嘘だったと判明。呪いで亡くなったとされた人々も多くが長寿だったと明らかになり、「ツタンカーメンの呪い」を口にする人はいなくなりました。

呪われた品にまつわるものでは、アメリカにあるスミソニアン博物館の国立自然史博物館が所蔵する「**ホープのダイヤモンド**」が有名です。持ち主が呪いで亡くなるといわれ、日本のテレビ番組でも何度か扱われましたが、所有者になって亡くなったとされた人々の多くが存在すら怪しいと判明。こちらも現在は話に触れる人はいません。

[注1] 紀元前14世紀頃の人物で、エジプト新王国第18王朝の王。若干9歳で即位したが、18歳で亡くなっている。発見された墳墓は2度盗掘を受けていたが、それでもほとんど手つかずで1700点以上の副葬品が発見され話題になった。

[注2] エジプトのナイル川西岸にある谷。24の王墓を含む64の墓が発見されたことからこの名で呼ばれる。

創作作品における呪われたアイテム

創作作品では、呪いのアイテムが比較的よく登場します。たとえば映画『パイレーツ・オブ・カリビアン』では、海賊ヘクター・バルボッサ率いる一味が「**アステカの金貨**」を盗んで不死の呪いをかけられており、財宝の行方と呪いを解けるかどうかが物語の中心になっていました。

またRPGなどのゲームの場合、呪われたアイテムを<u>装備するとたいていは外せなくなり、敵へのダメージの一部が自身や仲間に跳ね返る、一定確率で行動不能になる、状態異常になる</u>といったデメリットを被ることになります。オンラインゲームの『ファイナルファンタジーXI』ではプレイヤーが合成で作る装備に呪われた武具があり、特定素材を集めて再度合成しない限り装備不可能というシステムとなっていました。

ドウェルグたちの強力な呪い

呪いがかけられたアイテムは、北欧神話もいくつか登場します。たとえば、英雄ジークフリートが倒したファフニールは宝を守っていましたが、元々は狡猾な神ロキがドウェルグ（ドワーフ）のアンドヴァリから奪ったもので、持ち主に永遠の不幸をもたらす呪いがかけられていました。これを手にしたファフニールは欲にかられて父を手にかけ、宝を独り占めするため毒を吐く竜になったのです。

また、主神オーディンの末裔であるスウァフルラーメ王は、ふたりのドウェルグを捕らえてティルフィングを作らせました。しかし、ドウェルグたちは去り際に呪いをかけ、ティルフィングは「一度抜けば誰かに死をもたらすまで鞘に収まらず、持ち主の願いを三度叶えるが破滅をもたらす」という魔剣になりました。結果、スウァフルラーメ王はその後の戦いに勝利しますが、最終的に奪われたティルフィングで刺されて落命。新たな持ち主たちも王と同様に命を落とすことになったのです。ティルフィングと似た特性があるダーインスレヴもまた、やはりダーインというドウェルグが作ったものでした。こちらは魔剣になった経緯が不明ですが、ダーインに無理強いして作らせて呪われたのかもしれません。

設定の変化の可能性

歴史が変われば異世界も変わる!?

創作作品における世界の様子は、その時点での史実を参考に描かれています。しかし、歴史の研究は常に継続されているので、従来の解釈が誤りである可能性が出てくることもあり、テーブルトークRPGにおける「聖職者は流血を禁じられているため剣は装備できない」という設定もそのひとつです。では、本当のところはどうだったか見てみましょう。

史料が伝える血気盛んな聖職者の姿

聖職者と戦争についての禁令は、早くも451年に出されていました。しかし、その主な目的は聖職者としての本来の務めが二の次になったり、謀略に巻き込まれたりしないようにという配慮だったようです。もっとも、こうした禁令が出されていたこと自体、当時は戦争に参加する聖職者がいたということでしょう。その後、戦争への関与を禁じる動きが8世紀頃にあったようですが、聖職者の中にも領主として土地を有している者がいました。何かあれば領主として領民を守る必要もありますから、そうそう禁止はできなかったようです。

またフランス北部の都市バイユーには、ノルマン人がイングランドを征服した際の様子を刺繍したタペストリーがあり、戦争に参加した大司教の姿があります。大司教は彼の権威を表す棍棒を手にした姿で描かれているのですが、これを目にした後世の人がメイスのような鈍器で戦っていたと誤解したのではないかと考えられています。

この他にも「完全装備の修道士」や「鎧兜もつけずにダガー1本を手に飛び出していく修道士」といった記述が見られ、聖職者もとくに刃物が禁じられていなかったことが伺えます。中には騎士に怖れられたと思しき剣技に長けた修道士もおり、当時は聖職者ながらも武に長けた、血気盛んな人々が結構いたようです。

とはいえゲーム、とくにテーブルトークRPGの場合は職業別に特徴を打ち出す必要があります。たとえば、仮に魔法が使える僧侶が史実と同様に完全武装で戦えるとした場合、同様の装備が可能な一方魔法は使えない戦士をあえて選ぼうと思う人はいないでしょう。パーティにおける職業の役割分担や装備の多様性は遊びの大事な要素のひとつですし、こうした事情を考えると現在のままでいいのかもしれません。

chapter 4

魔術・学問
Magic・Academic

自然魔法

関連

禁呪
→P.132

自然魔法

魔術・学問

自然界に存在するものを活用した魔法

ファンタジー作品にはさまざまな魔法が登場し、それらはいくつかのカテゴリに分類されます。自然魔法はそのカテゴリのひとつで、主に自然界に存在するものを活用した魔法をいいます。具体的には「大気中の水分を凍らせて飛ばす」「突風や稲妻を発生させる」「地割れを起こす」「植物の成長を促す」などの魔法が挙げられます。誰にとっても身近な自然物を利用するせいか、その性質は非常に原始的であり、経験の浅い魔法使いでも使用できる初歩的な魔法として扱われるのが一般的です。例としてはゲーム『ドラゴンクエスト』シリーズの火の魔法「メラ」や氷の魔法「ヒャド」などが挙げられます。同作ではレベルを上げる（成長する）ことで、より上位の魔法を習得できました。

天候を操ったり、隕石を呼び寄せるなどの魔法も自然魔法の一種といえます。ただ、あまりにも強力な力を持つ魔法は、「使用者が限定される」「特定の条件を満たさないと発動できない」「連続使用は不可」など、創作では何らかの制約が設けられているケースが多々あります。強力な魔法が使い放題だと物語が破綻するため、使用に制限をかける必要があるのでしょう。ゲーム『ファイナルファンタジー』には、隕石を落とす強力な魔法「メテオ」が登場しますが、一部のシリーズ作品では特定の人間が条件を満たすことでしか使用できない禁呪となっています[注1]。

[注1] ファイナルファンタジーVII』におけるメテオは、究極の黒魔法という位置付けで、発動すると星を滅ぼしかねないとされている。また、その発動には「黒マテリア」と呼ばれるアイテムが必要となっていた。

自然魔法には属性が付き物

ビジュアル的にも性質的にも原始的な魔法が多いせいか、ほとんどの創作物では、自然魔法に属性という概念を絡めています。たとえば火球を飛ばす魔法なら火属性とされるわけです。これは前述した『ファイナルファンタジー』も該当し、同作では魔法の名称どおり、ファイアは火属性、ブリザドは氷属性、サンダーは雷属性となっています。

創作で見られる魔法の属性については、火、水、氷、風、土、闇、光などが一般的で、まれに「毒」や「無」といった特殊な属性も登場します[注2]。また、属性という概念が存在する作品では、キャラクターにも属性が設けられ、魔法との相性が決まっていることもあります。その場合、火属性のキャラクターは水属性の魔法に弱かったり、水属性の魔法を扱えない（習得できない）といった設定もあります。

[注2] 魔法の属性としては、その他に「重力」や「星」などがある。

自然魔法　魔術・学問

現実世界における属性的概念

自然界に存在するものに属性を付与するというのは、ファンタジー作品に限った話ではありません。

たとえば西洋には古代ギリシャの哲学者エンペドクレスが考案した自然哲学の概念「四元素説」があります。これは、自然界には火、水、土、風という4つの元素が存在し、これらが融合あるいは分離することで、この世界のあらゆるものが構成されているという考え方です。

一方で、東洋には中国で生まれた五行説と陰陽説が結びついた「陰陽五行説」があります。この説は、万物は木、火、土、金、水という5種類の元素から成り立ち、陰と陽の状態を持つとする思想です。5つの元素には陰陽の関係である相生・相剋が存在します。木は火、火は土、土は金、金は水の元素を生み出す他、木は土、土は水、水は火、火は金、金は土に強いとされます。また、森羅万象を構成するこれらの元素には色や方角、季節などが割り当てられています。たとえば木は青・東・春、火は赤・南・夏、土は黄・中・土用（立夏・立秋・立冬・立春の直前の18日間）、金は白・西・秋、水は黒・北・冬といった具合です。

このように、属性的な概念は現実世界にも存在するのです。

121

信仰心が奇跡を起こす
信仰魔法

∽関連∽

宗教	→P.18
自然魔法	→P.120
召喚魔法	→P.124

信仰魔法

魔術・学問

信仰の見返りに得られる魔法

ファンタジー作品によっては、その世界ならではの神霊が登場します。そういった作品では、彼らが人々から信仰を集め、それと引き換えに何かしらの力を与えてくれるというシチュエーションもお馴染みです。信仰魔法は、<u>それらの神霊に由来する魔法全般</u>を指し、今ではRPGなどに欠かせない要素となっています

信仰魔法の発動条件は、作品によって異なるものの基本的にはどれもシンプルです。上位の魔法になると特別な儀式などを伴うこともありますが、<u>信仰対象に祈りを捧げたり、呪文やその代わりとなる祝詞[注1]を唱えるだけで使用できることがほとんどでしょう。</u>

一方で魔法の効果や属性については、信仰対象に応じて異なります。<u>善神由来の信仰魔法は、邪悪な存在に対して有効だったり、傷を癒やすなどの効果</u>を持ちます。諸作品で見られる「**ターンアンデッド**」[注2]などがその代表です。また、<u>悪神由来の信仰魔法は、他者を傷つけることに特化</u>しており、対象を呪ったり、命を奪うなどの効果を持っています。いずれにしても信仰魔法は種類が多く、攻撃・防御・補助など、さまざまな効果を持った魔法が生み出されているため、とくにゲームでは重宝されています。ゲーム『ファイナルファンタジー』の「**白魔法**」や『ダークソウル』の「**奇跡**」などが有名でしょうか。

[注1] 神道の祭祀で神に奏上する詞。いくつかの種類があり、目的に応じて唱える祝詞は異なる。

[注2] 神など神聖な存在の力を行使して、幽霊やゾンビといった邪悪な生物（主に死して動く死霊系）を消滅させること。術者の力が足りなかったり、相手が非常に強力だと効かないこともある。

信仰魔法が存在する作品には、当然信仰の対象となる存在も登場します。オーソドックスなものでいえば、やはり神や天使、邪悪な存在では悪神や悪魔などでしょう。

主人公サイドの人間は**善神**や**天使**、主人公と敵対する人間たちは**悪神**や**悪魔**を信仰しており、それぞれが神や悪魔の代理として戦うという構図はよく見られます。その他の信仰対象としては、精霊や幻獣が挙げられます。さらに、変わり種として山や大地などの大自然そのものが信仰対象となるケースも珍しくありません。精霊や幻獣に関しては、その作品オリジナルのキャラクターに限らず、現実世界でもよく知られる「**四大精霊**」[注3]などが用いられることも多々あります。いずれにしても彼らは強大な力を秘めており、その世界の人々に崇められているわけです。

[注3] スイスの錬金術師パラケルススの著書に登場する、火、水、地、風（大気）の四大元素を司る4体の霊。日本ではサラマンダー、ウンディーネ、ノーム、シルフと呼ばれている。詳細は158ページを参照。

信仰魔法とも呼べる魔女術

現実世界にも信仰魔法は存在します。そのひとつが、イギリスの作家ジェラルド・ガードナーを創始者とするウィッカ（ウィッチクラフト）です。

中世のヨーロッパでは、悪魔と契約したとして、多くの民間の呪術師が弾圧されました。ウィッカとは、このとき迫害された民間信仰や呪術を未来に伝えようという宗教運動のことで、「魔女宗」とも呼ばれています。

ウィッカにはいくつかの宗派が存在します。そのうちガードナーの思想を取り入れた宗派では、月の女神ルーナと同一視されるローマの女神ディアーナと、その配偶者である鹿の角を生やした男神を崇拝しています。それぞれの神は森羅万象を内包する最高神の二面性を表しており、儀式を執り行う司祭のシンボルにもなっています。

ウィッカ設立当初、信徒たちは全裸で崇拝し、男女の司祭が魔法円の中で交わったり、体を鞭で打つスカージングという行為が行なわれていました。信徒は香や薬物、酒などで精神を昂ぶらせて瞑想や踊りを行ない、神の力をその身に取り込もうとしたそうです。これが成功したのかはさておき、彼らは現実世界における信仰魔法の使い手といえるでしょう。

ゲームでお馴染みの魔法
召喚魔法

関連

魔導書
→P.108

呪文（詠唱）
→P.150

魔法円
→P.154

何処より超自然的存在を呼び出す

　召喚魔法とは、呪文の詠唱などを伴う儀式を行ない、<u>天使や悪魔、精霊といった超自然的存在を呼び出して使役する術</u>のことです。その起源は古く、紀元前700年頃に成立した長編叙事詩『オデュッセイア』には、召喚魔法の前身でもある死者の魂を呼び出す術が登場します。ただ、現代では呼び出す対象が死者やその魂の場合、「降霊術」や「ネクロマンシー」と呼ぶのが一般的です[注1]。また、召喚魔法は天使などの善なる存在を呼び出すものは「**白魔術**」、悪魔や悪霊といった邪悪な存在を召喚するものは「**黒魔術**」に分類されることもあります。

　召喚魔法はさまざまな作品に登場します。中には『ペルソナ』シリーズのように、装備したペルソナ（強力な霊的存在）を呼び出してその力を行使するものもあります。また『女神転生』シリーズでは、召喚によって呼び出した「仲魔」とパーティーを組んで戦うシステムを採用していて、いわゆる召喚魔法とは少々位置付けが異なります。

　なお、こういった作品で見られる召喚魔法は、厳密には召喚とは呼びません。魔術的に召喚とは、<u>自身より強い霊的存在を呼び出し、自身の体に入ってもらうことを指します</u>。ファンタジー作品などで見られる召喚は、魔術用語では「**喚起魔術**」と呼ぶのですが、紛らわしいこともあり、現代ではそれらをまとめて召喚魔法と呼んでいます。

[注1] 降霊術は死者の魂だけを呼び出す術で、ネクロマンシーは入れ物となる肉体に魂を入れて死者を蘇らせる術のこと。

召喚を成功させた魔術師たち

　実際に天使や悪魔を召喚した人物についてですが、たとえば16世紀に活躍した魔術師兼錬金術師の**ジョン・ディー**と、その助手である**エドワード・ケリー**は、大天使ウリエルの召喚に成功しています。その際に天使の言語とされる「エノク語」を発見し、それを元に「エノク魔術」が体系化されました。また、20世紀を代表する魔術師**アレイスター・クロウリー**は、自身の守護天使であるアイワスを召喚。のちに弟子と協力し、コロンゾンという悪魔やローマの神メルクリウスを召喚した逸話も残っています。

　神話時代の人物にはなりますが、紀元前10世紀頃に活躍したとされる古代イスラエルの３代目国王**ソロモン**も、召喚魔法をマスターした偉大な魔術師として有名です。彼は大天使ミカエルから授かった魔法の指輪を使い、「72柱の魔神（悪魔）」[注2]を使役してイスラエル神殿を建設しました。この魔神たちはのちにソロモンの手で封印されますが、現在はその封印が解けており、魔神たちも地獄で暮らしています。そのため、然るべき方法で召喚すれば、人間の魔術師でも彼らを使役できるわけです。

　72柱の魔神を召喚する方法は「偽ソロモン文書」のひとつである魔導書『レメゲトン』の『ゴエティア』[注3]に記されています。それによれば魔神を召喚するためには、いくつかの「魔導具」[注4]と「魔法円」、呪文の詠唱が必要になるそうです。

[注2] 悪魔のエリートとも呼べる存在で、それぞれが人間の貴族社会と同じような爵位を持っており、配下として多数の悪魔を従えている。

[注3] ソロモンが書いたとされる魔導書は「偽ソロモン文書」と呼ばれており、『レメゲトン』もその一冊。これは『ゴエティア』をはじめとする5部で構成された魔導書で、『ソロモンの小さき鍵』とも呼ばれている。

[注4] 魔神を屈服させるための印形や、役割を終えた魔神を封じ込めるための真鍮製の器など。

召喚魔法 魔術・学問

関連
結界魔法
→P.128

対象を意のままに操る
催眠魔法

汎用性が高すぎて制限が設けられることも

[注1] 特定のキーワードや音などを合図として、対象の思考や行動を操作すること。肉体、精神的に疲労しているとかかりやすいとされる。

催眠魔法（催眠術）は、暗示[注1]をかけて対象を操ったり、認識障害を引き起こして幻覚を見せる魔法です。自然魔法や召喚魔法ほどではありませんが、多くのファンタジー作品に登場し、とくにRPGなどではよく目にします。

催眠魔法では相手に直接ダメージを与えられませんが、「敵を操って同士討ちさせる」「混乱させてスキをつくる」などが可能です。ゲーム『ドラゴンクエスト』の「**メダパニ**」、『ファイナルファンタジー』の「**コンフュ**」などがお馴染みで、これらの魔法が原因で全滅に追い込まれたという苦い経験を持つ人も多いのではないでしょうか。両作品には「**ラリホー**」や「**スリプル**」といった相手を眠らせる魔法もありますが、これも催眠魔法といえるでしょう。

ゲームでは定番の魔法ですが、意外と使い所が限られていたりします。というのも、相手を混乱させたり眠らせるとゲームの難易度が大きく低下するため、ボス級の強敵はこれらの魔法に高い耐性を持っていることが多いのです。作品によっては通常のモンスターも耐性を持っていることもあり、まったく使わずにゲームをクリアしてしまうケースも珍しくありません。これは諸作品にいえることです。あまりにも汎用性が高く、何でもかんでもこの魔法で解決できてしまうと物語が破綻するため、何かしらの制限あるいは対抗策が用意されているわけです。

催眠魔法はさまざまなシーンで役立つ

催眠魔法は他にもいくつか種類があり、戦闘以外でも役立つものが多いです。具体的には「公的地位にあるものを操って自身に利益をもたらす」「口の堅い者から情報を聞き出す」「敵対する者を味方に引き入れて自軍を強化する」などの使い方がお馴染みでしょう。小説『ハリー・ポッター』シリーズでは、ハリーの宿敵であるヴォルデモートが、対象を支配下に置く「**服従の呪文**」を使い、味方を増やしていました。さらに、催眠魔法には相手の感情をコントロールし、自身に好意を持たせるものも存在します。これはいわゆる「**魅了魔法**」で、ラブコメ要素を含んだファンタジー作品に用いられることが多々あります。

催眠魔法の一種といえる「**忘却魔法**」も、使い勝手のいい魔法として創作家に重宝されています。これはその名のとおり、対象の記憶を改ざんしたり、特定の事象について忘れさせる魔法のことです。具体的には漫画『七つの大罪』の主要人物ゴウセルの「**瘡蓋の記憶**」などが挙げられます[注2]。こういった魔法や術は、とくにバトルものでよく見られます。無関係な一般人が戦いに巻き込まれた際、面倒な事後処理をやらずに済むように、忘却魔法で記憶を消すわけです。

この他に、一般人が近寄らないように特定のエリアを認識できなくしたり、そこに近づくと突然用事を思い出して立ち去る、都合のいい催眠魔法もあります。

[注2] 攻撃を当てることで記憶を改ざんする技。

関連

自然魔法
→P.120

信仰魔法
→P.122

魔術的な壁を生み出す
結界魔法

結界魔法

魔術・学問

[注1] 本来は僧が修行す
る場を聖域とし、それ以外
の空間とわけるために結界
をはっていた。のちに密教
の神秘主義の影響を受け、
当初の仏教には存在しな
かった「特別なエネルギー
を有した場」という意味合
いも持つようになった。

悪いものを遠ざけたり閉じ込めるだけではない

　自然魔法や信仰魔法のひとつ、あるいはそこから独立し
た魔法として登場することもある結界魔法。そもそも結界
とは、**仏教**において聖域[注1]とそれ以外の領域をわけるこ
とで、**神道**や**密教**などにも見られる概念です。

　ファンタジー作品における結界魔法の主な用途は、悪し
き者の侵入を阻んだり、それそのものを封印すること。結
界のサイズや強度は術者の実力に応じて変化し、優れた術
者であればひとりでも大きくて頑丈な結界を作れたりしま
す。漫画やアニメで「普通は5人がかりで結界を張るとこ
ろを、○○はひとりで済ませてしまう」なんて会話を聞い
たことがある人も多いのではないでしょうか。

　結界の細かい仕様は作品によって異なり、「特定の人物
だけ通れる（または通れない）」「結界内にいる者の力を弱
める」などがあります。漫画『呪術廻戦』では、主要人物
である五条悟だけを通さない特別仕様の結界が登場しまし
た。その他には、「外部の人間が結界の内部を知覚できな
くなる」「結界が張られた場所に近づけなくなる」などが
あります。これもバトルもののファンタジー作品ではお馴
染みの魔法・術で、異能者同士の戦いを一般人に見られな
いように、戦場にこうした結界を設けるわけです。うっか
り結界を張らずに戦ってしまい、あとで問題になるなんて
シーンもよく目にしますね。

変身魔法

外見が変わるだけではない

❧関連❧
魔女
→P.52

変身することで新たな能力・特性を獲得

変身魔法はその名のとおり、姿形を変化させる魔法のこと。物理的に体を作り変えるため、その生物の特性をそのまま発揮できます。たとえば鳥に変身すれば空を飛べますし、魚に変身すれば水中で呼吸ができます。これらの魔法は神話でよく見られ、とくにギリシャ神話には神々が動物などに変身する逸話がいくつも存在します。

現実世界における変身魔法は、魔女[注1]が使う術のひとつとして知られており、彼らは主にイヌやネコ、カラスなどに変身できるとされます。ファンタジー作品でも動物への変身はお馴染みで、小説『ハリー・ポッター』シリーズには動物に変身する術を習得した「動物もどき」と呼ばれる魔法使いが登場しました。また、実在する動物ではなく、ドラゴンなどの幻獣に変身する魔法もポピュラーです。ゲーム『ドラゴンクエスト』の「ドラゴラム」[注2]がその代表といえるでしょう。

ファンタジー作品では、魔法を使って自ら変身する以外に、呪いによって強制的に変身させられるケースも多分にあります。さらに、逆のパターンとして、動物が人間に変身するというケースも珍しくありません。小説『狼と香辛料』のヒロインである賢狼ホロは、本来は巨大なオオカミですが、魔法染みた能力で人間に変身し、主人公と共に人間の世界を旅していました。

[注1] 魔女術と呼ばれる魔術を使う者たち。魔女はイヌ、ネコ、オオカミ、イタチ、カラス、ネズミなど、さまざまな動物に変身できるという。

[注2] ドラゴンに変身し、その強大な力を戦闘に活用する魔法です。

能力・性能を強化する
エンチャント魔法

≪ 関連 ≫
自然魔法
→P.120
信仰魔法
→P.122

対象に属性や特殊能力を付与する強化魔法

[注1] 英語で「魅了する」や「魔法をかける」などの意味があり、魔法使いを「エンチャンター」と呼ぶこともある。

　エンチャント[注1]魔法とは、キャラクターやアイテムに「属性」や「特殊能力」を付与する魔法のことです。剣に炎や冷気をまとわせるなど、魔法の性質によっては自然魔法や信仰魔法に分類されることもあります。

　この魔法はさまざまなファンタジー作品に登場しますが、とくに『マビノギ』や『ダークソウル』など、戦闘を伴うゲームで目にすることが多いでしょう。これらの作品では、エンチャント魔法を使って装備に属性や特殊能力を付与することで、戦闘を有利に進められるようになります。また、カードゲーム『マジック・ザ・ギャザリング』には、戦闘を行うキャラクター（クリーチャー）や、戦場（フィールド）そのものを対象とした「エンチャント（呪文）」があり、それらを軸にしたデッキも多数考案されるなど、ゲームの戦略性を拡張する重要な要素のひとつになっています。

　エンチャント魔法は武器や防具、キャラクターに使用するのが一般的ですが、近年のファンタジー作品では独自の使い方も見られます。たとえばスマホと共に異世界に転生した少年の冒険を描いた小説『異世界はスマートフォンとともに』では、エンチャント魔法を使うことでスマホに本来はない機能を持たせるに至っています。科学技術の粋を集めて作られたスマホに魔法をかけるという発想は、現代の作品ならではといえるでしょう。

魔術的な力を伴う音や詩
音・詩魔法

関連

旅芸人 →P.46

呪文（詠唱） →P.150

詠唱の代わりに演奏し、奇跡を引き起こす

　音・詩魔法は、音や詩を媒介にした魔法のことです。その性質上、音・詩魔法は諸作品で「**吟遊詩人**」や「**音楽家**」などが使用する魔法とされています[注1]。

　魔法を使う際には呪文を詠唱するのが一般的ですが、音・詩魔法の場合は、詩や音を奏でることで魔法が発動します。ファンタジー作品で、詩を歌って味方を強化したり、楽器を弾いて攻撃するシーンを目にしたことはないでしょうか。漫画でいえば、勇者ハーメルと魔族の戦いを描いた『ハーメルンのバイオリン弾き』があります。主人公のハーメルは、戦闘になると巨大なバイオリンを使って「魔曲」を演奏し、敵にダメージを与えていました。また、ゲームであれば『ファイナルファンタジー』や『ブレイブリーデフォルト』がなど挙げられます。両作品に登場する吟遊詩人は、さまざまな効果を持った詩を覚えており、戦闘では必要に応じて詩を歌い、味方をサポートします。さらに、『アルトネリコ』や『サージュ・コンチェルト』[注2]のように、詩魔法が物語のカギとして用いられることもあります。同作における詩魔法は、奇跡を引き起こす神秘の力であり、攻撃手段のひとつとして戦闘で使用される他、世界観を構築する重要な要素にもなっていました。『サージュ・コンチェルト』では滅びゆく星を詩魔法で再生させる「セーブベゼル計画」が提唱されています。

[注1] 楽器に秘められた力を、演奏することで解放するという設定の作品もある。

[注2] 『サージュ・コンチェルト』は、ADV『シェルノサージュ～失われた星へ捧ぐ詩～』、RPG『アルノサージュ～生まれいずる星へ祈る詩～』からなるシリーズ作品。

禁呪

使用が禁じられた魔法・術

◆関連◆

自然魔法
→P.120

信仰魔法
→P.122

召喚魔法
→P.124

使用が禁止されている魔法や術

　ファンタジー作品には、まれに禁呪（禁術）などと呼ばれる魔法や術が登場します。その仕様はさまざまですが、いずれも非常に強力な効果を持ち、使用には大きなリスクを伴います。具体的には「術者やその周囲の人間に被害を及ぼす」「世界そのものを破壊する」などです。そのため、禁呪を使用するのはもちろん、それについて調べることもタブーとされていることがあります。また、長い間、使用が禁じられていたため、だれも使い方を知らないというケースも珍しくありません。その場合、悪人が禁呪の**使用方法**を求めて暗躍するというストーリーは、昨今ではテンプレート的な展開といえるでしょう。

　禁呪と呼ばれる魔法や術は、習得あるいは使用する際に高い技術を要求される点も特徴です。堤抄子の漫画『聖戦記エルナサーガ』は、一般市民も魔法が使えるほど魔法が浸透している世界であり、いくつか禁呪とされる魔法が登場しますが、その中に核反応のような現象で広範囲を焼き払う魔法系統が存在します。その危険さから魔法の存在を知る者は少なく、鍛え抜かれた術者ですら下位の魔法を数発放つのがやっと、最上位のものは強大な魔力の持ち主でも扱える者はほぼいないという代物なのです[注1]。

　禁呪は強力ではありますが、本来は無制限で誰でも簡単に使えるものではないのです。

[注1] さらにこの魔法は、使用後に別の魔法を併用しないと、放った地域を汚染してしまうという核兵器と同じような弊害もあった。

習得・使用が容易な禁呪もある

通常、禁呪は習得するのも使用するのも難しいものですが、例外もいくつかあります。たとえば漫画『鋼の錬金術師』の「人体錬成」が挙げられるでしょう。これは「等価交換の原則」[注2]に従って、錬金術で死んだ人間を錬成するという非人道的な術であり、錬金術師の間では禁忌とされていました。しかし、作中では複数の人物が人体錬成の方法を把握していたり、実践しています。ただ、人体錬成については挑戦した全員が失敗に終わっていますから、習得はできても使用するのは現実的とはいえないでしょう。

一方で、禁止されている魔法を多数の人間が平然と使いこなしているケースも存在します。それが小説『ハリー・ポッター』シリーズに登場する「**服従の呪文**」「**磔の呪文**」「**死の呪文**」です。これらの魔法は「許されざる呪文」として、その使用が世界的に禁止されています。とくに死の呪文は、対象の息の根を確実に止める強力な呪文ですが、これといったリスクがないため、悪役は積極的に使用していました。ただ、同作には禁呪らしい魔法も登場します。それは主人公ハリーの宿敵であるヴォルデモートなど、一部の魔法使いだけが知る「**分霊箱**」[注3]です。この魔法は他人を殺して生贄に捧げることで発動するため、作中では忌まわしき魔法とされており、文献などの資料にもその詳細が一切記されていませんでした。まさに禁呪中の禁呪と呼べる魔法でしょう。

そ…その呪文だけはやめろ〜〜!!

[注2] 化学の質量保存の法則と同様に、変成前後で物質の質量は変化しないという『鋼の錬金術師』における錬金術の基本原則。

[注3] 分割した自身の魂を人間や物に隠す術。分霊箱に保管された魂は、本体の魂を現世につなぎとめる力があり、仮に本体が致命傷を負っても術者は死ぬことがなく、幽霊のような状態になって生き続けることが可能。

禁呪

魔術・学問

原始的な魔法・魔術
呪術

関連
自然魔法
→P.120
信仰魔法
→P.122

体系化されていない魔法・魔術

創作作品の影響もあり、呪術と聞いて魔法とは異なるものを想像する人も多いでしょう。しかし、厳密にはこれらは同じもので、魔法の中でもとくに原始的かつ体系化されていないものを呪術や呪詛、呪いなどと呼びます。世界各地で生み出された呪術は、人類共通の理論の上に成り立つといわれ、『金枝篇』[注1]では、その理論を元に呪術を「**類感呪術**」と「**感染呪術**」にわけています。

類感呪術とは「対象と類似（模倣）したものは霊的につながっている」という考えを元にした呪術で、典型的な類感呪術としては形代[注2]が挙げられます。これは人間を模した紙片や人形を身代わりにし、その身に降りかかる災厄を回避する術で、現代でも形代を使った厄除け行事が行なわれています。一方、感染呪術とは「対象と感染（接触）したものは霊的につながっている」という考えを元にした呪術です。対象が身に付けていた衣服や装飾品、体の一部（髪の毛や爪など）を用いて呪いをかけたり、占ったりする術は感染呪術に分類されます。

ちなみに日本人にも馴染みの深い「**丑の刻参り**」[注3]も呪術の一種です。これは呪う相手を模した藁人形に、対象の髪の毛を入れたり、写真を貼り付けたりするため、類感呪術と感染呪術の併用になります。

その名前から呪術に対してネガティブな印象を持つ人は

[注1] イギリスの社会人類学者ジェームズ・フレイザーが書いた神話や呪術に関する研究書。全13巻で構成されている。

[注2] 心霊が宿る依り代の一種。

[注3] 神社の御神木に、7日間かけて藁人形に釘を打ち付けることで相手を呪う。その時間帯が丑の刻（午前1～3時頃）と指定されているため、このように呼ばれている。本来は願いを叶えるために、丑の刻に参拝することを丑の刻参りと呼んでいたが、いつしか人を呪う術のことに置き換えられた。

多いでしょう。実際、他者を傷つける術はいくつもありますが、中には人助けに役立つ占いや、悪霊を追い払って幸運を呼び込むものも存在するのです。アフリカでは「呪医」と呼ばれる呪術師が活動していますが、彼らは病気を治したり、天候を操るなどの力を持っており、現在でも多くの人に助けを求められるそうです。

ファンタジー作品では呪術＝魔術？

呪術は原始的な魔法・魔術のことで、人を呪ったり、雨を降らせるなど、その効果はとてもシンプル。呪術に分類される魔法や術は、基本的に汎用性に乏しいわけですが、それはあくまで現実の呪術に限った話です。創作作品における呪術はかなり万能で、自然魔法や信仰魔法に近いといえます。呪術の粋を超えた呪術が登場する作品としては、漫画『呪術廻戦』や『双星の陰陽師』が挙げられます。いずれも呪術の使い手である呪術師や陰陽師[注4]が多数登場し、魔法と見紛う作品ならではの術を使用します。

[注4] 陰陽道という日本で独自の進化を遂げ、体系化された呪術を扱うものたち。

現代にも伝わる密教の呪術

大乗仏教（仏教）の一派である秘密仏教（密教）には、呪術的な要素が含まれています。それが密教に伝わる「加持祈祷」です。これは「真言」という呪文を唱え、手で印を結びながら神仏に祈り、如来や菩薩の力を借りるというもの。真言は人間が仏に呼びかけるための聖なる言葉で、呪術の有無に関わらず、密教の僧侶は必ず身に付けるそうです。

密教由来の呪術は、ほとんどが仏に祈りを捧げ、その加護を願うことになります。そのため、呪文となる真言には必ずといっていいほど、仏の名前を表す真言が入っています。不動明王の力を借りたい場合は、「ナウマク・サマンダ・バザラダン・カン」と唱えます。これは「激しい大いなる怒りの姿をされる不動明王よ。迷いを打ち砕き、障りを除きたまえ。所願を成就したまえ」という意味です。実際に効果があるのかは定かではありませんが、密教由来の呪術は現代でも至るところで用いられています。

神を降ろす者たち
巫術

関連

呪術
→P.134

占術
→P.144

呪文（詠唱）
→P.150

巫術

魔術・学問

神霊と交信できる宗教的職能者とその力

超自然的存在と交信を図り、人々に益をもたらすシャーマン（巫女・祈祷師）。彼らが扱う術あるいはその力を中心とした原始宗教を「シャーマニズム（巫術）」といいます。シャーマンになる過程は人それぞれですが、現在では神霊に選ばれる形でシャーマンになる「召命型」、霊媒体質を先祖から受け継いだ「世襲型」、修行を通じて必要な能力を得た「修行型」に分類されるそうです。

アプリゲーム『Fate/Grand Order』をはじめとする創作物の影響もあり、シャーマンと聞いてアメリカのインディアン[注1]を想像する人も少なくないと思います。確かにインディアンには「メディスンマン」と呼ばれる霊能者が存在しますが、シャーマンやそれに類する宗教的職能者は世界各地で見られます。その存在は日本でも確認されており、古くは『魏志倭人伝』に登場する邪馬台国の女王・卑弥呼[注2]、現代であればイタコ[注3]やノロ[注4]などの巫女が挙げられます。地域によって文化や風習が異なるため、シャーマンの仕事内容は多種多様ですが、彼らはどこにおいても医師や祭司、預言者として人々に頼られる存在であり、お祓い、占い、降霊術を伴う霊的カウンセリングなどを行なってきました。また、シャーマンは呪術師を兼ねることもあり、呪術を用いて病気を治療するものを「シャーマンドクター」と呼ぶことがあります。

[注1] いくつかの部族が存在するアメリカの先住民族。ネイティブ・アメリカンとも呼ばれる。

[注2] 2～3世紀に日本に存在したとされる国・邪馬台国を治めていた女王。『魏志倭人伝』には鬼道をもって国を治めたとあり、この鬼道も巫術の一種と考えられている。

[注3] 日本の東北地方に存在する巫女の一種。霊を呼び寄せる口寄せを使って死者や祖霊の言葉を伝える。

[注4] 沖縄に存在する女性祭司。神と交信したり、憑依させる力を持つ。

神霊と交信する際は「トランス状態」に

シャーマンは、何らかの方法で自らを「トランス状態」にし、神霊と交信を試みます。トランスとは「変性意識状態」や「入神状態」と呼ばれる、通常とは異なる意識状態のことです[注5]。催眠術をかけられたり、ヒステリーを起こして自我を失っているときも、ある種の変性意識状態といえるでしょう。日本独自のシャーマン、イタコの場合は、祭壇で呪文を唱えるなどしてトランス状態に入ります。漫画『シャーマンキング』に登場するイタコのアンナがその典型例で、彼女は呪文を唱えることで自らをトランス状態にし、霊を呼び寄せていました。

トランス状態に至ったのち、どのような過程を経て霊と交信するかはシャーマンによって異なり、これもいくつかのタイプに分類されます。具体的には、自身の魂を肉体から切り離し、自ら霊界を訪れて神霊と交信する「脱魂型」、先祖の霊などを補助霊として使役し、より上位の霊と交信する「精霊統御者型」、神霊を自身に憑依させてその言葉を伝える「霊媒（憑依）型」、神霊と直接交信する「預言者型」、神霊を視認し会話もできる「見者型」とされています。ただ、ファンタジー作品では、ここまで細かく分類されるケースはほとんどありません。

[注5] 外見的には通常時と変わらないこともあるため、それがトランス状態にあたるのかどうかは専門家でないと判断が難しい。

巫術　魔術・学問

雨乞いは呪術師の重要な仕事

シャーマンを含む呪術師の仕事は多岐にわたり、中でも雨乞いは重要視されていました。水は人間に必要不可欠なものですから、呪術師たちはあの手この手で雨を降らせようとしたわけです。その方法はさまざまですが、精霊が喜ぶ歌や踊りを披露し、雨を降らせてほしいとお願いするのが一般的だったようです。逆に精霊を馬鹿にして怒らせ、雨を降らせるという術も存在します。

近代科学の礎を築いた
錬金術

☙関連☙
方術
→P.142

エジプトで生まれた怪しい金属生成術

[注1] 鉛などの卑金属を金属に変えると考えられた触媒。絵画などでは石として描かれることも多いが、その見た目には諸説あり、液体とされることもある。

[注2] 錬金術の祖といわれる伝説の錬金術師ヘルメス・トリスメギストスが書いたとされる写本。錬金術だけでなく、占星術や魔術についても記されている。

[注3] 錬金術の世界における不老不死の霊薬。賢者の石と同一視されたり、賢者の石を使うことで作成できると考えられていた。

[注4] 錬金術によって生み出される人造人間。フラスコの中でしか生きられないともいわれている。

錬金術とは、自然哲学の世界に伝わる「賢者の石」[注1]を錬成し、それを使って卑金属から貴金属を作る技術のことです。ただし、広義では金属だけでなく、人間の肉体や魂をも完全な存在に錬成しようという試みも錬金術に含まれます。漫画『鋼の錬金術師』にも、「人体錬成」なる死者の肉体と魂を復活させる技法が登場しますが、これは創作ならではの要素というわけではないのです。

西洋の錬金術は、ギリシャやメソポタミアの思想と技術を元に、紀元前3世紀頃のエジプト・アレクサンドリアで誕生したといわれています。錬金術の基礎が記された『ヘルメス文書』[注2]も、この頃に書かれたものです。アレクサンドリアでは異端扱いされて衰退した錬金術ですが、7世紀頃に周辺地域を支配したアラビア人に受け入れられたことでイスラム圏に浸透。のちにヨーロッパに伝わって大きく発展を遂げることとなります。しかし、冒頭の賢者の石はもちろん、万能薬として知られる「エリクサー」[注3]や「ホムンクルス」[注4]など、錬金術師が欲したものは荒唐無稽で、結局どれも完成には至りませんでした。それでも彼らが研究を続けた結果、硫酸や塩酸といった化学物質が生成された他、多数の医薬品や化学実験用具が作られています。オカルト扱いされがちな錬金術ですが、じつは現代科学の発展に一役買っているのです。

錬金術師が抱く思想と理論

[注5] 古代ギリシャの哲学者アリストテレスによって提唱された、万物を構成する四元素（火、風、水、土）を形作る基本的物質。エーテルや四性質と組み合わせることで火や水となる。

[注6] なお、『鋼の錬金術師』が大ヒットしたこともあり、後発の作品で錬金術を登場させる際、作中の設定「等価交換の原則」を盛り込むことが増えたが、あくまでこれは『鋼の錬金術師』の設定である。

錬金術の思想の根幹には「**第一質料**」[注5] という物質が存在します。これは万物を構成する素材のようなもので、「**共通物体**」とも呼ばれます。すべての物質がこの第一質料で構成されていることから、「一は全、全は一」という基本原理が生まれたそうです[注6]。

第一質料を前提とする錬金術特有の宇宙観は、のちに「大宇宙（マクロコスモス）」と、人間の体内にある「小宇宙（ミクロコスモス）」が対応しているという思想に発展しました。どちらも第一質料で構成されている以上、人間のような小さな存在の中にも世界を成立させるために必要な素材が備わっているという考えです。このような思想に基づき、錬金術では大宇宙で起きているあらゆる現象を、実験室のような小さい空間で完全に再現できると結論付けました。そうして生まれたのが人造人間**ホムンクルス**で、これはフラスコという小さな空間で人間を再現しようと考えたわけです。

時代に合わせて変化する錬金術の理論と法則

紀元前4世紀頃、古代ギリシャで「四元素説」が誕生します。これは、物質は火、風（大気）、水、土で構成されているという理論です。この四元素説と、錬金術の第一質料が組み合わさって生まれたのが「第一質料に乾・湿、熱・冷という4つの性質が加わることで、その物質の性質が変化する」という理論です。これは卑金属を貴金属に変換できるという推論を理論的に裏付けるものでした。

錬金術師の多くは、この世界には7種類の金属（鉄、銅、鉛、錫、水銀、銀、金）が存在すると考えていました。16世紀に活躍した錬金術師パラケルススは、これらの7種類の金属は、可燃性で能動的な「硫黄」、揮発性で受動的な「水銀」、不可燃性で中間を意味する「塩」の三物質から構成されると考え、それが一般に広まったそうです。さらに、第一質料と乾・湿、熱・冷といった性質を結びつける「エーテル」の存在も広く信じられるようになりました。

■四元素と第五元素

　錬金術は黄金変成を保証するべく、物質理論を取り入れて確立しています。その基礎となるのが古代ギリシャの四元素理論と第五元素で、その関係性は以下のとおりです。

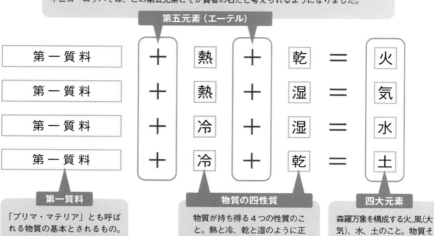

第五元素は、第一質料と熱・冷、乾・湿という4つの性質を結びつけるものです。図の「+」の部分で、この第五元素の力によって第一質料と4性質が結びつき、四元素になるといいます。中世ヨーロッパでは、この第五元素こそが賢者の石だと考えられるようになりました。

第五元素（エーテル）

第一質料	＋	熱	＋	乾	＝	火
第一質料	＋	熱	＋	湿	＝	気
第一質料	＋	冷	＋	湿	＝	水
第一質料	＋	冷	＋	乾	＝	土

第一質料
「プリマ・マテリア」とも呼ばれる物質の基本とされるもの。これに物質の性質をふたつ加えることで四元素が現れます。

物質の四性質
物質が持ち得る4つの性質のこと。熱と冷、乾と湿のように正反対の性質が組み合わさることはないといいます。

四大元素
森羅万象を構成する火、風(大気)、水、土のこと。物質そのものというより状態を支える基盤のような考え方です。

■三原質と七金属

三原質の性質

　この世界に存在する7つの金属は硫黄、水銀、塩から生まれるという理論で、四大元素理論と並んで重要視されます。当初は硫黄と水銀のみでしたが、ヨーロッパでは両者の正反対な性質にキリスト教の三位一体論が適用され、三原質に変化しました。

水　銀	塩	硫　黄
女　性	中　間	男　性
受　動	中　間	能　動
揮発性	固体性	不揮発性
昇華性	不可燃性	可燃性
金属の母	金属の子	金属の父
質　料	運　動	形　相
粘　性	灰	脂　肪
霊	肉　体	魂

七金属

　錬金術師たちの特別な理論。7つの金属が鉄→銅→鉛→錫→水銀→銀→金という段階を経て完成するというもの。鉄器時代の治金師たちは金属が成長すると考え、それに占星術の考えが加わって7惑星に結びつけられました。金属はそれぞれの惑星の影響を受けて成長するといいます。

鉄 …………… 火星
銅 …………… 金星
鉛 …………… 土星
錫 …………… 木星
水銀 …………… 水星
銀 …………… 月
金 …………… 太陽

■錬金術の数々

アル・ラージーのエリクサー製造法

エリクサーは、飲むと不老不死になれる霊薬のことで、賢者の石と同一視されることもあります。9世紀のイスラムの錬金術師アル・ラージーによれば、その製造方法は下記のとおりですが、肝心の材料がわかっていません。こうして完成したエリクサーには、卑金属を貴金属に変成する力があるといいます。

```
┌─────────────────────┐
│    適切な材料        │
│   蒸留・煆焼など      │
└─────────────────────┘
          ▼
┌─────────────────────┐
│    精 製 物          │
│      蝋化            │
└─────────────────────┘
          ▼
┌─────────────────────┐
│    可溶性物質        │
│ アルカリ系やアンモニア系の溶剤 │
└─────────────────────┘
          ▼
┌─────────────────────┐
│    溶 解             │
│   凝固・固体化        │
└─────────────────────┘
          ▼
┌─────────────────────┐
│    エリクサー        │
└─────────────────────┘
```

ホムンクルスの製法

錬金術によって生み出される人造人間ホムンクルス。その精製に本格的に取り組んだのが、錬金術を医学にまで発展させようとした革命児パラケルススです。彼によればその製造方法は下記のとおり。パラケルススは世界（大宇宙）も人間（小宇宙）も完全に対応する関係で、三原質も硫黄＝霊魂、水銀＝精神、塩＝肉体の形で表すことができ、錬金術で人間も錬成できるとしました。

```
┌─────────────────────┐
│  人間の男性の精液を採取  │
└─────────────────────┘
          ▼
┌─────────────────────┐
│    蒸留器に投入       │
└─────────────────────┘
          ▼
┌─────────────────────┐
│ 40日間密封し、腐敗させる │
└─────────────────────┘
          ▼
┌─────────────────────┐
│  人の形の生命が誕生    │
└─────────────────────┘
          ▼
┌─────────────────────┐
│  毎日、人間の血を与える  │
└─────────────────────┘
          ▼
┌─────────────────────┐
│ 40週間、馬の体内と同じ温度で保存 │
└─────────────────────┘
          ▼
┌─────────────────────┐
│    ホムンクルス      │
└─────────────────────┘
```

ニコラ・フラメルの黄金変成

錬金術師たちが懸命に生成を試みていた賢者の石は、黄金生成を可能にするとされる物質のことで、不老不死や人間そのものを生み出す力もある考えられていました。その製造に成功したといわれているのが、前述したパラケルススと、フランスの錬金術師ニコラ・フラメルです。彼は賢者の石の製造方法を自著に記していますが、材料である「最終前段階の生成物」が具体的に何なのかは明かしませんでした。ちなみに「哲学者の卵」は実験器具のことで、今でいうフラスコを指しているようです。

```
┌─────────────────────┐
│  最終前段階の生成物を用意  │
└─────────────────────┘
          ▼
┌─────────────────────┐
│ 「哲学者の卵」へ入れ、加熱 │
└─────────────────────┘
          ▼
┌─────────────────────┐
│   「石」の色が変化      │
│ 灰色 ▶ 黒色 ▶ 白色    │
└─────────────────────┘
          ▼
┌─────────────────────┐
│  白色の賢者の石の完成   │
└─────────────────────┘
          ▼
┌─────────────────────┐
│    鉛を銀に変成       │
└─────────────────────┘
```

```
┌─────────────────────┐
│  白色の賢者の石を用意   │
└─────────────────────┘
          ▼
┌─────────────────────┐
│ 「哲学者の卵」へ入れ、加熱 │
└─────────────────────┘
          ▼
┌──────────────────────────────────┐
│   「石」の色が変化                  │
│ 白色 ▶ 虹色 ▶ 黄色 ▶ オレンジ色 ▶ 紫色 ▶ 赤色 │
└──────────────────────────────────┘
          ▼
┌─────────────────────┐
│  赤色の賢者の石の完成   │
└─────────────────────┘
          ▼
┌─────────────────────┐
│  水銀を黄金に変成      │
└─────────────────────┘
```

仙人や道士が使う術

方術

✧ 関連 ✧

錬金術
→P.138

方術は道教に伝わる仙人の技

[注1] 不老不死の存在で、方術や仙術と呼ばれる神通力を身に着けている。仙人の多くは、中国の西方に実在する崑崙山脈、あるいは仙人の聖地である崑崙山に住んでいる。

　　　仏教や儒教と並び、中国の三大宗教に数えられる道教では、「**仙人**」[注1] という人智を超越した存在が信じられてきました。道教を修める者たちは「**道士**」と呼ばれ、天に登って仙人になることを目指します。方術とは、彼らが使う神通力やそれに類する力のことです。また、漫画『ドラゴンボール』など、バトルもののファンタジー作品では目に見えない力「気」を操るという描写がたびたび見られますが、これも方術と結び付けられることがあります。

　「空を飛んだり、水上を歩く」「千里眼で世界を見とおす」「斬撃を無効化する」「外見を変化させる」「体を透化・分身させる」「鬼神を使役する」など、仙人の方術はじつに多彩です。このうち変身や分身の術は、創作における忍者の術「忍術」の元ネタともいわれています。漫画『NARUTO -ナルト-』や『地獄楽』の忍者も忍術を使いますが、そのルーツは方術にあるのかもしれません。なお、実力のある道士なら仙人にならずとも一部の方術を使えるそうです。

仙人になるための条件と修行とは？

[注2] 背骨の一番下にある三角形の骨。仙骨を持たないとしても、仙人になるための修行を行なうことで、寿命が大幅に延び、方術も多少は使えるようになるという。

[注3] 「丹華」や「神符」、「神丹」など、金丹にはいくつか種類があり、服用する回数や薬の効力が出るまでの期間が異なる。

[注4] 導引や調息といった呼吸法を身に付けたり、服餌という食事療法で体質を改善するなどの修行法がある。

[注5] 仙人になるための修行のひとつだが、あくまで補助的なものであり、他の修行も必要となる。

仙人になれるのは、仙骨[注2]を持つ者だけで、これがないと他の条件を満たしても仙人にはなれません。

仙骨の所有者が仙人になるためには、善行を繰り返して徳を積み、然るべき修行ののちに「**金丹**」[注3]を服用する必要があります。これはそれぞれ効能が異なりますが、仙人になるためには欠かせません。また、善行については、地仙なら300回、天仙なら1200回とされ、その間に一度でも悪事を働くと積み上げた徳は帳消しになるそうです。

仙人になるための修行はいくつかあります[注4]。そのひとつである「**房中術**」[注5]は、創作物でもよく見られるため、知っている人も多いでしょう。現代では「性行為を通じて男女の気を交流させる術」という認識が一般的で、前述の漫画『地獄楽』でもそのように描かれていました。しかし、房中術の本来の目的は、体内にある陽の気（男性）と陰の気（女性）のバランスを取ることであり、性行為はその方法のひとつに過ぎません。

方術

魔術・学問

丹を生み出す東洋の錬金術

人間である道士が仙人になるためには、仙薬の一種・金丹を飲む必要があります。これを生み出すのが東洋の錬金術と称される「錬丹術」です。これは仙人になるための修行法のひとつでもあります。「丹」は「金丹」のことで、道士の体内に丹を入れて仙人へと昇華させることが錬丹術の目的というわけです。

特定の物質を利用して丹を作る技術を「外丹術」、訓練を経て体内で丹を生成する技術を「内丹術」と呼びます。外丹術では、雌黄（ヒ素と硫黄の化合物）、水銀、辰砂、鉛といった有毒物質を材料に薬を作り、それを服用し続けることで丹の生成を試みました。当たり前ですが、この方法で丹を生成できるはずもなく、多くの人が犠牲となり、やがてそれに変わる内丹術が考案されます。こちらは体内を巡る気を材料に、丹を作ることを目的とし、その技術や理論が、現代でも健康法として知られる「気功」の原型となっています。

未来や運勢を占う
占術

🔖 関連 🔖
占い師
→P.49

占術は大きく3つに分類される

　占術は、対象者の未来を占う技術のこと。日本でもいくつかの占いが浸透しており、星座占いや誕生日占いは、朝のニュース番組に欠かせないものとなっています。

　現在までにさまざまな占術が生み出されてきましたが、それらは占う事案やその方法によって「命・卜・相」のいずれかに分類されるそうです。具体的には、生年月日や出生地などを用いて対象者の運命や宿命を占うものは「命」、時間や方位などをもとに対象者が関わる事柄を占うものは「卜」、目に見えるものが対象者に与える影響や運勢の変化を占うものは「相」に分類されます。「命」は数秘術や占星術、「卜」はタロット占いや水晶占い、「相」は姓名判断や人相占いが該当します。また、こういった占いは古くから世界各地で行なわれてきましたが、アブラハムの宗教[注1]では占いという行為を異教のものとして嫌う傾向にあります。これは『旧約聖書』や『コーラン』などで占いを邪悪な行いと定めているためでしょう。

　ちなみに、ファンタジー作品でもお馴染みの占術としては、タロット占いや水晶占い、占星術が挙げられます。これらの占術を習得した者は、他人の運命・運勢を占う「占い師」として登場することがほとんどです。ゲーム『ドラゴンクエストIV』のミネアや、『原神』のモナ（占星術師）がよく知られています。

[注1] 預言者アブラハムにゆかりのある3つの宗教。ユダヤ教、キリスト教、イスラム教のこと。

世界中に広まり、多様な発展を遂げた占星術

　数ある占術の中でも、とくに長い歴史を持ち、現在でもその技法が盛んに用いられているのが**占星術**です。これは紀元前2500年頃に、チグリス・ユーフテラス川のほとりで文明を築いていたシュメール人によって生み出されたといわれています。彼らは肉眼でも視認可能な水星、金星、火星、木星、土星、太陽、月には神が住んでおり、その運行が地上の出来事にも影響すると考えました。この思想から占星術が生まれ、国家の運営に用いられたそうです。

　占星術では、ある瞬間の星の位置を元にして運命を占います。このとき使用するのが「**ホロスコープ**」[注2]という天体の配置図です。その中心には地球（自身）があり、ここから見た7つの天体の位置や星座の位置関係から占いの結果を導き出します。

　インターネット上には、ホロスコープを作成するサービスも存在するので、実際に占星術で未来を占いたいという

[注2]「惑星」「黄道十二宮」「十二室」「アスペクト」で構成される天体の配置図。出生データ（氏名、誕生日、出身地、恒星時、時差、誕生地方恒星時）や出生時の各天体の位置、アスペクト（地球を挟んで天体と天体の間に生じる角度）などを元に作成される。

占術 ─ 魔術・学問

創作物でもよく見るタロット占い

　22枚の大アルカナと、56枚の小アルカナで構成された78枚のカードを使うタロット占い。タロットカードは、ヨーロッパの放浪民族ロマ（ジプシー）が占いで使う道具だったため、彼らの出身地とされるエジプトに由来するものだと考えられてきました。しかし、のちにロマの起源はインド北部だとわかり、現在ではタロットの起源もインドではないかといわれています。

　近代のタロット占いでは、大アルカナのみを使った手法がメジャーです。カードの上下がランダムになるように大アルカナを混ぜ合わせ、そこから引いた数枚のカードを元に占います。「愚者」や「世界」など、大アルカナにはいくつか種類があり、それぞれ象徴するものが異なります。また、引いたカードの上下が正しい向きだと「正位置」、上下逆さまだと「逆位置」となり、カードから読み取れるメッセージが変化。占いの結果も変わってきます。

人智を超越した力
特殊能力

❀関連❀

チート
　　　　　　→P.147

魔法・魔術と似て非なる力

　ファンタジー作品の中には、**魔法に分類されない特殊な能力**が登場することがあります。ただ、その定義はかなり曖昧なので、それが特殊能力と呼べるかは作品次第です。

　こういった能力の多くは、魔法と同じように何かしらの奇跡を引き起こせますが、「技術的に体系化されていない」「一部の人間だけが使える」ものであることがほとんどです。代表的な特殊能力としては、漫画『ジョジョの奇妙な冒険』の「**スタンド**」[注1]や『ONE PIECE』の「**悪魔の実**」[注2]、小説『Re:ゼロから始める異世界生活』の「**死に戻り**」[注3]などが挙げられます。また、『僕のヒーローアカデミア』の「**個性**」[注4]なども特殊能力の一種ですが、これは技術的に体系化されている珍しいパターンです。

　特殊能力はバトルものの作品でよく目にしますが、それ以外のジャンルで用いられることも多々あります。たとえば小説『時をかける少女』はその筆頭で、同作ではヒロインが持つ「**タイムリープ**」[注5]を軸に物語が展開されました。

[注1] 実体をもった守護霊のような存在。それぞれのスタンドが特殊能力を持ち、これを使ってスタンド使い同士が激しいバトルを繰り広げる。

[注2] 悪魔の実を食べることで獲得できる特殊な力。主人公のルフィは「ゴムゴムの実」を食べてゴム人間となった。

[注3] 自身が死亡すると強制的に発動し、過去に戻る能力。

[注4] 先天性の特殊な能力。それぞれがまったく異なる力を持つ。作中ではその技を磨くための方法が確立されている。

[注5] 『時をかける少女』から生まれた造語で、「時間跳躍」という意味。タイムトラベルと異なり、こちらは精神のみが時空を超えるため、同じ時間軸に同一人物がふたり以上存在するという矛盾が発生しない。

ゲームにおけるイカサマ行為
チート

❀関連❀

特殊能力
→P.146

チ
ー
ト

魔
術
・
学
問

強力な○○はチート呼ばわりされる

[注1]「いかさま」を意味する「cheat」に由来する。チート行為に手を染めるひとは「チーター」と呼ばれる。

[注2] グリッチはゲーム内のバグや不具合そのもの、あるいはそれらを利用してゲームのバランスを崩すような行為。チートと異なり、故意に利用したのでなければ咎められないケースもある。

[注3] 知覚速度を1000倍にする「思考加速」や、詠唱無しで魔法を発動させる「詠唱破棄」など、さまざまな特殊能力を内包するユニークスキル。

チート[注1]とは、オンラインゲームなどにおいて、不正なプログラムや改造ツールを利用し、製作者側が意図していない動作を実現させる行為のこと。具体的には「レベルを最大にする」「所持金・アイテムを増やす」「敵を一撃で倒す」などが挙げられます。同じように不正行為とされる「**グリッチ**」とチートを混同する人ともいますが、両者は似て非なるものです[注2]。

本来はゲームでの不正行為を意味しますが、チート＝ゲームのバランスを崩壊させることから、昨今では反則的な強さを誇るキャラクターやスキルを「チート○○」などと表現することが一般的になってきました。

投稿型のウェブサイトを起点とした小説は、高確率で主人公が汎用性、利便性の高い特殊能力を身に付けており、その作品世界または異世界で無双（活躍）するという筋立ての物語が数多くあります。たとえば小説『転生したらスライムだった件』の主人公リムルは、異世界に転生した際、「**大賢者**」[注3]をはじめとする強力なユニークスキルを獲得。あらゆるシチュエーションでチート級の働きぶりを見せています。さらに、小説『異世界チート魔術師』では、異世界に転生した主人公とヒロインがチートともいえる魔法の才能を持つに至り、さまざまな依頼をこなす冒険者となりました。

学問としての魔法
魔法学

∞関連∞

魔導書
→P.108

特殊能力
→P.146

学校
→P.212

魔法が学術的に体系化された世界もある

　ファンタジー作品を構成する要素のひとつである魔法。その性質は多種多様で、他者を傷つけたり癒やしたり、異形のものを召喚したりと、現実にしてもファンタジー作品にしても、さまざまな魔法が存在します。それらの魔法は性質ごとに、いくつかのカテゴリに分類されます。ゲームでは、攻撃、回復、補助魔法といった大雑把な括りでわけられがちですが、漫画や小説などでは、より具体的に分類されることも珍しくありません。そういった作品では、魔法がカテゴライズされたうえで学術的に体系化され、学問として学べたりします。

　数学や歴史を学ぶ感覚で魔法を学ぶ——いわゆる魔法学が存在する作品では、然るべき場所で然るべき人から魔法を学ぶことで、初めて魔法が使える、あるいはより高度な魔法を習得できるのです。ゲーム『Fate/stay night』には「時計塔」[注1]が登場します。この組織は魔術師を育てる教育機関でもあり、降霊や呪詛といった12の学部が設けられていました。魔術師やそれを目指す人間はこの時計塔に入り、数年かけて腕を磨くわけです。小説『ゼロの使い魔』や『ハリー・ポッター』シリーズなど、他にも似たような学校が登場する作品はいくつも存在します。学校に通って魔法やそれに類する技術を学ぶという設定は、今や定番ともいえるでしょう。

[注1] イギリスのロンドンにある、世界中の魔術師が所属する魔術協会の総本部。

魔法を習得するその他の方法

ファンタジー作品では、学校で学ぶ他に、個人に弟子入りして修行を積み、魔法を習得するというシチュエーションも多々見られます。その場合、師匠となるのは高名な魔法使い、あるいは両親をはじめとする親族というケースが多く、伝えられる魔法は一子相伝だったり、一族で同じ魔法を習得しているのが定番です。前述した『Fate/stay night』もこれに該当し、ヒロインのひとりである遠坂凛は、遠坂家に代々伝わる「**宝石魔術**」を習得していました。また、魔術的な素養だけでなく、特殊な能力を親から受け継いでいるケースもありがちです。

近年では**独学で魔法を学んで使えるようになる**パターンもよく見られます。そういった場合、その人物は優れた魔法の才能を持ち、魔導書などの特別な書物を読んだりすることで魔法を習得するに至ります。中には魔法を覚えるだけでなく、自身でアレンジしてオリジナルの魔法を生み出してしまう者も存在します。

いずれにしても超能力[注2]などとは異なり、魔法はある程度のセンスさえあれば後天的に習得し得るわけです。ただ、最初から使えるのか、個人から伝授されるのか、学校に通って学ぶのか、それは作品ごとに異なります。

[注2] 超能力は先天的に備わっている力として登場することが多く、後天的に会得するケースは稀である。

現実世界でも行なわれる魔法・魔術の伝承

弟子をとって魔法を教えるという行為は近代でも行なわれています。比較的規模の大きいものとしては「アイワス教団（テレマ僧院）」が挙げられるでしょう。これは「20世紀最大の魔術師」と称されるアレイスター・クロウリーが創設した宗教です。彼はそこで信者たちに性魔術を教えていましたが、施設内で病死者が出たことで世間から激しく非難され、間もなく解体されました。

魔法を発動する鍵

呪文（詠唱）

関連

特殊能力
→P.146

呪文（詠唱）　魔術・学問

魔法の発動に欠かせない多種多様な呪文

[注1] 魔法のようなもので、対象を直接攻撃する「破道」と、対象を拘束したり、身を守るための「縛道」の2種類が存在する。

[注2] 主に子供に対して使用する痛みをとるためのまじない。その発祥は不明だが、似たような呪文は他の国でも見られ、アメリカでは「Pain Pain Go away」とそのまま英訳されたものが使われている。

　魔法などを使用する際に、それ単体もしくは補助的な存在として必要となる呪文。使用する魔法によって唱える呪文は異なり、その内容は多岐にわたります。これはファンタジー作品にもいえることです。たとえば漫画『BLEACH』では、死神が霊術「鬼道」[注1]を発動する際、呪文代わりの言霊を詠唱しますが、術ごとに専用の呪文が用意されていました。さらに、こういった作品では、詠唱を省略・短縮して魔法を発動させる特殊能力やテクニックが登場することもあり、これは同作品でも見られます。

　呪文のほとんどは、古語や造語、比喩表現を用いた定型的なものになります。その種類や用途はさまざまで、病気などの厄災を祓う他、体の痛みを鎮めるといった効果があります。また、おまじないのように日常的に用いられる呪文は短いものが多く、魔術的な知識が乏しい人間でも利用できるとされています。昔からよく使われている「**痛いの痛いの飛んでいけ**」[注2]もそういった呪文のひとつといえるでしょう。

　その反面、天使や悪魔を召喚するといったハイレベルな魔法を使用する場合、非常に長く、複雑な呪文が必要になります。しかも、こういった呪文は呼び出す対象によって内容が変化することもあり、一部でも間違えてしまうと効力を成さないというから厄介です。

150

アドリブで呪文の内容を変えることも

通常、呪文の詠唱は正しい手順、方法を踏まえたうえで所定の言葉を唱えないと意味を成しませんが、術者の判断で内容を変えたり、即興で作成もしくは後付けされることもあるそうです。これを踏まえたものか定かではありませんが、小説『この素晴らしき世界に祝福を！』に登場するアークウィザードの少女めぐみんは、ひとつの魔法しか使えないにも関わらず、呪文の内容をコロコロと変えていました[注3]。なお、呪文の内容を変えた場合、思いどおりの結果が得られるかは運次第となるため、できる限り正しい手順・方法で詠唱することが望ましいとされます。

呪文はそれ単体で使用する場合、もっとも手軽に魔法を発動できる便利な代物です。しかし、使い方を誤れば効果が発揮されないばかりか、自身に害をなすこともあるので慎重に扱わなくてはなりません。

[注3] 激しい爆炎を引き起こす爆裂魔法「エクスプロージョン」しか習得していなかった。

呪文（詠唱）　魔術・学問

世界各地に伝わる呪文

アブラカダブラ

```
ABRACADABRA
ABRACADABR
ABRACADAB
ABRACADA
ABRACAD
ABRACA
ABRAC
ABRA
ABR
AB
A
```

ヨーロッパで使われていた呪文で、主に病気や災厄、悪魔を祓う効果があります。この呪文で護符を作るときは、まず「ABRACADABRA」と書き、その下に末尾を一文字削ったものを追加。これを繰り返すと上のような逆三角形になります。下にいくほど呪文が短くなり、邪悪なものも消えていくという意味があるそうです。

アグラ

ヘブライ語の「Ate Gebir Leilam Adonai」を略したもので、「ああ神よ、其は永遠に強大なり」という意味があります。これは有名な魔導書『レメゲトン』（P.108）にも登場する呪文で、熱病、災難、悪しき存在から術者を守る、聖なる存在を呼び出します。護符に書いて魔除けとして使用する他、ナイフや剣などに刻印することもあります。

九字

「臨兵闘者皆陣烈在前」の9文字を唱えつつ、9種類の印を結んで魔を討ち払う呪法。これは中国の宗教である道教発祥のものですが、のちに密教の印と合わせて使われるようになりました。印を結ぶ「切嗣九字護身法」と、刀印を使った「早九字護身法」の2種類が存在します。基本的には前者を使用しますが、火急の際は後者が用いられます。

魔術的な力を秘めた文字
魔法文字

関連
言語と文字
→P.28

魔術的な意味を持つ表意文字

　魔法の力を持った、あるいは魔法を使用する際に必要となる文字を魔法文字と呼びます。これは多くの場合、ひとつの文字に意味と力が宿る**表意文字**であり、何かに書き込んだり、口にするだけで魔法の力を発揮するといわれています。ファンタジー作品では、現実世界の魔法文字がそのまま用いられる他、オリジナルの魔法文字が登場することもあります。魔術的な力を持つのかは定かではありませんが、アニメ『魔法少女まどか☆マギカ』で見られる「**魔女文字**」[注1]、通称「**まどか文字**」が有名です。

　世界的に有名な魔法文字としては、神話に登場し、北欧でも実際に使われていた「**ルーン文字**」[注2] が挙げられます。これは1世紀頃に考案された文字で、中央ヨーロッパやスカンジナビア半島（現在のドイツ）で暮らしていたゲルマン系の諸民族が使用していたそうです。ヴァイキングによってブリテン諸島（現在のイギリス）やロシアからもたらされたルーン文字は、石や木に刻むことを前提にしているため、数本の線を組み合わせた単純な作りをしています。ルーン文字はそれぞれに魔術的な意味が込められており、物品に刻むことで魔除けやお守りとして機能するそうです。ルーン文字が刻まれる品は、主に宝石や家具、剣、杯、石版など。北欧では現在もルーンが刻まれた石碑を見ることができます。

[注1] 物語の随所で見られる作品オリジナルの文字で、ラテン文字に対応している。そこには隠された設定などが記されており、ファンの間で解読が進められていた。

[注2] 北欧神話において、ルーン文字は最高神オーディンによってもたらされたものとされる。

■ルーン文字の種類と意味するもの

シンボル	ルーンの読み方／対応する英字
	フェイ、ヒュー、フェオ／F **意味** 冨のルーン。家畜の牛、冨を象徴します。仕事で成功し、富を得ること、財産を築くことを示しているそうです。
	ウルズ、ウル／U **意味** 雄牛のルーン。野牛、勇気を象徴します。勇敢さや前進、挑戦を意味し、困難を切り開くことを示しています。
	スリサズ、ソーン／Th **意味** 門のルーン。巨人、刺、門を象徴します。試練や忍耐を表すルーンで、試練や障害の存在を示しているそうです。
	アンサズ、アンスル／A **意味** アンサズ神のルーン。神、口、情報を象徴します。情報の伝達や知識を意味しており、新たな出会いも表しているルーンです。
	ラグス、ラド／R **意味** 乗り物のルーン。乗り物や騎乗を象徴しており、移動や旅を意味します。さらに、身の回りの変化、新たな船出という意味も持つそうです。
	カノ、ケン／K **意味** 炎と始まりのルーン。未来を照らす新たな希望を表したルーンといわれており、松明、明かり、開始を象徴するそうです。
	ゲーボ、ギョーフ／G **意味** 贈り物のルーン。贈り物、結合、出会いを象徴し、愛のルーンともいわれ、好意や贈り物を受けることを表しています。
	ウン、ジョー、ウィン／W **意味** 喜びのルーン。喜びや成功、愛情などを象徴します。幸福が訪れるであろうことを意味するそうです。
	ハガラズ、ハガル／H **意味** 嵐のルーン。象徴するものは嵐や雹です。避けようのない災害、アクシデントやトラブルの存在を示すルーンでもあります。
	ナウシズ、ニイド／N **意味** 忍耐のルーンで、象徴するものは欠乏、忍耐、束縛などです。抑圧や苦難、忍耐の必要性を示しているといいます。
	イサ、イス／I **意味** 凍結のルーン。氷、凍結、停止を象徴しており、物事が停滞・停止することを表しています。また、休息などの意味も持ちます。
	ジュラ、ヤラ／J **意味** 収穫のルーン。収穫や循環（サイクル）を象徴し、収入や成果、季節の巡りなどの意味を持ちます。
	エイワズ、ユル／Y **意味** 防御のルーン。イチイの木、防御を象徴します。何らかの危険と防御の必要性、さらに物事の終了・再生を示しています。

シンボル	ルーンの読み方／対応する英字
	パース、ペオース／P **意味** 秘密のルーンで、象徴するものは賭博や秘密です。秘密の暴露や何らかの賭け、選択が成功につながることを示します。
	アルジズ、エオルー／Z **意味** 保護のルーン。ヘラジカと保護を象徴しています。何かを守る、あるいは守られることを意味するそうです。
	ソウイル、シゲル／S **意味** 太陽のルーンで、象徴するものは太陽、勝利、生命力などです。成功や勝利、健康を手にすることを示しているといいます。
	テイワズ、ティール／T **意味** 戦いのルーン。北欧神話における軍神テュール、勝利、戦いを象徴します。戦い、または戦いでの勝利を表すそうです。
	ベルカナ、ベオーク／B **意味** 成長のルーン。白樺、誕生、成長を象徴。何らかの成長、育成または母性を示しているそうです。
	エワズ、エオー／E **意味** 移動のルーン。馬、移動、変化を象徴します。自由や躍動感から物事の前進、好転を表しているそうです。
	マンナズ、マン／M **意味** 人間のルーン。象徴するものは人や自分。自己・自我の確立、良好な人間関係や助言者の獲得を示しています。
	ラグス、ラグ／L **意味** 水のルーン。水、感性、女性を象徴します。鋭い直感や美的な感性、霊感の発揮などを示しています。
	イングワズ、イング／Ing **意味** 豊穣のルーン。北欧神話の神イング、豊穣、完成を象徴。豊かな実りを迎えること、活力がみなぎることを示します。
	オシラ、オセル／O **意味** 遺産のルーン。領土、遺産を象徴します。故郷や伝統、引き継がれるべきものを表しているそうです。
	ダガズ、ダエグ／D **意味** 日光のルーン。日、日常を象徴します。豊かな日常、順調な生活を示しているそうです。
	ウィアド／― **意味** 空白のルーン。宿命を象徴。ルーンとして本来は存在しないものですが、占いや呪術では宿命・運命との遭遇を意味するそうです。

魔術・学問

召喚魔法の要
魔法円

∿ 関連 ∿

召喚魔法
→P.124

本来の役割は術者の身を守ること

　魔法円とは、魔術的な儀式で使用される特殊な図形のこと。「魔円陣」とも呼ばれ、主に召喚魔法を使用する際に呪文と共に用いられます。多くの魔法円は、基盤となる二重の円、五芒星や六芒星などのシンボル、ヘブライ語などの文言で構成されています。地面や壁に描いて使うのが一般的ですが、それが物理的に難しいときは頭の中に思い描いて儀式を行なうこともあるそうです。

　『魔法陣グルグル』をはじめとする諸作品では、「魔法陣」[注1] を描き、そこから超常的存在を召喚するシーンがよく見られます。じつは魔法陣を異世界と現世をつなぐゲートのように扱うのは、ファンタジー作品ならではであり、魔法円の本来の使い方とはいえません。

　古来より、円には「完全なもの」という意味があり、外敵から身を守るおまじないに用いられてきました。これを発展させたのが魔法円です。召喚魔法を使用する場合、術者が結界代わりの魔法円に入り、天使や悪魔などの霊的存在から身を守るというのが、魔法円の正しい使い方になります。ちなみに、召喚魔法を使う際、魔法円と合わせて「魔三角陣」が用いられることもあります。これは召喚した悪魔などを封じ込め、術者の命令を聞かせるためのものです。魔三角陣の3つの角には、神の名が記されており、召喚したものを屈服させるといいます。

[注1] 魔法円から派生した魔術的な図形。その世界と異世界をつなぐゲートだったり、そこに入った者を強化するなど、本来の魔法円とは異なる力を持っている。

■魔法円に使用される記号

六芒星

上下を逆さにしたふたつの三角形を組み合わせた記号。別名「ダビデの星」。イスラエルなど、いくつかの国の国旗にも使われています。

五芒星

一般的な星をイメージした記号。悪魔から身を守る効果がありますが、右の図を上下反転させたものは悪魔を示す記号となるそうです。

惑星記号

太陽系に存在する惑星を表した記号です。太陽や月をはじめ、地球、水星、金星などがあり、その外見は各惑星ごとに異なります。

月
太陽
地球

十二星座

西洋占星術においてのみ用いられる「黄道十二宮」の星座を示す記号。召喚魔術だけでなく、占星術でも使用される記号です。

白羊宮
金羊宮

四大元素

火、風（空気）、水、土といういう四大原素を象徴する記号。各元素に対応するラファエルやガブリエルなどの天使を表すこともあります。

火
風

魔法円

魔術・学問

魔法円の例（エノク魔術）

　下の魔法円は、エノク魔術に由来するものです。この魔術は、天使との交信や召喚を奥義としており、天使を召喚する際に魔法円を使用します。図形の外円と内円の間には、天使の言語として知られるエノク語が記されています。また、その四方には火、風、水、土といったエレメント、またはミカエル、ラファエル、ガブリエル、ウリエルなどの四大天使を象徴する物見の塔が描かれています。

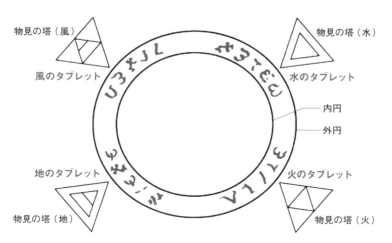

物見の塔（風）
風のタブレット
物見の塔（水）
水のタブレット
内円
外円
地のタブレット
物見の塔（地）
火のタブレット
物見の塔（火）

155

〜関連〜

自然魔法	→P.120
信仰魔法	→P.122
召喚魔法	→P.124

魔法物質

魔術的エネルギー

魔法の発動に欠かせない燃料的物質

魔法が登場する作品には、魔法を使うためのエネルギーが存在します。真っ先に思い浮かぶのは、やはり「**MP**」でしょう。これは「**マジックポイント**」や「**マジックパワー**」などと呼ばれるもので、『ウィザードリィ』『ドラゴンクエスト』をはじめとするさまざまなゲームに登場します。MPはほぼすべてのゲームで数値化されており、使用する魔法に応じてこのエネルギーを消費する仕組みになっています。また、作品によってはMPが「**TP**」や「**SP**」[注1]に置き換えられることもありますが、その役割はMPと変わりません。いずれも魔法を含む多種多様な技を使用する際、必要となる有限のエネルギーです。

漫画や小説などの創作物では、魔法用の物質を数値化する必要性が薄いため、「**魔力**」が用いられることもあります。これは魔法を使用するためのエネルギーであり、その術者の強さを示すバロメーターにもなっています。魔力が高い者ほど、強力な魔法を発動させたり、たくさん魔法が使用できるわけです。

[注1]「テクニカルポイント」や「スキルポイント」などと呼ばれるが、正確な名称は作品ごとに異なる。

メラネシアに伝わる超自然的エネルギー

現実の世界にも魔法物質的な概念は存在します。それがファンタジー作品でもよく目にする「マナ」です。

オーストラリアの北東にある群島地域メラネシアでは、動植物はもちろん、<u>風や水などの森羅万象にマナと呼ばれる神秘的なエネルギーが宿る</u>と考えられていました。マナは<u>人から人、人から物へと移動させることが可能</u>で、病気の人間にマナをわけ与えて治療したり、道具に注入してその性能を上げるといった使い方もできるとされました。さらに「一族の族長が立派に役目をこなしているのは、膨大なマナを持っているからだ」などと、ときにはその人の実力やカリスマ性を表すバロメーターとして用いられたそうです。

やがてマナという概念は、イギリスの宣教師コドリントンの著書『メラネシア人』などで取り上げられ、ヨーロッパに伝来。それまで魔法物質という概念が存在しなかった欧米では、マナは驚きと共に受け入れられたそうです。

西洋に持ち込まれたマナは、SF作家**ラリー・ニーヴン**に利用されました。彼は小説『魔法の国が消えていく』[注2]において、<u>マナを魔法を使うために必要な有限の資源</u>として描いたのです。これはゲームにおけるMPそのもので、その他の設定と共に話題となり、後世の創作物でも似たような定義や設定が用いられるようになりました[注3]。

[注2] 主人公は最強の魔術師ウォーロックで、マナが枯渇しつつある1200年前の地球を物語の舞台としている。マナが枯れた場所では魔法が使えず、マナを活動力とする魔物は死亡するか変異してしまうなど、マナにまつわる設定がいくつか存在する。

[注3] 日本で最初にマナという概念を取り入れた作品は不明だが、それを広めるきっかけとなった作品はいくつか存在する。代表的なものとしては小説『ロードス島戦記』と、テーブルトークRPG『ソード・ワールドRPG』が挙げられる。『ロードス島戦記』では、魔術師は自身の体内にあるマナを消費し魔法を使用していた。

魔法物質 魔術・学問

天界を構成する魔法物質エーテル

その他の魔法物質としては「エーテル」が挙げられます。古代ギリシャの哲学者プラトンによれば、これは神が宇宙を形作るために使った元素です。この思想を発展させたプラトンの弟子アリストテレスは、エーテルを宇宙空間や星を構成する元素と位置付けており、四大元素（火風地水）に加わる第五元素としました。

創作作品ではお馴染みの存在
四大精霊

　ファンタジー世界を舞台とする作品には、「精霊」という超自然的存在がたびたび登場します。中でもとくに有名なのが「四大精霊」です。彼らは16世紀に活躍した、とある錬金術師によって生み出されたもので、その設定は現代でも活用されています。四大精霊とは一体どういった存在なのでしょうか？　誕生の経緯と共に紹介していきましょう。

四大精霊の生みの親は、あの偉大な錬金術師

　17世紀頃に原子や分子という概念が誕生するまで、人々は根源的物質（アルケー）によって万物が構成されると考えていました。そんな中、古代ギリシャの哲学者エンペドクレスが「アルケーは1種類ではなく、複数存在する」という理論を提示し、「この世界には火、水、風（大気）、土、4種類のアルケーが存在する」と主張します。これが他の学者によって洗練され、「四元素説」が誕生。ヨーロッパでは4つの元素（エレメント）が万物を構成するアルケーだと考えられるようになったのです。

　元素という概念が浸透したヨーロッパでは、妖精などの霊的存在も、何かしらの元素で構成されると考えられました。そして16世紀になると、医師で錬金術師のパラケルススが「精霊（エレメンタル）」という神霊の存在を訴えるようになります。彼は自著の中で、「エレメンタルは人間ではないが、人間と同じような姿をしており、肉体も骨も血ももっている」と主張しました。また、『ニンフ、シルフ、ピグミー、サラマンダー、その他の精霊についての書』、通称『妖精の書』では、四大精霊についても紹介しています。パラケルススが生み出した四大精霊像は、多くの人に影響を与え、その設定は現代の創作作品でも見られます。

■パラケルススが考案した四大精霊

名前	元素	特徴
サラマンダー	火	炎の精霊。その名前は、ヨーロッパで古くから信じられていた火を吹くトカゲ「サラマンダー」に由来する。
ウンディーネ	水	ヨーロッパの伝承に登場する水辺の精霊で、「ニンフ」とも。容姿は人間と変わらず、人間と結婚し子を生んだ逸話もある。
シルフ	風（大気）	風の精霊。その名前はパラケルススの創作で、「森の妖精」という意味を持つそうです。
ノーム	土	大地の精霊で、小人族の一種。パラケルススが創作した存在であり、その名前には「地底に住む者」という意味がある。

chapter ⑤

組織・政治
Organization·Politics

同業者や同好者たちの互助組織
ギルド

❦関連❧

冒険者	→P.36
商人	→P.44
鍛冶屋・職人	→P.46

商人の登場とギルド結成の背景

ギルドとは、主に西ヨーロッパの**都市**で暮らす**商人**や**手工業者**たちの団体です。元々は商人たちが助け合いを目的として結成したもので、地域によって差はありますが概ね11世紀頃から登場しました。

それ以前の8〜9世紀頃、西ヨーロッパは外敵[注1]の侵入による混乱や領主による粗悪な貨幣の鋳造などから**貨幣経済が衰退**し、職業としての商人はほとんどいませんでした。10〜11世紀になると、社会が安定し始めて農業生産力が上昇。人口も増加しますが、その速度が農業生産力の向上を上回ったのか農業で暮らしていけない人々が現れ、やむなく行商を始めた彼らが新たな商人[注2]になったのです。やがて成功して財を成した商人たちは都市で定住を始め、交易を独占する意味も込めてギルドを結成。その力を背景に、都市発展に貢献した大商人が都市政治を牛耳るようにもなりました。

一方、手工業者も当初は商人ギルドに所属しましたが、大商人が都市政治を左右するようになると利害の対立が生じ、12世紀前半頃から職種別の**同職ギルド**を結成します。その目的は商品の品質や価格、労働時間などを一律にして過度な競争を排除すること、構成員以外による商品生産を禁じて利益を守ることにあり、これによって力をつけた手工業者も、やがて都市政治に加わるようになりました。

[注1] 北アフリカからイベリア半島に進出したイスラム勢力や、東方から侵入してきた異民族のこと。西ヨーロッパの人々はこれらへの対応に追われた。

[注2] 各領主の家臣たちは以前から領地間で独自に取引をしており、彼らのなかからも商人が現れた。

後進育成と品質管理をかねたギルド員の誓約

中世の手工業者は徒弟制度によって人材を育成しており、彼らの身分は作業場の主催者である**親方**と一定の技術を有する職人、そして新人の徒弟（見習い）に分けられます。職人は賃金を受け取る親方の補助労働者ですが、徒弟は修行中の身なので賃金はもらえず、代わりに親方から衣食住を世話されていました。都市によって違いもあったようですが、ギルドの構成員になれるのは親方だけです。独立して工房を持てるのも親方のみで、職人が親方になるには自費で受ける試験[注3]に合格する必要があり、それまでは親方のもとで働きました。

こうした厳しい制度の背景には、ギルドが構成員に求めた誓約があります。商品の品質や価格を一律にする掟には、消費者に商品の質を保証するという意味もありました。そのため、徒弟の修行期間にもギルドの規定があり、親方には職人や徒弟の技術指導を義務付けていたのです。

なお、「手工業」には医師や漁師、小売業など幅広い職種が含まれます。女性の労働者も多く、女性が親方になれる職種[注4]もありました。ギルドがあった職種すべては紹介しきれませんが、その一部を掲載しておきます。

[注3] 職人は自ら製作した作品などを提出し、ギルドに認められる必要があった。しかも14世紀頃になると都市によっては親方が飽和状態になり、資格を得た職人を他の都市へ旅立たせるギルドが増えていった。

[注4] たとえばベルギーにある都市ヘントでは、スパイス商や仕立て屋などは女性も親方になれた。

■中世の主な商人・同業ギルド一覧

食品系		服飾系	木工・金属系	その他
パン屋	油商	紡績	石工	医師
粉屋	塩商	布屋	大工	理髪師
魚屋	ブドウ栽培業	仕立屋	左官	画工
肉屋	ぶどう酒醸造	毛織物工	船大工	指物師
果物商	ビール醸造	染物屋	鉄工	園芸師
チーズ商	漁師	靴屋	金銀細工師	床屋
香料商		皮革工	甲冑工	両替商

※ここに挙げたものはほんの一部で、まだまだ数多くのギルドがあった。また、掲載したギルドのうちパン屋、魚屋、香料商、果物商、チーズ商、仕立屋、毛織物工では女性も働いており、香料商と仕立屋では女性の親方もいた。

中世の実在したギルドの概要は先に紹介したようなものです。ギルドの構成員である親方には社会生活や宗教生活についても**ギルドの規制**があり、ギルド構成員の冠婚葬祭[注1]における支援はもちろん、それ以外の人々に対する慈善事業や都市内のさまざまな施設への寄付[注2]なども求められました。これは職人や徒弟、親方の家族も同様で、ギルドの構成員と関係者には都市社会の一員として恥ずかしくない行動が求められていたのでしょう。

さて、ファンタジー世界におけるギルドは、こうした実在のギルドが参考にされています。「気のいい親方が人々の信望を集めている」といった描写はときおり見られますが、これもまったくの空想というわけでもないのです。

中世に「**冒険者ギルド**」はありませんが、モンスターや魔物などが跋扈する世界なら、それらと戦う術に熟知した冒険者は頼れる存在です。領主としても家臣や住民を危険に晒す必要が減りますから、職業として成立していても不思議ではありません。となれば、その窓口となる冒険者ギルドがあるのはむしろ自然でしょう。中世は商人が登場するまで人の移動が少なく、基本的に**遍歴者は厄介者**で蔑視されるケースもありますが、こうした世界ではより人々の結束も必要なので、冒険者が根無し草だったとしても、逆に周囲からの偏見は少ないかもしれません。

また、以前と比べると、近年のファンタジー作品では主人公が街で店を開いて商売をするといったケースもあり、商人や手工業者のギルドが登場することも増えました。またテーブルトークRPGは想像力を働かせて遊ぶので一定の知識は必要ですから、ギルドだけでなく商業や手工業の知識を深めておくとより楽しめるかもしれません。

[注1] 直接的には結婚式や葬式のほか、日本の七五三、成人式といった各種通過儀礼のことだが、お祭りのような古くから慣習として存在する行事一般を指す。

[注2] 都市の教会が貧民救済の施設を設けていることもあり、たいていはその都市を領内に有する領主や都市の有力者からの寄付で運営されている。稀有な例だが、実際に貧農から行商人を経て商業で成功し、のちに財を修道会に寄付して聖人となった聖ゴドリックのような例もある。

プレイヤー組織としてのギルド

　最後にもうひとつ、**ゲーム内組織**としてのギルドを紹介しましょう。多人数が同時にプレイするオンラインゲームには、プレイヤー組織としてのギルドがあります。加入は個人の好みですが、とくにサービスを開始したばかりの作品では情報がないため、情報交換の場としても重宝されます。また大型モンスターを多人数で攻略する**レイド**、ギルド間でスコアなどを競う**ギルドバトル**は今や定番のコンテンツとなっています。とくに、こうした多人数での協力プレイを重視してつくられている作品では、ギルドに所属する恩恵が大きい傾向が強いので、どこかのギルドに参加したほうがより楽しめるでしょう。

　こうした組織の名称は「ギルド」が多いですが、作品によっては「**クラン（clan）**」[注3]と呼んでいます。また『グランブルーファンタジー』の「騎空団」のように、ゲームの舞台世界に合わせたオリジナルの名称をつける作品も増えています。もっとも、これらは名称が違うだけなので、プレイヤー組織という点ではどれも同じです。

　ただ、ゲーム内とはいえ各プレイヤーも人間ですから、ゲームに対する考え、好み、プレイスタイルもそれぞれ違います。プレイヤー組織は同好の士が集まって遊べるのが利点でもあるので、合わないと感じたら他の組織に移るのがいいでしょう。とはいえ**最低限のマナー**だけは守りたいところです。

[注3] 日本語で「氏族」という意味で、系譜をさかのぼると同じ始祖に行き着くと信じている人々の集団。系譜のたどり方は「男性のみを通じて特定の男性に行き着く」「女性のみを通じて特定の女性に行き着く」の2とおりがある。構成員が系譜を明確に認識している場合、クランではなく「リネージ（lineage）」として区別される。

やあ初めまして　新入りさん？

ジブンは〇〇ギルドから来たッス☆

土地と人々を支配する上層階級

君主と貴族

関連

階級・身分
→P.24

領主
→P.166

騎士団
→P.168

君主と貴族

組織・政治

皇帝と国王の違い

ファンタジー世界には、**王や皇帝、貴族**といった統治者が登場します。これらはヨーロッパの領主たちがモデルですが、時代や地域によって違いがありました。まずは国家を統治する君主、皇帝と国王について見ていきましょう。

ヨーロッパにおける皇帝は、紀元前27年に始まった帝政ローマ[注1]が起源です。専制君主[注2]として大権を握っていながら「国家の保護者」という建前があり、世襲もされてはいましたが反乱などで新たな皇帝が立つこともありました。また「皇帝」という称号には「**国家や民族を超えた全世界的支配権**」という意味が含まれ、同じ君主である国王との比較では「皇帝が上」とされるようです。ファンタジー世界の皇帝が外国を侵略する悪役のように描かれがちなのも、史実で皇帝が統治した各帝国や称号に含まれる意味が反映されているからなのでしょう。

一方の国王は、主に西ヨーロッパのゲルマン人[注3]が建国した国家における君主の称号です。元々彼らは**血統を重視**していたため、国王も**世襲**されるケースが多いようです。ただ、当初の国王は有力な領主たちの代表に　過ぎず、それほど大きな権限はありませんでした。ここが実質的に当初から大権を握っていた皇帝との大きな違いで、他の領主たちに「認められて」リーダーを務めたという点では、日本の戦国武将にも通じています。

[注1] 大権を握る皇帝を頂点とした古代ローマの国家。それ以前は政治のトップに位置する政務官と政務官経験者が集まる元老院、民衆が所属する民会があり、これらが相互に監視して権限を抑える共和制だった。

[注2] 国家において、すべての統治権限を握る唯一の統治者のこと。

[注3] 北欧やアイスランド、イギリス、オランダ、ドイツなどで暮らす民族の祖先と考えられている人々 当初はバルト海や北海周辺で部族ごとに住んでいたが、367年頃から西ヨーロッパへ移動していくつかの部族国家を建設した。

軍人から官僚へ変化していった貴族

貴族という存在は古代ギリシャから存在していました。彼らは伝説の王などの子孫と信じられた人々で、「**貴種**」として特別視されたため血統が重視される傾向にあります。ただし、彼らは国家防衛に欠かせない軍の主力を担う存在でもあり、彼らの特権は**軍役の義務**のうえに成り立っていました。この点は中世社会で領主だった貴族も同様で、領民を庇護するからこそ、人々も彼らに従っていたという面があります。

しかし、こうした貴族の立場も時代と共に変化していきます。もっとも大きな変化は貨幣経済の復活[注4]で、それまで貴族が支配していた農民の自立により、貴族は地主化していきました。もうひとつは銃器の登場による戦術の変化で、騎兵として主力を担った貴族たちの価値が低下しました。こうした中で貴族は次第に没落していき、相対的に王権が強くなって政治体制が絶対王政[注5]に変わると、貴族は**官僚のような存在**になっていきました。

ファンタジー世界の王や貴族は近世がモデル

作品にもよりますが、ファンタジー世界の国王は権限が強い傾向にあります。宮廷では王を補佐する貴族の姿がよく見られ、彼らは一般にも知られる**爵位**を有していますが、これらは中世ではなく先述した絶対王政期での体制でした。統制が取れた軍隊も同様で、絶対王政期に国王が**直轄軍**を保持するようになってからのものです。中世の戦闘部隊は貴族や騎士が個々に用意した兵士たちの寄せ集めで、それぞれの利害もあって全体的な統制はそれほどとれていませんでした。こうしてみると創作作品の政治体制や軍隊については、近世をモデルにしたものが多いようです。

[注4] 西ヨーロッパの商業は未発達だったが、農業技術の進化や都市の発達などによって取引が盛んになり、貨幣が浸透して現物取引から貨幣経済に移行した。この結果、領主の土地に縛られていた農民は蓄財が可能になり、領主から自身を買い戻して自立していった。

[注5] 国王の権限が絶対的といえるほど強力になった統治体制。それまで一定の権力を有していた領主の没落により、国王による統一的な統治が可能になって登場した。

中世における土地の支配者
領主

⚜関連⚜
王族・貴族
→P.164

領主
- 組織・政治

農民との関係と領主の一日

[注1] 自由民もいたが、土地の移動を制限された農奴がほとんど。結婚や財産保有が認められていた点で古代の奴隷とは異なる。

[注2] 借地料のこと。週に2～3日領主の農地を耕作する賦役、一定量の生産物を納める現物地代、一定額の貨幣を納める貨幣地代の3形態がある。最初は賦役＋現物地代だったが、農業生産力が向上した12～13世紀からほぼ現物地代に一本化され、貨幣が普及した14世紀以降は貨幣地代が主流になった。

[注3] 結婚税、死亡税といった各種税や水車の使用料など、他にもいくつかの収入源があった。

中世の西ヨーロッパ社会で、一定範囲の土地とそこで暮らす農民[注1]を支配していた人々が領主です。こうした土地は荘園と呼ばれ、各荘園には領主直営の農地と農民の保有地の他、放牧地や森林などの共有地が含まれています。農民は領主の土地を借りて暮らす存在で、彼らから徴収する地代[注2]は領主の収入源[注3]でした。

荘園が登場したのは7～8世紀頃からです。領主は国王や諸侯、騎士といった戦士階級と司教や修道会など聖職者の一部で、彼らが当時の支配者層を形成していました。領主の一日はというと、午前中は家臣から各種の報告を聞き、その日の方針を決めて行動を指示します。家臣や住民たちの間に問題があれば仲裁や裁判なども行ない、何もなければ自身の訓練もしました。午後は領内の視察、森林で狩りをし、夜は家族と過ごします。この間、朝昼晩と3度のお祈りも欠かせません。また、当初の荘園は各地に散在していましたが、8～9世紀にイスラム勢力や異民族の侵略が相次ぐと人々が領主の館周辺に集まって暮らし始め、一円的な支配が可能になりました。

領主は創作作品にもよく登場しますが、飛び地の領地はまず登場しないのでモデルは10世紀以降のものでしょう。領主は案外忙しく、悪役の領主が暇そうなのは本来自身でやるべき仕事を家臣に押し付けているからと思われます。

臣下の臣下は臣下にあらず

中世の領主は大領主の諸侯と小領主の騎士に分けられ、互いの**契約による主従関係**にありました。契約は騎士がより力のある諸侯に一旦領地を差し出し、改めて封土として受け取る形で成立します。これによって諸侯は騎士の保護と給養の義務を負い、騎士は諸侯への奉仕と軍役の義務を負ったのです。当時すでに国王もいましたが、諸侯の代表的存在に過ぎず、あまり大きな権限もありません。そのため、国王も同様に諸侯や騎士と契約を結んでいました。

契約による主従関係は**個人的かつ双務的**なものなので、一方が亡くなったり義務違反があれば解消されます。そのため契約の維持には誠実さが求められ、これが騎士道の美徳でもありました。しかし、本来一代限りだったはずの封土がやがて世襲されるようになり、主従関係も固定化されていきました。すると、封土を得る目的で君主に仕えたり、逆に軍事的奉仕を得るために封土を与えるような、利害のみを目的に契約を結ぶ者たちも現れてしまいました。

領主 組織・政治

■封建制のしくみ（8~13世紀）

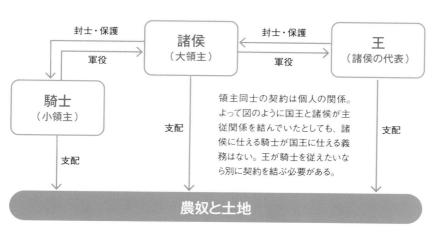

領主同士の契約は個人の関係。よって図のように国王と諸侯が主従関係を結んでいたとしても、諸侯に仕える騎士が国王に仕える義務はない。王が騎士を従えたいなら別に契約を結ぶ必要がある。

騎士団

関連

騎士
→P.44

騎士団
組織・政治

イスラム勢力と戦った宗教騎士団

中世における**騎士**は、そこまで広くはない土地と住民を支配する小領主であり、有事には武器を手に騎乗して戦う戦士でもありました。ただ、中世では戦いがあるときに招集するのが普通で、現代の軍隊のような平時から戦闘集団を保持する常備軍は備えていません。しかし、その中にも例外があり、それが**十字軍時代**[注1]に結成された**騎士修道会（騎士団）**でした。

「騎士修道会」とあるように、彼らは騎士であると同時に**修道士**でもありました。元々は第1回十字軍の際に聖地エルサレムを占領したのち、ここを訪れる巡礼者の保護を目的として結成されました[注2]。しかし、十字軍に参加した騎士の多くはヨーロッパに帰ってしまったため、聖地と周辺地域の防衛も担うようになりました。

騎士団といえば**テンプル騎士団、聖ヨハネ騎士団、ドイツ騎士団（チュートン騎士団）**が日本でも有名で「3大騎士団」とも呼ばれますが、いずれも十字軍時代に誕生した騎士団です。日本ではあまり聞きませんが、同時期のイベリア半島でも**カラトバ騎士団**や**聖ヤコブ騎士団**が結成され、イスラム勢力と戦っていました[注3]。

なお、14世紀以降は騎士の重要性が薄れていきますが、イギリスの**ガーター騎士団**[注4]に代表される名誉の象徴としての騎士団が設立されるようになりました。

[注1] 12世紀末から13世紀後半までの期間。教皇がイスラム教勢力からの防衛と聖地奪還を訴えて十字軍の派遣が決まった。大きな遠征は9回あったが、数え方は研究者によって差がある。教皇が主導したのは5回もしくは6回までで、またチュニジアへの遠征中に発起人のフランス王が病死して引き返した第8回十字軍のような例もあった。

[注2] それ以外にも、巡礼者用に設立した病院兼宿泊所の運営なども行った。

[注3] イスラム勢力に占領されていたイベリア半島の回復運動レコンキスタのこと。十字軍は13世紀に終了したが、こちらは15世紀末まで続いて完遂された。

[注4] 1348年に結成された騎士団で、騎士団勲章では最高位のガーター勲章は日本人の受勲者もいる。

ファンタジー世界でも騎士が軍の主力

　　ファンタジー世界の騎士団は、概ね十字軍時代の騎士団がモデルです。鎧の上に**十字架が描かれた上着**を身につけた姿をよく見かけますが、これも騎士修道会の騎士たちが着ていた**サーコート**と呼ばれるものです。騎士団によってデザインが違い、テンプル騎士団は白地に赤い十字架、聖ヨハネ騎士団は赤地に白い十字架、ドイツ騎士団は白地に黒い十字架が基本形ですが、異なる場合もあります。創作作品ではこれらと同じデザインが使われることもありますが、青地に白い十字架のような色違いにしたり、十字架の形を変えるといったオリジナルのもの多いようです。

　　小説やアニメでは戦争における軍隊としてよく登場しますが、小都市の自警団的な存在として設定されていることもあり、作品によって規模はマチマチです。ゲームでは回復魔法が使える聖騎士もいますが、軍隊や自警団的な騎士団の騎士は実在した騎士と同じ場合が多く、魔物やモンスターとの戦いで苦戦するケースが多々あります。

騎士団 〔組織・政治〕

■実在した主な騎士団

テンプル騎士団	第1回十字軍がエルサエレムを占領したのちの1119年に、聖地防衛と巡礼者保護を目的として設立された宗教騎士団。名称は、かつてエルサレムにあったというソロモン神殿「ソロモンズテンプル（Solomon's Temple）」に由来する。優れた金融システムをもとに発展したが、多額の借金をしたフランス王の陰謀で弾圧され1312年に解散した。
聖ヨハネ騎士団	11世紀末に南フランスの修道士が巡礼者や十字軍戦士の治療を目的てして創立した宗教騎士団。救護所を設立、運営したため「病院騎士団」とも呼ばれる。テンプル騎士団と共に聖地防衛の主力を担ったが、十字軍国家が滅亡するとロードス島へ移って「ロードス騎士団」と呼ばれるようになる。のちの1530年に今度はマルタ島へと移り、以後は「マルタ騎士団」を名乗っている。
ドイツ騎士団	第3回十字軍のさなかだった1190年に、ドイツの諸侯が病院から発展させて創立した宗教騎士団。聖地防衛や巡礼者保護を任務として第6回十字軍にも参加したが、13世紀半ば以降はバルト海付近における植民と改宗事業の中心となり、のちにドイツ騎士団国を建国。これが、15世紀前半に誕生したプロイセン公国の母体となった。
アヴィス騎士団	12世紀前半にポルトガル王国で創立された宗教騎士団。イスラム勢力から奪還したエヴォラの街を拠点としたため「エヴォラのサンタ・マリア修道会」と呼ばれが、のちに征服したアヴィスの街に拠点を移してベネディクト派の規律を採用し、以後は「聖ベネディクトのアヴィス騎士団」と呼ばれるようになった。
カラトラバ騎士団	12世紀に半ばにイベリア半島中央部のカスティーリャ王国で創立された騎士団。イスラム勢力から国教南端付近のカラトラバという城を奪還した際、カスティーリャ王がこれを維持するためにシトー修道会に協力を求めた。その後、彼らの一部が最初の団員となって騎士団が誕生し、レコンキスタ（イスラム勢力からの国土回復運動）で大いに活躍した。

169

国家における最高機関

議会

☙関連❧
元老院
→P.171

現代に通じる議会は13世紀に登場

議会とは、選ばれた議員によって構成される国家の最高機関です。国民の代表として現代では主に立法を司り、**政府の監視**する役割なども担っています。

議会の起源は1295年に**イングランドで開かれた議会**にあります。貴族と聖職者の代表が所属した貴族院、下級貴族である騎士と平民の代表が所属した庶民院からなる二院制で、騎士は各州から2名ずつ、平民は各都市から2名ずつ選ばれていました。議会の参加者は国民代表の性格が強く、以後の議会の模範とされた[注1]ことから「**模範議会**」と呼ばれます。ただ、当時はまだこうした形の議会が開かれるのは稀で、地域の代表が必ず参加するような議会が普通になるのは14世紀になってからでした。

それ以前はというと、共和制ローマ[注2]の元老院が比較的現代の議会に近い存在ですが、構成員は貴族に限られていました。中世では王が家臣を集めて意見を求めることはありましたが、これも議会とは異なるものです。

ファンタジー世界でも国王や貴族たちが話し合う場はありますが、登場する国家のほとんどが帝政や王政ということもあって平民まで参加するような制度化された議会はまずないようです。ただ、多数の現代人がゲーム世界で活動するような作品では、彼らが情報交換や問題解決の場として設置した議会が登場することもあります。

[注1] 代表的なものとしては、貴族、聖職者、平民の各代表が議員として参加したフランスの三部会がある。1302年に国王フィリップ4世が招集した。

[注2] 紀元前509年〜紀元前27年にかけてのローマ。貴族で構成された最高機関の元老院が実質的に国家を支配していたが、平民が権利拡大を求め続けた結果、のちに貴族と平民がほぼ平等な体制になった。ただし、元老院に平民が参加できるようになったわけではなく、現代の議会とは異なる。

高齢者の経験を活かす組織
元老院

関連
議会
→P.170

元老院　組織・政治

元老院の姿は老人の集団が正解?

ファンタジー世界の国家にはしばしば元老院という機関が登場しますが、これは実在していた組織です。

歴史上で元老院といえば古代ローマの元老院が有名です。当初のローマは王政で元老院は**氏族の長老**たち[注1]が王に助言する機関でしたが、共和制ローマ[注2]になったのちは国家の最高機関になりました。当時の政治組織は**政務官**[注3]と元老院、**民会**[注4]から構成され、元老院は政務官の諮問への返答と民会の議決の承認が主な役割でした。元老院が認めなければ民会の議決は反映されず、また政務官の独走を抑える役割もあり、この点は政府を監視する現代の議会にも通じています。元老院の**メンバーは終身制**で、政務官が貴族と政務官経験者から選びます。現代と同様、多くが**人生経験豊富な高齢者**が選ばれ、主に公職経験者から選ばれました。

ファンタジー世界の元老院も構成員はまず老人ですが、これは史実に即しているわけです。元々元老院を表すラテン語セナトゥス(senatus)には高齢者・老人という意味のセネス(senex)が含まれており、当初から諮問機関だったように元老院には先達の経験を活かす意味合いがあったのでしょう。ただ、権限が強いうえにメンバーが老獪な場合もあり、作品によってはよからぬことを企む特権集団として描かれるケースもあるようです。

[注1] 祖先が共通すると信じる人々による血縁集団。

[注2] 紀元前509年～紀元前27年にかけてのローマ。エトルリア人の王を追放して共和制へ移行した。

[注3] 政治、軍事、裁判の最高権力を有する共和制ローマの最高政務官でコンスル(consul)と呼ばれる。同等の権限を有する2名が兵員会から選出されたが、紀元前367年以降、1名は平民から選ぶと定められた。

[注4] ローマ市民は住居の位置や財産などによって区分けされており、民会には貴族階級の貴族会、軍の編成を流用した兵士たちの兵員会、その他の市民たちの区民会の3つがあった。

関連
犯罪組織
→P.178

秘密を共有する同士の共同体
秘密結社

秘密結社
組織・政治

古くから存在した秘密結社

[注1] 加入する際に入社式のような儀式がある組織のこと。多くは自身を高めることに意義を見出しており、その段階に応じて定められた位階を昇格していく。儀式についてのみ非公開とし、その他の情報は開示している組織もある。

[注2] 太陽神ミトラを信仰する宗教。起源などはあまり明確でないが、古くからイラン付近で信仰されていた。のちにローマ帝国にも伝わって主に軍人たちの間で信仰された。キリスト教にも影響しており、元々12月25日はミトラ教の祝日だったといわれる。

[注3] 10世紀頃に登場し12〜13世紀に広まったキリスト教の異端。「神が創った精神がサタンが創った物質世界に囚われている」という思想とこれに基づく極端な禁欲主義が特徴。キリスト教会と真逆の思想であり禁欲の教義が実質的に世俗化が進んだ教会への批判だったため弾圧された。

「秘密結社」についての明確な定義はありませんが、一般的には存在を外部の人々に秘匿していたり、メンバー内で活動内容や目的について他人に漏らすことを禁止していたりする組織とされています。また結社の性格から、政治的・犯罪的・宗教的、もしくは入社的[注1]・政治的・犯罪的の3つに分類されることが多いようです。

秘密結社的な組織は古代から存在していました。たとえば1〜2世紀頃に広まった**ミトラ教**[注2]には秘密の儀式があり、入信者は設けられた7段階の位階を昇格する際に複雑な儀礼を行なう必要がありました。他にも中世で異端とされたキリスト教の一派「**カタリ派**」[注3]や日本の「**隠れキリシタン**」などは有名で、これらは宗教的・入社的秘密結社に該当します。宗教の場合、秘密の儀式があったり諸事情から潜伏せざるを得なくなるケースも多く、秘密結社的存在になりやすいようです。

一方、政治的秘密結社は現体制への抵抗勢力が多く、オスマン帝国からの独立を目指したギリシャの「**フィリキ・エテリア**」、同じくイギリスから　の独立を目指したアイルランドの「**フィニアン**」などがあります。これらに類する組織の場合、平和的手段で活動しているうちは抗議団体ですが、体制から弾圧されると潜伏して秘密結社化し、最終的には武力闘争に発展するケースが多いようです。

秘密結社的組織が豊富なファンタジー世界

犯罪的秘密結社としては、犯罪組織の代表的存在ともいえる「**マフィア**」や人種差別思想から結成された「**クー・クラックス・クラン**」などが有名ですが、これらに限らず犯罪組織はその性格から潜伏せざるを得ず、秘密結社的になりがちといえます。ファンタジー世界でもこのタイプはしばしば登場しており、「**裏で都市を牛耳る組織**」はその典型です。また、邪神を崇める教団は、存在を知られながらも実態はまったく不明な存在としてよく登場します。障害になる者を暗殺したり拉致した人を生贄にする場合もあり、これらは宗教的かつ**犯罪的秘密結社**といった存在です。まともに見える教団でも、指導者層が外部の者と結託して真の目的のために活動している場合があり、これもまさしく秘密結社です。他にも魔法の秘術や世界の真実など、うかつには世に出せない重大な秘密を知る人々は組織的に結びついている場合が多く、**現実以上に多種多様な組織があるファンタジー世界は秘密結社の宝庫といえるでしょう。**

秘密結社 組織・政治

■中世・近世の主な秘密結社

年	年齢
カタリ派	主にフランスやドイツ、イタリアで流行したキリスト教の一派。物資世界を悪として瞑想や内省により直感的に神の知識に触れようと目指したグノーシス派の影響を受けており、上位者になるにはコンソラメントゥムという秘跡を経る必要がある。12世紀半ばにカトリック教会から禁止され、13世紀に弾圧された。
暗殺教団	イスラム教シーア派の一派であるニザール派の特殊部隊。十字軍時代にシリアで活動し、対立するイスラム教他派や十字軍の要人を暗殺していた。これがヨーロッパへ伝わって暗殺者を意味する「アサシン（Assassin）」の語源となったほか、山岳地帯の要塞で彼らを指揮する「山の老人」の伝説が生まれた。
イエズス会	1534年に創設されたカトリック教会所属の修道会。所属する修道士たちは教皇と教会の教義への服従を誓わされ、当時の宗教改革の流れを止めるべく各地で伝道した。真の霊性を育むべく秘跡などが重視され、信者たちを宗教的恍惚状態に導くため宗教芸術を用いる試みもなされたという。
フリーメイソンリー	一般には「フリーメイソン」で知られる組織。起源は定かでないが、イギリスの石工ギルドだったともいわれる。新たな道徳と霊的価値観を定義し、それを広めることを目的としており、ロッジと呼ばれる拠点が世界中にある。
薔薇十字団	15世紀頃に、クリスチャン・ローゼンクロイツなる人物が創設したとされる組織。「近東地域から秘密の医療知識を得た」「宇宙や人体の仕組みについて、真の見識を明らかにできる」などと主張し、教皇制の打破と世界の改革を訴える文書を発行して人々の心を掴んだ。組織自体は実在が疑わしいが、薔薇十字団を名乗る組織や団員と称する人物が現れるなど、社会に大きな影響を与えた。

173

⚜ 関連 ⚜

犯罪組織
　　　→P.178

都市
　　　→P.234

自警団

一般人による自衛的な組織

さまざまな形で存在する自警団

[注1] 麻薬組織による犯罪が多いメキシコでは武装した市民が自警団を組織しており、フィリピンでも自警団を治安回復に活用した例がある。また政情が安定しないアフリカでは部族間の争いもあり、自警団や武装集団同士の衝突が多い。

[注2] 主に治安維持を目的とした軍事組織で、陸軍州兵と空軍州兵がある。最高司令官は州知事だが、合衆国軍の予備兵力でもあり非常時は大統領に召集される。元々は移民時代に志願した人々が武装した自警団だが、のちに正規軍に準じた民兵となった。

　自警団とは、自身や自身が所属する共同体などを、**実力行使**によって防護するために組織された団体です。外国では警察だけでは対処しきれない麻薬組織などに対抗するため、市民たちが**自発的に武装**して自警団を組織している場合があります[注1]。またアメリカの各州が保持している州兵[注2]も、元々は武装した自警団から発展した組織でした。

　現代の日本にそこまで物々しい組織はありませんが、自治会や町会、商店会などが組織的に**防犯パトロール**をする地域があり、これも自警団のひとつといえます。防犯は警察の仕事ではありますが、どちらかといえば検挙率を高め、心理面から犯罪を思いとどまらせる**犯罪抑止**が主といえるでしょう。警察のパトロールも「巡回している」と示すことによる犯罪抑止ですが、そもそもすべての場所を常に監視できるわけでもありませんから、犯罪を100%防ぐことは不可能です。その点、市民の防犯パトロールにはより監視の目を増やす意味もあり、犯罪を遠ざけるうえで一定の効果が得られるわけです。

　また、日本政府は1995年に発生した阪神・淡路大震災の経験から、災害時における地域住民同士の相互扶助を重視し、市民による**自主防災組織**の育成に力を入れています。これもまた防災に焦点を絞った自警団といえるでしょう。

古い時代ほど自警団が重要

先述したように現代でもさまざまな自警団があります。同じように中世のヨーロッパにも自警団がありました。当時の領主は領民を守る義務があり、領内の**治安維持**もそのひとつですが、現代の警察のような組織はありません。傭兵を雇って治安維持に務めていた領主もいたようですが、そこまで裕福ではない小領主には限界がありました。

もっとも<u>当時の人々は自治の意識が強く、自警団を結成して自分たちで防犯活動をしていました</u>。現代の警察のような組織は13世紀頃から登場し始めますが、犯罪が発生した際には目撃した**付近の人々が取り押さえる**ことを奨励していたようです[注3]。1642年の作品なので近世ですが、自警団の様子を伝えるものとしては見回りに出発する都市の自警団を描いた『夜警』[注4]が有名です。<u>当時の都市にはかなり裕福な商人がおり、彼らの資金提供によって自警団が組織されることもありました</u>。

ファンタジー世界では人間の悪党だけでなくモンスターも生息しており、小説『ゴブリンスレイヤー』のように村が襲われることもあります。領主も備えはしているはずですが、兵士が村に常駐しているわけではありません。自警団の重要性は増しますが、戦士並みに鍛える必要がありそうです。モンスターに自警団が一蹴される場面はしばしば見られますから、**史実に比べてより命がけなのは**間違いないでしょう。

[注3] 当時は現代のような科学捜査が不可能なので、犯人は目撃者証言をたどって追跡するしかない。現代の日本では危険への配慮から推奨はされていないが、可能ならば現行犯で取り押さえるのが確実である。

[注4] オランダの画家レンブラントによる絵画で、正式名称は『フランス・バニング・コック隊長の市警隊』。背景が暗いため夜の場面と思われていたが、じつは昼間の情景だったことが明らかになった。よって「夜警」ではないのだが、それ故に日中にも自警団が巡回していたことがわかる。

自警団　組織・政治

関連

領主
→P.166

体制や外敵に対する抵抗組織
レジスタンス

レジスタンス 組織・政治

フランスで誕生した「レジスタンス」

　レジスタンスとは「抵抗」という意味のフランス語です。第2次世界大戦におけるフランスでのナチスに対する**抵抗運動**を指すことも多いですが、同様に他の被占領国でも抵抗運動が起きたことから、現在では抵抗運動そのものを指す言葉として広く使われています。

　ひと口に抵抗運動といっても内容はさまざまです。ドイツに直接占領されたフランス北部では早い時期から自発的に小さなグループが現れ、**武器の隠匿**や行政への**サボタージュ**[注1]、ビラによる抵抗の呼びかけといった地下活動が行われました。フランス人による親独政権が統治した南部では、社会主義者や労働運動の活動家などを中心に大きなグループが形成され、政治や思想面での反ファシスト、**反体制運動**を展開しました。しかし、ドイツによる労働徴発が激しくなって徴兵も始まった1943年になると、若者を中心に山岳や森林に逃れて**武力闘争**を始める者が現れます。「レジスタンス」と聞いて思い浮かべる、武器を手にした一般人が彼らで、**マキ**（maquis）[注2]と呼ばれています。当初は2〜30人程の小さな団体が各地で個別に活動し、**通信や輸送の妨害**、地下宣伝活動などを行っていましたが、次第に組織化されて1944年初頭には3〜4万人に増えおり、フランスの解放まで武力闘争を続けていました。

[注1] 労働者が待遇の改善などを目指して行なう労働争議における手段のひとつで、サボ（sabot）と呼ばれた木靴を機械に挟むなどして能率を低下させたことに由来する。この場合はドイツのための生産活動を強いられた労働者たちによる抵抗になる。

[注2] コルシカ島の低木林が語源で、元々は犯罪者などがよく低木林に逃げ込んだことに由来する。

176

創作作品では「レジスタンス」が一般的!?

レジスタンスの概要は先述したとおりですが、マキに相当する存在として「**パルチザン**」(partisan)や「**ゲリラ**」(guerrilla)があります。

日本でも「ゲリラ豪雨」などで使われるゲリラは「**小さな戦争**」という意味のスペイン語で、小規模の部隊による偵察や奇襲を指しています。戦法自体は以前からありましたが、ナポレオン戦争時代[注3]の武装市民を含む小部隊を活用した反仏運動が効果的[注4]だったため、この名で呼ばれるようになりました。

一方の「パルチザン」は正規の軍人ではない一般人による武装組織のことですが、ゲリラとは違ってこちらは大規模な部隊も該当します。現在は第2次世界大戦中のドイツ軍との戦いで活躍した、ソビエト連邦やユーゴスラビアのパルチザンを指すことが多いようですが、レジスタンスの一部も英語ではパルチザンと呼ばれます。

ファンタジー世界でも、しばしば圧政や故国を占領している他国に抵抗する人々が登場します。武器を手にして散発的に占領軍を襲っている場合もありますが、地道に地下で抵抗運動を広めている段階の場合もあり、彼らの呼称としては戦闘部隊を指すパルチザンやゲリラではなくレジスタンスが使われることが多いようです。

その性質上、レジスタンスは国家間の対立を扱った戦記ものでの登場が主で、主人公は自然と王族や領主、騎士団員など軍に接点がある人物が多くなります。いわゆる異世界ものとは接点が薄く感じますが、悪徳領主に抵抗する村人の組織などもレジスタンスですから、「レジスタンス」と明言されていないものも含めると、じつは比較的よく登場する存在といえるかもしれません。

[注3] フランスの英雄ナポレオン・ボナパルトに関連する戦争が続いた1799～1815年のこと。

[注4] 1808年にナポレオンは内紛に乗じてスペインへ進駐したが、スペインの人々は反乱を起こして抵抗。イギリスの援助も受けつつゲリラを活用し、1814年にはフランス軍を追い出した。

レジスタンス

組織・政治

177

関連

領主
→P.166

都市
→P.234

犯罪組織

他者から富を奪う犯罪者集団

犯罪組織

組織・政治

海上から都市内まで各所で活動

　犯罪は、古くから世界中に存在するもののひとつです。ファンタジー世界も例外ではなくさまざまな**犯罪者**がおり、ときには森林や山岳地帯に根城を構える**山賊**も登場しますが、実際はどうだったのでしょうか。

　ファンタジー世界の多くは主に中世・近世の西ヨーロッパをモデルにしていますが、都市が発展し始める11世紀頃まではあまり豊かとはいえません[注1]。そのため主に北欧地域で活動していた**ヴァイキング**のような例を除けば、犯罪組織があったとしても小規模なものでしょう。

　しかし、11世紀頃から遠隔商人の活動が活発になると、都市間の往来が増えていき、商業によって発展する都市には人々が流入し始めました。これは現在の大都市や繁華街に人々が集まるのと同じです。人はお金が動くところに集まるわけで、ファンタジー世界に登場するような犯罪組織も概ねこの時期から登場し始めたと考えられます。

　こうした状況下で手っ取り早い犯罪といえば、やはり行き交う商人などを待ち伏せして襲う**追い剥ぎ**でしょうか。西ヨーロッパの森林面積は11〜12世紀頃まで人間が暮らす領域より圧倒的に広く、街道も限られていました。森林や山岳地帯は野盗・山賊にとって格好の**潜伏場所**で、同時に待ち伏せ場所としても適していました。

　一方、都市では貧富の差が広がって防壁の内外周辺に多

くの貧民が住み始め、<u>増えた犯罪者のなかから元締めのような人物が現れて、乞食を装った犯罪組織が現れました。</u>当時は教会が貧民への喜捨[注2]を推奨していたため、彼らは傷病者や悪魔憑き、巡礼者[注3]などを装う**詐欺的手法**[注4]で人々から金を巻き上げていました。彼らは偽装が上手く、本物の困窮者と見分けがつきにくいうえに数が多いため、取締る側も頭を悩ませていたようです。

　都市間の交易が活発になると海上輸送も盛んになり、バルト海周辺ではこれを狙ってヴァイキング以外にも海賊が現れます。また地中海南方では北アフリカ周辺を根城にした**ムスリムの海賊**も現れ、航行する船舶やヨーロッパ南部の都市を襲撃していました。

[注2] 自身の財産を教会に寄付したり貧しい人に分け与えること。教会は「死後、貧しき者は天国へ、欲にまみれた金持ちは地獄へ行く」と説いていた。

[注3] 巡礼は俗人が改心の機会を得る素晴らしい行為とされ、応援と喜捨の意味も込めて寄付をする人も多かった。

[注4] 本物の傷病者や巡礼者が寄付を求めるのは合法だが、働ける者が怠け心からこれらを装うのは詐欺であり処罰の対象になった。

■主な犯罪組織と活動場所

森林

山岳

街道

野盗・山賊
森や山に潜み、通行人を襲って強盗や拉致、農村の教会襲撃などを行なった。

海賊
海で活動する犯罪集団。商船を狙うだけでなく、沿岸の街を襲うこともあった。

海

都市

窃盗団など
偽乞食の詐欺師集団のほか、少人数による窃盗団、都市内での家畜強盗などさまざま。

異世界ものをはじめとするファンタジー作品では、<u>盗賊や海賊といった犯罪組織はモンスターのカテゴリで登場したり、イベント上の障害として登場することがあります</u>。ゲームをプレイ中、重要なアイテムを盗まれたり、森や山のフィールドを移動中に襲い掛かってくる、というようなイベントに遭遇した人も多いのではないでしょうか。また、黒澤明の傑作映画『七人の侍』のように「村や町を襲う犯罪組織を撃退する依頼を受ける」、というのも王道な流れのひとつといえるでしょう。

　また、こうした<u>犯罪組織の人間は、本来は後ろ暗い存在なのですが、職業（ジョブ）として登場することもあります</u>。とくに「盗賊」（シーフ）は、職業の概念がある作品にはほぼ間違いなく登場し、「宝箱や扉の鍵開け」「ダンジョンに仕掛けられた罠の解除」など、冒険をするうえで欠かせない特技をもった存在です。この場合の盗賊は、一攫千金を目指す「トレジャーハンター」[注5][注6]のほうがしっくりくるかもしれません。

正義の犯罪者「義賊」

　犯罪を行う者は普通市民にとっては厄介者です。しかし中には、賞賛される存在もいます。それが**義賊**です。彼らは、権力者やお金持ちから金品や貴重品を盗み、平民や貧しい人たちに分け与えます。イギリスの**ロビン・フッド**やハンガリーの**ロージャ・シャーンドル**、日本なら**石川五右衛門**などは、義賊として有名です[注7]。

　とはいえ、貧民にとって英雄だとしても、狙われる富裕層にとってはただの泥棒です。行動自体は犯罪ですし、現体制への批判的な意味もありますから、支配者層としても放置できません。よって治安組織に追われたり、賞金首としてお尋ね者になることがほとんどです。

[注5]「遺跡荒らし」「盗掘者」などの言い回しもあるが、侮蔑的な言葉であることもあり、味方側の呼び方で使われることはほぼない。

[注6] このほか「怪盗」と呼ばれることもある。これはモーリス・ルブランの『怪盗紳士ルパン』に登場するアルセーヌ・ルパンのように「神出鬼没で盗みの手口が鮮やか」な泥棒に使われる。

[注7] なお、実在が確実なロージャ・シャーンドル以外は、その実在や義賊的行為を本当に行っていたかは議論の余地がある。

社会の変化によって犯罪者が増加

貨幣経済の浸透と都市の発達は貴族や騎士といった**領主**たちにも大きな影響を及ぼしました。蓄財が可能になった農民たちが、金銭と引き換えに自身を買い戻して自立し始め[注8]、**地代**[注9]による収入が減少したのです。しかも地代は慣習から固定のままだったため、物価の上昇に対応できず財政の逼迫によって没落し始め、なかには盗賊になる者も現れました。

また14〜15世紀になると気候の寒冷化、疫病、戦乱などから社会全体が暗い影に覆われ、都市部でも困窮者が増えて階級闘争的な争乱が起き始めます。もとから定住している手工業者や商人は所属ギルドの扶助を受けられますが、新参者は臨時雇いによる不安定な生活にならざるを得ず、仕事がない期間は犯罪で食いつなぐ者も多かったようです。

もっとも、犯罪に走る人間が必ずしも生活に困窮しているとは限らず、都市同士の利権対立からライバル都市の商船を襲う海賊なども存在しました。領主同士の諍いから起こる私闘も珍しくはなく、領主自身が自領の教会を略奪するというとんでもない例もありますから、ファンタジー世界に登場するような裏で盗賊団と繋がっている領主も実在したかもしれません。いずれにせよ、当時の世の中が現代の日本に比べてかなり混沌としていたのは確かで、犯罪組織は「あるのが普通」だったのかもしれません。

[注8] 農民たちは土地とセットの存在で、結婚や死亡などで人数の増減があるたびに税を徴収されていた。しかし、農民は貨幣経済の浸透で蓄財が可能になり、それを元手に領主と交渉して自身を買い戻す者が増えていった。

[注9] 農民から徴収していた借地料。農民の土地は領主が貸している名目で、地代は領主層の生活を支える重要な収入源だった。

通りたけりゃ通交料よこしな！

関連
君主と貴族
→P.164

君主の身辺警護を担う部隊
近衛兵

近衛兵

組織・政治

武装兵による護衛は危険も伴う

[注1] 国家社会主義ドイツ労働者党（ナチス）が保持した武装組織のひとつ。アドルフ・ヒトラーが自身の護衛として設立した。

[注2] 第3代皇帝カリグラが元老院の陰謀で近衛兵に暗殺され、これ以後しばしば近衛兵による皇帝暗殺が発生する。

[注3] 306年に即位したローマ皇帝。約50年ほど分断されていたローマ帝国を在位中に再統一し、その功績から「大帝」と呼ばれた。

[注4] 9〜12世紀頃に存在した東ヨーロッパの国家。現在のウクライナの首都キエフを中心に建国された。実態は君主「クニャージ」を頂点とする王国だったが、のちに君主の息子や子孫たちが「クニャージ」を称したため称号が一段格下の公として扱われるようになり、その影響で王国ではなく大公国と呼ばれている。

　近衛兵は皇帝や国王といった**君主を護衛**する**直属の軍人**です。日本では貴人を護衛する部隊を「親衛隊」と呼ぶのが一般的ですが、外国では概ねナチスの親衛隊「シュッツシュタッフェル（Schutzstaffel）」[注1]を指すようなので英語に訳す際は注意したほうがよさそうです。

　要人を特別な兵で護衛するという考えは古代からあり、帝政ローマでも初代皇帝が**直属の精鋭**を設置しました。元々ローマの軍団司令官には部隊の中から自身の警護兵を選ぶ権利があり、これが精鋭部隊の選抜へと変化したのち、皇帝を護衛する直属の精鋭部隊として採用されたのです。ところが、彼らが皇帝を手にかけて**新皇帝を擁立**する事態[注2]になり、コンスタンティヌス[注3]の代に廃止されました。また、キエフ大公国[注4]には「**ドルジーナ**」という直属部隊があり、一般的な当時の軍隊とは違って常に戦闘態勢を整えていました。信頼できる軍をまとめられる人物が高く評価されたため、大公はドルジーナを尊重して十分な報酬を与えていたといわれます。

　ファンタジー世界の場合、改めて近衛兵や親衛隊だと明言される場面はほとんど見かけませんが、王宮を警護する兵士は近衛兵と考えていいでしょう。主人公が君主や領主の場合、側近の部隊が近衛兵的な役割を担うこともありますが、腕が立つ個人が護衛を務めるケースが多いようです。

182

観客を集める催し物の主催団体
興行団体

❧関連❧
旅芸人
→P.46

楽器
→P.99

興行団体

組織・政治

興行が成立するのは近世以降

[注1] 当時の平民はほとんど移動できず、清貧を奨励する教会の教えもあって基本的に娯楽に飢えていた。

[注2] 農村も共同体だったように人々は何らかの組織に所属するのが普通で、常に放浪している旅芸人のように無所属の人々はそれ故に賤民として差別された。

[注3] イベント自体は古くからあるが、そのほとんどは支配者層による市民への娯楽提供という面がある。「興行」は観客に有料で提供する催し物のことなので、雇われて芸を披露する場合は興行とはいわない。

　　　現代に比べて娯楽の種類が少なかった中世・近世において、各種の芸人は欠かせない存在でもあります。ファンタジー世界では**吟遊詩人**が定番ですが、他にも**曲芸師、手品師、詩人、道化、各種大道芸**など、さまざまな芸人たちが存在しました。とくに各地域で定期的に開かれるお祭りは平民にとっても大きな楽しみのひとつ[注1]で、普段は身分的に差別されがち[注2]な旅芸人たちも、農村や都市などで娯楽を提供していたのです。

　　　ただし、当時は彼らが人を集めて独自にイベントを開くようなことはなく、お祭りや村の結婚式などを訪れたり、領主や教会が主催するイベントに雇われての活動でした。そもそも中世の平民に財政的余力はありませんから、観客から料金を徴収する厳密な意味でのいわゆる興行[注3]はなかなか成立しません。それが可能になるのは、少なくとも大航海時代が始まった15世紀半ば以降になるでしょう。ちなみにイタリアの**劇場興行**は16世紀、日本の相撲興行は江戸時代に入った17世紀に登場しています。

　　　ファンタジー世界でもときおり大道芸人の集団が登場しますが、やはり都市の支配者や商人ギルドといった富裕層に雇われていたりします。もっとも近年のファンタジー世界における平民は史実に比べて裕福な場合が多いですから、逆にもっと興行団体が登場してもいいかもしれません。

183

体制にまで影響を与えた
気候の変化と病原菌

　中世初期から人々を支配していた領主たちは、十字軍が盛んになった12 〜 13世紀に最盛期を迎えました。しかし、早くも14世紀から陰りが見え始め、やがて没落していきます。その背景には、都市の発展や経済の変化、民衆の自立だけでなく、人間の力ではあらがえない気候や新たな病原菌によるダメージもあったのです。

領主層にとどめを刺した小氷期とペスト

　これまでもたびたび触れてきたように、領主たちは土地に固定化された領民からの地代やさまざまな税を基盤に生活していました。しかし、彼らが最盛期を迎える理由となった十字軍によって西アジアを経由しての交易が活性化し、財を成した商人たちが台頭して都市が発展しました。この影響で貨幣経済が復活したことを受け、領主たちは現物地代から貨幣地代へと切り替えましたが、時と共に物価が上昇していきます。しかし、それまでの慣習から領主たちは地代を据え置きにし、財政が逼迫して没落することになるのです。では、領主たちはなぜ領民たちから徴収する地代を増やさなかったのでしょうか。

　1320年頃、当時の北半球は小氷期に見舞われてヨーロッパでは農業生産力が低下しました。これに加え、1348年からヨーロッパに上陸したペストの大流行が始まります。その結果、ヨーロッパでは人口の25%〜33%もの人々が命を落としました。当然ながら、領主たちの生活を支えていた農民の数も激減したため、領主たちは農民に領内に留まってもらうために、譲歩せざるを得なくなったのです。農民たちが貨幣で領主たちから自分たちを買い戻せるようになったのも、領主たちの財政が逼迫していたという事情がありました。そのため領主たちの収入はますます減少していき、生活を維持できなくなったのです。

　このとき彼らが助けを求めたのが国王でした。すると国王はこれを機に中央集権化を進め、それまで各領地に君臨していた貴族や騎士たちは国王の家臣になります。領地がすべて国王のものになったことで中世の体制は終わり、国王の権力が絶大な絶対王政期が始まりました。ファンタジー世界における体制も大抵は絶対王政期のもので、馴染みがある公爵〜男爵の爵位制度も概ねこの時期から始まったものなのです。

chapter 6

街と施設・乗り物

City facilities・Vehicle

冒険者に仕事を斡旋

冒険者ギルド

❧関連❧

冒険者	→P.36
ギルド	→P.160
酒場	→P.190

冒険者ギルド

街と施設／乗り物

冒険者を支援する巨大組織

[注1] ハンターの活動を多角的にサポートする組織。各地の狩猟拠点に支部を置いており、ギルド間で情報や資源の共有などを行なっている。

[注2] 冒険者が所属する組織で、各国に支部が存在する。冒険者に仕事を斡旋する他、危険区域の調査などを依頼することも。

　小説『ロードス島戦記』をはじめとする異世界を舞台にしたファンタジー作品には、必ずといっていいほど「冒険者」と呼ばれる人間が登場します。未開の地を探索したり、魔物を退治したりと、忙しい彼らを統括・管理しているのが冒険者ギルドと呼ばれる組織です。ゲーム『モンスターハンター』では「**ハンターズギルド**」[注1]、『原神』では「**冒険者協会**」[注2]など、その名称にはばらつきがありますが、役割としては大きく変わりません。

　冒険者ギルドは公的に認可されていることもあり、そういった場合は、ある程度の権力と高い影響力をもちあわせます。その証拠に、ほとんどの冒険者ギルドは、ひとつの国に縛られず、広い地域で活動しています。これは前述したハンターズギルドや冒険者協会にもいえることで、どちらも各地に支部が存在し、それぞれで冒険者（ハンター）たちをサポートしていました。

　冒険者ギルドの拠点は酒場を兼ねていることもあり、そこに多くの冒険者が集まって、飲めや歌えやのどんちゃん騒ぎが繰り広げられることも珍しくありません。また、こういったギルドは、仕事を手伝ってくれる仲間（パーティ）を募集したり、情報を交換する場としても機能します。これも『モンスターハンター』をはじめとするゲームでは、お馴染みの要素といえるでしょう。

冒険者ギルドでは定番のランクシステム

　冒険者ギルドのおもな役割は、多方から舞い込んだ大小さまざまな仕事を「**クエスト**」や「**ミッション**」という形で冒険者に斡旋することです。ただし、すべての冒険者が自由にクエストを受注できるわけではありません。冒険者を自称していても、ギルドに登録して正式にメンバーにならないと仕事を紹介してもらえないこともあります。また、多くの冒険者ギルドでは、雑用的な仕事は「E」、凶暴なモンスターの討伐は「A」などといったように、難易度に応じて各クエストにランクを設定しています[注3]。新米冒険者は低ランクのクエストしか受けられませんが、それを何度もこなすことで冒険者としての格が上がり、高難易度のクエストに挑戦できるようになるのです。こうした**ランクシステム**は、とくにゲームでよく見られる仕様ですが、小説『異世界チート魔術師』など、その他の作品にも取り入れられることがあります。

　自然災害や魔物の大量発生など、周辺地域の平和を脅かす事件・事故を、冒険者ギルドとそのメンバーたちが主導で解決するシーンもよく目にします。その際は、普段は表に出てこない伝説級の冒険者が現れ、問題解決に力を貸してくれるという展開もありがちですね。

[注3] アルファベットの他に、星や数字などで依頼の難易度・危険度を示すこともある。

冒険者ギルドで取り扱っている仕事

　冒険者ギルドの仕事は多岐にわたります。具体的にはモンスターの討伐や、危険区域でのアイテム収集などでしょう。こういった仕事は一般人には荷が重く、戦闘経験が豊富な冒険者に依頼がくるわけです。ただ、近年の創作物では冒険者＝なんでも屋という扱いが多く、下水道の掃除や逃げ出したペットの捕獲、野菜の収穫など、「冒険者がやる仕事か？」と思わせるものも多々あります。

関連

冒険者
→P.36

商人
→P.46

旅人のための宿泊施設
宿屋・馬小屋

宿屋・馬小屋

街と施設／乗り物

冒険者、商人ご用達の宿泊所

　ファンタジー作品、とりわけRPGなどのゲームに欠かせない施設である宿屋。街の外に平然と魔物や野生動物が徘徊しているファンタジー世界では、野宿は大変危険な行為ですが、宿屋に泊まれば安全かつ快適に一夜を過ごせます。根無し草である**冒険者**や、各地を巡る**旅商人**にとっては、最重要施設ともいえるでしょう。

　現実の宿屋と創作物の宿屋で、その仕組みに大きな違いはありません。利用者は部屋ごとに設定された料金を支払い、用意された部屋で寝泊まりするだけです。さらに、宿屋のなかには酒場を兼ねたものもあり、その場合はお酒や料理も注文できますが、そういった宿屋は近隣住民も利用するため、何かと騒がしかったりします。

　宿屋の料金についてですが、これはゲームとそれ以外の創作物でまったく異なります。ゲームでは、先の街にある宿屋ほど割高な傾向があり、最初の街と最後の街では金額に倍以上の差がつくことも珍しくありません。とはいえ、ほとんどの場合、何人泊まろうが料金が変わらないため、現実の宿屋に比べれば十分安価といえます。

　近年ではほとんど見られませんが、ゲーム『ウィザードリィ』のように、宿屋に何種類かの部屋があり、パーティメンバーの誰がどこに泊まるかで料金が増減するという作品も存在します[注1]。

[注1] 同作の場合は「ロイヤルスイート」「スイート」「エコノミー」「簡易寝台」で宿泊料金が異なる。

宿屋では体力の回復やセーブが行なえる

『ドラゴンクエスト』をはじめとするRPGでは、宿屋に泊まることで**HP**や**MP**が全回復する他、同施設でしかセーブが行なえないこともあるため、多くのプレイヤーに活用されています。ただ、体力を無料で回復できる施設が用意されている作品では、そちらが優先的に利用され、宿屋はほとんど使われないようです。ゲーム『ファイナルファンタジー』シリーズの一部の作品[注2]がこれに該当します。また、ゲーム『ブレイブリーデフォルトII』のように、時間の概念が存在する作品では、宿屋に泊まることで強制的に時間を進め、朝にするという仕様も見られます。同作では時間帯によって発生するイベントもいくつか存在するため、宿屋を使った時間操作は重宝されました。

ファンタジー世界の宿屋には、馬小屋が併設されていることがあります。これは本来、お客さんが乗ってきた馬などを繋ぎ止めておく場所ですが、無一文の冒険者が宿屋の主人に頼み込み、寝泊まりさせてもらうシーンも見かけます。宿屋の馬小屋ではありませんが、小説『この素晴らしき世界に祝福を！』でも、金欠に苦しむ主人公らが、やむを得ず馬小屋で寝泊まりしていました。すかんぴんな冒険者にはありがたい施設といえるでしょう。

[注2]『ファイナルファンタジーIII』をはじめとするいくつかのシリーズ作品では、無料で利用できる回復ポイントが用意されている。

宿屋・馬小屋

街と施設・乗り物

宿屋より馬小屋に泊まりたい？

前述した『ウィザードリィ』では、馬小屋に泊まるのがベターとされています。というのも、宿屋に泊まると時間が経過してキャラクターが年をとり、能力が低下しやすくなるからです。能力が一定以下になってキャラクターが消滅しないように、同作では時間が経過しにくい馬小屋でMPを回復、そのあとで魔法を使ってHPを回復するという独自の休息方法が推奨されていました。

異世界の食事処
酒場

関連

冒険者
→P.36

冒険者ギルド
→P.186

宿屋
→P.188

酒場には出会いの場としての側面も

酒場は、お酒や料理を提供する飲食店の一種ですが、ファンタジー世界においては、飲食店であると同時に、友人を作ったり、情報を得るための場としても機能します。

ファンタジー世界の酒場といえば、ゲーム『ウィザードリィ』の「**ギルガメッシュの酒場**」や、『ドラゴンクエスト』の「**ルイーダの酒場**」がよく知られています。これらの酒場では、仲間となるキャラクターを作成したり、パーティの編成が行えます。それぞれから影響を受けた作品も多く、酒場で仲間を募集するというシチュエーションは、他の創作物でも度々見られます。アプリゲーム『チェインクロニクル』では、キャラクターを獲得する手段として「酒場ガチャ」が用意されていました[注1]。

[注1] プレイヤーと酒場で出会い、仲間になるという設定。酒場ガチャで未所持のキャラクターを手に入れたときは、出会いを描いた専用の会話イベントも発生する。

酒場の客は主に近隣住民ですが、冒険者や旅商人、吟遊詩人など、外からやって来た人間が利用することもあります。よそ者ゆえに目立ってしまい、ガラの悪い連中に絡まれるという展開は、王道の要素といえるでしょう。

鍛冶屋

武具の作製から強化まで

≫ 関連 ≪

鍛冶屋・職人
→P.45

ドワーフ
→P.64

武器・防具屋
→P.192

鍛冶師が営む武具の製作・販売所

　　鍛冶屋は、金属を鍛えて加工し、さまざまな鉄製品を製作する職人（鍛冶師）と、その職人が経営する店を指します。ここでは後者について解説していきましょう。

　　ファンタジー世界における鍛冶屋は、比較的大きな街、あるいは鉱石の採掘地からほど近い場所に店を構える傾向があります。どの鍛冶屋も、**炉**や**金床**などの設備を有しており、職人たちはそれらを利用して鉄製品の鍛造を行ないます。武器、防具、農具、漁具など、彼らが手掛けるものは多岐にわたりますが、ファンタジー世界では武具の需要が高いため、ほとんどの鍛冶屋は剣や鎧を主力商品としています。ちなみに、多種族が暮らす世界では、人間以外の種族が鍛冶屋を営んでいることも多く、**ドワーフ**[注1]の鍛冶屋はさまざまな創作物で見られます。また、プレイヤーが選択できるジョブのひとつに鍛冶師が用意されているオンラインゲームでは、自身が鍛冶屋を営むことも可能です。

　　鍛冶屋の主な仕事は作製と販売ですが、依頼主が持ち込んだ装備品を鍛えて強化したり、壊れたものを修理するのも彼らの仕事です。たとえばゲーム『ダークソウル』シリーズに登場する鍛冶屋は、必要な素材とお金（ソウル）を支払うことで、武器の強化や修理を請け負ってくれます。こういった鍛冶屋は、とくにゲームではお馴染みの存在であり、諸作品で見られます。

［注1］北欧やドイツの伝承に登場する種族。詳しくは64ページを参照。

🦋関連🦋

防具
　　　　→P.100

聖剣・魔剣
　　　　→P.112

道具屋
　　　　→P.193

多種多様な武具がそろう
武器・防具屋

戦闘で役立つ武器や防具を販売

　魔物が生息するファンタジー世界では、剣や鎧といった装備品の需要が高いため、専門店も存在します。これらの店では、大小さまざまな武器や防具を販売しており、冒険者をはじめとする多くの人が利用しています。装備品としてひと括りにできることから、武器と防具の両方を取り扱う店もありますが、その場合は「武具屋」とはならず「武器・防具屋」などと称されるのが一般的です。また、少数ですがゲーム『ブレイブリーデフォルトⅡ』のように、道具屋が武器・防具屋を兼ねているケースもあります。

　武器・防具屋で扱っている装備品は多種多様です。武器屋では剣、短剣、斧、槍、弓、杖など、防具屋では兜、鎧、盾、各種アクセサリなどを販売しています[注1]。多くの店では、ロングソードやチェーンメイルといった凡庸な品のみ取り扱っていますが、RPGなどのゲームでは**エクスカリバー**や**村正**といった伝説的な武具を販売している店も少なくありません。細かい説明が不要なゲームならではといえるでしょう。

[注1] アクセサリは防具屋ではなく装飾品屋（アクセサリーショップ）で販売されていることもある。

いらっしゃい
安くしとくよ

関連

アイテム
→P.106

武器・防具屋
→P.192

道具の売買が可能
道具屋

旅の必需品を取り揃えた異世界の商店

　ファンタジー世界には、現実でも見られる品を含め、さまざまなアイテムが存在し、その世界の住人たちに活用されています。そういったアイテムの売買を行うのが道具屋です。この施設はとくにゲームでよく見かけますが、その他のファンタジー作品にも頻ぱんに登場します。

　ファンタジー世界の道具屋で販売しているものは、作品によってまちまちです。ただ、「**ポーション**」や「**毒消し草**」といった回復アイテムは、まず間違いなく取り扱っているでしょう。また、**松明**や**ロープ**、**ザック**などの旅の必需品的な道具も販売されているはずです。ゲームの場合、使用頻度が高い、あるいは効果が低いアイテムほど価格が安くなっており、前述したポーションなどは買い溜めするアイテムの筆頭といえます。さらに、ゲームの進行度に応じて商品のラインナップや価格が変化することも珍しくありません[注1]。ゲーム終盤、入手難度が高い貴重な品物が、大量に売られているのを見て「どうやって仕入れたんだ……？」と、疑問を抱いた人もいるはずです。こうした疑問に対する解答としてか、道具屋からアイテムの調達クエストが舞い込むこともあります。

　道具屋ではアイテムの購入だけでなく、売却も可能です。新しい街に着いたら不要なアイテムを売りさばき、必要なものを購入するのは旅の基本といえるでしょう。

[注1] ゲームではストーリーの進行度が一定以上になるとフラグが立ち、商品のラインナップなどが変化することが多々ある。

情報を売り買いする者
情報屋

関連

酒場 →P.190

スラム →P.213

対価を支払えば知りたいことを教えてくれる

　情報屋と聞くと、刑事や探偵が登場する現代のクライムサスペンスなどを想像しがちですが、情報の売買を生業にする者たちはファンタジー世界にも存在し、対価を支払うことで有益な情報を提供してくれます。

　ひと口に情報屋といっても、表、裏社会のどちらで活動しているかによって、得意なジャンルや扱っている情報が異なります。また、裏社会に精通した情報屋は、人目につく場所を避ける傾向があり、**町外れ**や**スラム**などに住んでいるのもお約束といえるでしょう。

　一般人が知り得ない王族や犯罪組織について、あるいはその地域で広く知られている民話・伝承など、情報屋が扱う情報は多岐にわたります。相手が欲するものを差し出せば、これらの情報が手に入るわけですが、何を要求されるかは時と場合によります。お金を支払うだけで済むこともあれば、厄介な仕事を依頼されることもあるわけです。

　一見すると誰にでもできそうな仕事ですが、情報屋にも腕の良し悪しがあります。「仕入れた情報の裏をとる」「確度の低い情報は売らない」「トラブルを招く情報は仕入れない」など、優秀な情報屋ほど情報を慎重に扱うものです。小説『ソードアート・オンライン』に登場する情報屋のアルゴも、トラブルの元になるとして、一部の情報は取り扱わないことにしていました[注1]。

[注1] トラブルを招くとして特定のプレイヤー（βテスター）に関する情報は取り扱っていなかった。

異世界ならではの交通手段
転送屋

※ 関連 ※
異世界 →P.12

転送屋に代わる設備・機能も登場

転送屋　街と施設／乗り物

　ファンタジー世界には、依頼主を指定した場所にワープさせる「転送屋」なる施設または職業があります。これは主にオンラインゲームなどで目にすることが多く、移動時間が大幅に短縮できることから重宝されています。

　細かい仕様は作品ごとに異なるため、一概にはいえませんが、転送屋は無制限にどこでも好きな場所へ送ってくれるわけではありません。たとえばワープできる場所が限定されていたり、条件を満たさないと利用できない場合もあります。さらに、現地に転送屋が存在しない場合、帰りは自力で帰還する必要があるなど、不便な面もあるのです。

　ただ、昨今のファンタジー作品では、転送屋の代わりに、転送を可能とするオブジェクトが用いられることもあります。ゲーム『ファイナルファンタジーXIV』の「**エーテライト**」[注1]もそのひとつです。これにアクセスし、移動先を選択すると一瞬で目的地に到着。同様の方法で帰還できるので、移動に時間をとられることはほぼありません。

　ゲームでは、転送屋やそれを可能とするオブジェクトではなく、「**ファストトラベル機能**」もお馴染みです。その仕組みは前述したエーテライトと同じで、場所を指定するだけで瞬時にそこに移動できます。ただ、こちらはオブジェクトにアクセスする必要がなく、マップ画面で目的地を選択できるため、よりお手軽といえるでしょう。

[注1] 世界各地に設置されたクリスタル。交感することで利用可能となり、転送魔法による移動を補助してくれる。

195

闘技場

関連
職業（ジョブ）
→P.38

古代ローマで生まれた円錐状の巨大建造物

剣闘士（グラディエーター）試合などの見世物が行われた古代ローマ発祥の公共施設、闘技場。闘技場を意味する英語「**コロシアム**」の語源でもあるイタリア、ローマのコロッセオは、世界的にもよく知られており、近年でも観光地として賑わいを見せています。さらに、闘技場は「**アリーナ**」とも呼ばれますが、これは「砂」を意味するラテン語「アレナ」から転じたものとされています。当時の闘技場では、競技者の血で舞台が汚れないように砂をまいていたため、そのように呼ばれるに至ったのでしょう。

闘技場は、古代ローマの支配圏に存在した複数の都市に建設されました。正確な数は不明ですが、全部で200以上も建設されたらしく、いくつかは現存します[注1]。また、とくに規格が設けられていなかったこともあり、その大きさについてはバラバラで、収容できる人数にも大きな差があます。たとえば前述したコロッセオは約5万〜8万人ですが、イタリアのヴェローナにあるアレーナ・ディ・ヴェローナは約2万5000人しか収容できないそうです。

闘技場はラテン語で「**アンフィテアトルム**」といいます。これは「周囲に客席がある劇場」という意味で、実際にどの闘技場もそのような形をしています。その見た目から、日本では「円形闘技場」と呼んだりしますが、ほとんどは完全な円ではなく、卵のような楕円形だそうです。

[注1] 保存状態が良いものはごく一部で、楕円形の土地に建築物が建っていた痕跡が残っているだけのものもある。

　闘技場で行なわれた催事といえば、やはり剣闘士による試合でしょう。剣闘士は闘技場で戦うことを目的とした戦士であり、その名前はローマ軍の主要武器であった剣、グラディウスに由来します。剣闘士の起源は定かではありませんが、剣闘士による大会は、元々故人を追悼するために行なわれており、それがいつしか見世物となって剣闘士という職業が確立されたそうです。ちなみに剣闘士はいくつかのタイプにわかれ、それぞれで扱う武器や戦闘スタイルも異なります[注2]。

　闘技場の見世物としては、剣闘士同士が闘う剣闘士試合の他、剣闘士と獣が闘う「**野獣狩り**」が存在します。さらに、古代ローマの政治家ユリウス・カエサルは、闘技場に水を流し込んで池を作り、そこに船を浮かべて戦う「**模擬海戦**」を開催しており、のちのローマ皇帝たちもこれを真似たといいます。また、闘技場は処刑場も兼ねており、罪人の処刑もこの場所で行われることがあったそうです。

[注2] 剣と盾を装備したオーソドックスなスタイルの他、槍や投げ縄、弓矢を使う剣闘士もいた。

闘技場　街と施設／乗り物

ファンタジー世界の闘技場

　ファンタジー世界にも闘技場は存在し、現実と同じように見世物としての試合が行われます。ただ、創作物では、選手登録さえ済ませれば剣闘士でなくても出場できるのが一般的です。また、試合で勝利すると、お金やアイテムなどの賞品が手に入る他、普通は立ち入れない場所に入れるようになるといった特典が得られることもあります。これらの報酬目当てに、主人公たちが闘技場の試合に出場するというシチュエーションは諸作品で目にすると思います。

　ゲームではやり込み要素のひとつとして闘技場が用意されていることが多く、その場合は闘技場で経験値を稼いだり、貴重な装備品・称号を手に入れることができます。ゲーム『ファイアーエムブレム』『テイルズ オブ』シリーズがこれに該当し、シリーズ作品のほとんどに闘技場が用意されていました。とくに前者は闘技場の有用性が高く、多くのプレイヤーが利用しています。

異世界のプレイスポット
カジノ

⚜️関連⚜️

闘技場
→P.196

スライム
→P.264

剣と魔法の世界にも娯楽は存在する

　ファンタジー世界にも、大なり小なり娯楽があります。そのひとつが現実にも存在するカジノです。カジノやそれに類する娯楽施設は、とくにRPGなどのゲームで目にすることが多く、ゲームの進行に支障をきたすほど熱中してしまった人も多いのではないでしょうか。

　ファンタジー作品におけるカジノの基本的な仕組みは、現実のカジノとさほど変わりません。まず施設内で使用できる**コイン**を購入[注1]、それを使っていくつかのゲームをプレイし、コインを増やしていきます。実際のカジノやパチンコ屋では、ここで増やしたコインを換金できますが、創作物では換金できず、景品と交換するだけの場合もあります。また、ゲーム『ドラゴンクエスト』や『グランブルーファンタジー』などは、カジノでしか交換できない専用アイテムも存在します。そういった景品が目当ての場合、ゲームを一切プレイせず、ひたすらコインを購入し、そのまま景品と交換するのも手です。これはゲーム制作者の意図に反する行動かもしれませんが、ダンジョンの探索や戦闘を行わずに強力な装備などが手に入るため、ゲームをプレイする時間がとれない人にとっては、ある種の救済措置といえます。ちなみに、オンラインゲームでは、1日に入手できるコインや交換できる景品の数に制限が設けられていることもあります。

[注1] コインやメダル、ポイントなど、その名称は作品によって異なる。

カジノに用意されているミニゲームは？

カジノやそれに類する施設で遊べるミニゲームは、作品によって異なります。定番といえるのはスロット、ルーレット、トランプ（ポーカーやブラックジャックなど）、トラックレースでしょう。どれも基本的な遊び方は現実のそれと変わりませんが、その作品独自の仕様やルールの変更などが見られます。とくにトラックレースは顕著で、競争するのが人間や馬ではなく、モンスターなどに置き換えられていることが大半です。たとえばゲーム『ファイナルファンタジー』には**チョコボ**[注2]、『ドラゴンクエスト』には**スライム**[注3]がレースを行ない、その順位を予想するミニゲームがありました。『ファイナルファンタジーⅦ』に至っては、レースに参加するチョコボを自分で育成でき、それもひとつのコンテンツとして成立しています。また、『ファンタシースターオンライン2』の「**メセタンシューター**」[注4]のように、現実のカジノではまず見られないようなミニゲームが用意されていることもあります。

[注2]『ファイナルファンタジー』に登場する架空の鳥。飛行能力はないが、陸地を素早く走れるため、移動手段として用いられる。

[注3]『ドラゴンクエスト』に登場する低級モンスター。詳しくは264ページを参照。

[注4]コインを弾として敵を倒し、ドロップしたコインを集めるミニゲーム。カジノのミニゲームとしては珍しく、最大4人でプレイ可能。

異世界の娯楽はカジノだけではない

ファンタジー世界に存在する娯楽は、カジノだけとは限りません。たとえばゲーム『テイルズ オブ』シリーズには、温泉が楽しめる入浴施設が存在し、そこでしか見られない仲間たちとの会話イベントも多数用意されています。また、同シリーズ作品に登場する闘技場も、その世界の住人にとっては重要な娯楽といえるでしょう。

カジノや温泉、闘技場などは実在するものですが、中にはファンタジー世界だからこそ実現する娯楽施設も存在します。具体的には小説『この素晴らしき世界に祝福を！』に登場する、サキュバスが経営する怪しげなお店や、漫画『異種族レビュアーズ』に登場する「サキュバス店」が挙げられます。前者はサキュバスの力で男性が望む夢を見せるというサービスを提供しており、後者はサキュバスをはじめとする多種族が働く風俗店でした。いずれもファンタジー世界ならではの娯楽といえます。

カジ
街と施設／乗り物

要衝を抑える軍事拠点

城

～関連～

結界魔法
→P.128

宮殿
→P.204

砦
→P.258

魔物たちの住居にもなる軍事拠点

[注1] 都市の一角に建てられた要塞のこと。日本人がイメージする城にあたる。有事の際、その土地を支配する王族や貴族、政治家などを収容して守るための建築物で、住居となる城館と一体化したものもある。

ファンタジー世界に必ずといっていいほど登場する城。これは要衝を抑えるために建設される軍事拠点で、主に城館、城塞[注1]、城門、城壁、堀、物見台となる塔や櫓などで構成されます。日本で城というと城塞のことですが、ヨーロッパや中国では城壁そのものや城壁に囲まれた都市を指すそうです。また、本城を守るために作られた小規模な城は、「**砦（要塞）**」や「**出城（支城）**」と呼ばれます。

中世～近世には世界各地で数多の城が築城され、それぞれに王族や貴族、あるいはその地を治める領主などが住んでいました。しかし、ファンタジー世界においては、城は必ずしも人間の住居ではありません。たとえばゲーム『ドラゴンクエスト』や小説『この素晴らしき世界に祝福を！』では、人間の敵である魔物や、彼らを統べる王たちが城を築いており、そこで暮らしていました。

城と聞いて派手な外見の建築物をイメージする人も多いでしょう。しかし、城はあくまで軍事拠点なので、見た目が地味かつ居住性の低いものも多数存在します。逆に住居として作られた見た目が華やかな城もありますが、そういったものは「**宮殿**」と呼ばれるようです。ヨーロッパなどの一部の地域では、城と宮殿を明確に区別しているため、軍事拠点であり、住居でもある日本の城は、城なのか宮殿なのか疑問を抱く人も多いといいます。

ファンタジー世界に登場する城はバリエーション豊富です。オーソドックスなパターンとしては、(1)「城＋町（城外）」、(2)「城＋町（城内）」、(3)「城壁都市（城郭都市）」の3つが挙げられます[注2]。

[注2] その他に、城だけがポツンと建っているパターンなどがある。

(1)は市民が暮らす城下町があり、その最奥に城や宮殿が建っています。城壁で囲まれているのは城塞だけなので都市部の防衛能力は低いといえます。(2)は城塞に居住区やいくつかの施設が盛り込まれ、城と町が一体化したパターンです。城内ですべてが完結するため、防衛能力は高いといえますが、(1)や(3)に比べると、そこで生活できる人数が限定されがちです。(3)は城塞と町を丸々城壁や堀で囲った都市のことで、優れた防衛能力を誇ります。こういった城を攻め落とすときは、内通者を送り込んで城門を開けさせたり、跳ね橋を降ろして味方を引き入れるのがセオリーでしょう。創作物でもそういったシーンは見られますが、ファンタジー世界の城に関しては、**魔法障壁**などの結界がはられていることもあるため、障害となるのは城壁や堀だけとは限りません。侵入者によって結界を発生させる装置が破壊され、他の敵の侵入を許すというシチュエーションはありがちです。

城

街と施設／乗り物

ダンジョンとして城が登場することも

RPGなどのゲームでは、住居でもある城がダンジョンとして用いられることも珍しくありません。軍事拠点として作られた城はとても頑丈で、何らかの理由で放棄することになっても、壊さずに残すケースがあります。こうした廃城や城跡に魔物が棲みつき、ダンジョンと化すのです。その場合、依頼を受けた冒険者が城に乗り込み、魔物の駆除を行なうこともあります。

信仰の拠り所
教会・修道院

❧関連❧

宗教
　　　　→P.18

聖職者
　　　　→P.56

キリスト教に由来する宗教施設

　中世ヨーロッパをベースに世界観を構築しているためか、ファンタジー作品では教会や修道院といった施設をよく目にします。その役割は作品によって異なりますが、元々<u>教会（教会堂）や修道院はキリスト教由来の施設</u>です。

　教会は宗教活動の拠点であり、司祭をはじめとする聖職者がミサなどの儀式を行なったり、人々に教えを説いたりする場所です。これは都市や農村など、人が集まる場所に建設されることが多く、とくに大都市には「**大聖堂**」などと呼ばれるひと際、巨大な教会が建てられています。そもそも教会では食料などを生産できないため、大なり小なり、町が近くにないと成り立たないそうです。

　一方で修道院は、世俗から離れて信仰を深めようとする修道士たちの住居であり、修道士が世俗と関わりをもたないように、都市部から離れた場所に建設されました。ただ、農村は近くにあり、交流も多少はあったようです。修道士の中には学問を修めた者も存在したため、修道院が学校や医療施設として活用されたのでしょう。また、修道士は衣食住のすべてをここでまかなう必要がありました。そのため、敷地内にはさまざまな施設が併設されています。<u>礼拝堂はもちろん、果樹園、家畜小屋、燻製小屋、工房[注1]、薬草園</u>などが挙げられます。教会と異なり、ここで作ったものを町で売って生活費の足しにすることもあったそうで

[注1] パンやワインを作るための作業場。大量に作って販売することもあったという。

す。修道院で生産された**ビール**や**ワイン**が好評を博し、好んで飲まれたケースもあります。ちなみに、修道士が集まると、自然と修道院も大きくなり、中には集落のようになった修道院も存在したといいます。

宗教的な意味合いが薄い教会も

ファンタジー作品における教会の役割は多種多様です。漫画『炎炎ノ消防隊』など、宗教的な組織が存在する場合、基本的な役割は現実の教会と大きく変わりません[注2]。一方、ゲーム『ウィザードリィ』や『ドラゴンクエスト』のように、固有の神も宗教も存在しない場合、教会がその他の施設を兼ねているケースも多々あります。そういった作品では、教会で死者を蘇らせたり、状態異常の治療などが行えます。役割としては、教会より病院に近いといえるでしょう。『ドラゴンクエスト』に至っては、施設内に神父や修道女の姿を確認できるものの、スキルポイントの振り直しやゲームデータのセーブが行なえるなど、教会とは名ばかりの多機能施設となっていました。

教会が所有する聖人にまつわる品

修道院と異なり、自給自足は不可能ですが、教会は周辺地域の経済を活性化させる力を持っていました。というのも、教会には聖遺物が保管されており、それを目当てに多くの巡礼者が教会を訪れ、その地域にお金を落としてくれました。

聖遺物とは、キリスト教の布教に勤しみ、多大なる功績を残したことで列聖された「聖人」にまつわる品です。ほとんどの聖人は布教活動の中で殉教しており、その遺骸や遺品が聖遺物として人々に崇敬されました。

当時、聖遺物を入手する方法はいくつかあったようです。具体的には「他の教会などから譲ってもらう」「新たに発見する」「ブローカーから購入する」「他所から強奪する」などが挙げられます。最も手軽な方法はブローカーから購入することですが、偽物を売っている悪徳業者も多かったらしく、複数の教会が同じ聖人の聖遺物を所有しているケースも何件か確認されています。

王族・貴族の住居

宮殿

関連

君主と貴族
　　　　→P.164

城
　　　　→P.200

脱城塞により、居住性・ビジュアルがパワーアップ

　宮殿（宮廷）は、王族や貴族、領主などが暮らす住宅のことです。日本でもよく知られている宮殿としては、**皇居（日本）**や**ベルサイユ宮殿（フランス）、バッキンガム宮殿（イギリス）、阿房宮（中国・秦）**などが挙げられるでしょう。その内部は、君主が政務を行う「**外朝**」と、居住者の生活スペースである「**内廷**」で構成されています。宮殿と聞くと美しい建物を想像しますが、宮殿は最初からきらびやかで立派な作りだったわけではありません。

　中世ヨーロッパでは、その安全性から、支配階級の者が城[注1]に居を構えることも多く、それを宮殿として扱うのが一般的でした。城塞は元々軍事拠点なので、本来であれば防衛機能に重点を置いて建設されるものですが、時代が下るにつれて、その必要性が薄れていき、やがて居住性や見た目が重要視されるようになりました。これ以降、各地で壮大な宮殿が建設され、宮殿＝豪華な建築物という認識が一般的に。現代でもそのように考えられているわけです。

[注1] 城壁に囲まれた城塞を住居として利用する者が多かった。

兵士の待機所

詰所（屯所）

関連	
騎士団	→P.168
自警団	→P.174
城	→P.200

ファンタジー世界における軍事拠点

詰所は、利用者が寝泊まりしたり、待機するための施設です。かつての日本では、参拝目的で遠方まで出向くことも珍しくありませんでした。そういったとき、詰所が簡易宿泊施設として重宝されたそうです[注1]。

創作物では、「○○騎士団詰所」というように、軍事組織が利用する**屯所**（軍事拠点）として用いられることが多く、一般人が利用する機会はほとんどありません。詰所には騎士団や自警団などに所属する人間が配備され、彼らはそこを起点に周辺の警備にあたるわけです。そういう意味では現代の交番に近いといえるでしょう。また、有事に備えて兵士が待機しておくスペースとして、城や砦のなかに詰所が設けられることもあります。

詰所の規模はまちまちで、交番のように数人の兵士が利用する小規模なものもあれば、訓練所や兵舎を兼ね備えた大規模なものも存在します。大きな詰所の場合、一度放棄されてひとの手が入らなくなると、城や砦と同じように魔物の住処になってしまうこともあるようです。たとえばゲーム『ドラゴンズドグマ オンライン』には、「**旧騎士団の詰所**」と呼ばれるダンジョンが登場します。もとが詰所なので、それほど広くありませんが、内部にはスケルトンナイトやワームといったモンスターが巣食っており、探索には危険が伴いました。

[注1] 有名な寺社の門前町には、いくつも詰所が用意されており、地方から訪れたひとたちに寝床を提供していた。

詰所（屯所）　街と施設／乗り物

205

図書館

関連
魔導書
→P.108

呪いのアイテム
→P.116

禁呪
→P.132

図書の貸し出しを行なう公共施設

　身近な公共施設として挙げられる図書館。図書館法によると、これは「図書、記録その他必要な資料を収集し、整理し、保存して、一般公衆の利用に供し、その教養、調査研究、レクリエーション等に資することを目的とする施設」です。日本には非常に多くの図書館が存在しますが、それぞれ「**国立図書館**」「**公共図書館**」「**大学図書館**」「**学校図書館**」「**専門図書館**」などに分類されます。

　図書館では図書や視聴覚資料（DVD、Blu-rayなど）の貸し出しや複写を行なっており、こうした施設はファンタジー世界にもたびたび登場します。図書という形でさまざまな知識が集まる性質上、図書館は重要な情報を得られる場として用いられる他、小説『R.O.D READ OR DIE YOMIKO READMAN "THE PAPER"』や『戦う司書』など、図書館を舞台とした作品もあるほどです[注1]。

　図書館の仕組みについて、現実とファンタジー世界で大きな違いはありません。利用者は書架に並んでいる図書を自由に閲覧できる他、司書をはじめとする管理者に許可をとれば本を借りることも可能です。ただし、ファンタジー世界では基本的に図書しか取り扱っておらず、昨今では当たり前のように設置されている図書検索用の端末やコピー機などは存在しません。

　一方で、施設に所蔵されている本に関しては、明確な違

[注1] 前者にはイギリスの大英図書館、後者には架空の図書館が物語上、重要な施設として登場する。

いがあります。その国の歴史や地理を記した図書は現実の図書館でも目にしますが、「魔法の使い方を記した書（魔導書・魔術書）」「世界規模の天変地異や終末戦争についての記録」「魔物や幻想生物（ドラゴンや人魚など）の図鑑」は、ファンタジー世界特有の図書といえるでしょう。その中には閲覧が禁止された「禁書」も多々あります。具体的には「禁呪」や「呪いのアイテム」について記された本が挙げられます。そういった本は「禁書庫」などと呼ばれる特別な場所に保管されており、それを閲覧するために登場人物が策を弄するという展開もあります。

ファンタジー世界の図書館はどれも大きい

図書館の規模は、現実だと都市の大きさに比例して変化しますが、ファンタジー世界ではやたらと大きいものばかりで、小さな図書館というのはあまり見られません。そもそも図書館自体が珍しく、その国にひとつしかなかったりするため、自然と大規模なものになるのでしょう。中には島ひとつを丸々使った超巨大な図書館も存在します。これは漫画『魔法先生ネギま！』や、その世界観を引き継いだ続編『UQ HOLDER!』に登場します[注2]。また、小説『とある魔術の禁書目録』の主要人物インデックス[注3]のように、人間が図書館と化す珍しいパターンもあります。

[注2] 図書館島と呼ばれる、湖に浮かぶ世界最大級の図書館が登場する。あまりにも大きすぎるため、その全貌を把握している者はいないという。

[注3] 完全記憶能力を有し、10万3000冊の魔道書（魔導書）を記憶している。魔道書図書館としての名は「禁書目録」。

日本に図書館が作られたのは明治時代

『図書及び図書館史』によると、世界最古の図書館は、紀元前7世紀頃のアッシリア帝国に存在した宮廷図書館です。日本では、奈良時代に石上宅嗣の私邸にあった書斎「芸亭」を、一般公開したのが図書館のはじまりだとされています。近代的な公共図書館となると、1872年に政府が設立した「書籍館」ですが、当時は有料かつ閉架閲覧制が基本で、無料貸出が行なわれたのは戦後だそうです。

関連

商人	→P.44
鍛冶屋・職人	→P.45
都市	→P.234

都市のホットスポット
広場

広場

街と施設／乗り物

市場の会場として活用された広場

[注1] 中世における広場は防災の拠点でもあり、広場のすみには水の入った桶が用意されていたという。

　中世ヨーロッパの大都市には、必ずといっていいほど広場と呼ばれる空間が存在します。ここは町の中心に位置し、その周囲には「**教会（大聖堂）**」や「**市庁舎**」といった重要な施設が建設されていました。そのため、街路が舗装されていない町でも、広場にだけは石畳が敷かれるなど、しっかり整備されていたそうです[注1]。その性質から広場には人が集まりやすく、常に活気にあふれています。イタリア（ヴェネツィア）の**サン・マルコ広場**や、フランス（パリ）の**コンコルド広場**は、観光地としてよく知られており、現代でも多くの観光客でにぎわいを見せています。

　広場はさまざまな場面で活用されましたが、とくに頻ぱんに利用されたのが市場です。大都市には市場が常設されていることもありますが、ほとんどの都市では特定の日時に市場を開く定期市が開催されていました。こうした催し物には、近隣の町や村に住む人々も参加したそうです。彼らは自分たちで育てた作物や家畜、チーズなどの加工品を持ち込み、ここで売っていました。彼らにとって定期市は貴重な収入源であり、市場が開かれる日には、都市の城門前に荷物を抱えた人々と家畜が列をなしたといいます。また、定期市には商人や職人たちも参加しました。彼らが取り扱う品は多く、食料品や日用品など、さまざまなものを露店で販売していたそうです。

広場が活用されたその他の例

各家庭に水道がなかった時代、住民たちにとって、井戸が設けられた広場は水を確保する重要な場所でもありました。ただ、都市の人口が増えてくると、つるべ式の井戸[注2]ではスムーズに水が供給できなくなり、14世紀頃には噴水が作られるようになったそうです。元々噴水は、水を供給するための設備でしたが、彫刻や装飾が施されたことで芸術性を帯び、現代では景観を彩る建造物のひとつとして扱われるようになったといいます。また、人が集まるという性質上、広場では令状の布告なども行なわれました。まだ識字率が低かった時代は、役人が立て札を立てると共に、令状を読み上げたそうです。さらに教会の司祭が説法をしたり、活動家が演説をする際も広場が活用されています。ただ、中世は言論統制が厳しく、自由な演説が許されていないため、過激な演説は少なかったようです。

例として他に挙げられるのが罪人の処刑です。重罪人は見せしめのために広場で処刑され、ひどい場合はそのまま晒し者にされたそうです。こうした文化は、かなり長いこと残り続けました。罪人が火あぶりにされたり、ギロチンで首をはねられるなど、普段は平和な場所である広場が、残酷な処刑の舞台となったわけです[注3]。

[注2] ロープの先に桶を取り付けたもの。桶を落として水を汲み、それをロープで引っ張り上げる。

[注3] 中世期は、処刑が娯楽として衆目を集めたという理由もある。

創作物における広場の役割

ファンタジー世界の都市にも大小さまざまな広場があり、現実の世界と同様に、市場が開かれたり、待ち合わせ場所として利用されています。

とくにRPGなどのゲームにおいて、広場はイベントが発生するロケーションとしてお馴染みです。この場所で、町を騒がせる重大事件が発生したり、仲間同士の何気ない会話が繰り広げられるなど、諸作品で活用されています。

関連

騎士
→P.42

城
→P.200

兵士の養成所
訓練場

戦闘技術を磨くための場所

　特定の技能を身につけるために、鍛錬や研修を行う場所が訓練所です。身近なものとしては、自衛隊員や消防隊員が利用する訓練所が挙げられます。一方、ファンタジー世界における訓練所は、主に兵士や騎士が戦闘技術を磨くための施設であり、「**修練所**」や「**練兵場**」とも呼ばれます。こういった場所では、実力の近い者同士で手合わせをして腕を磨くのが普通ですが、創作だと捕獲した魔物と戦って経験を積むというシチュエーションもよく見られます。

　大規模な演習を行なう施設を除き、訓練所は城や砦のなかに設けられていることがほとんどです。その付近には、訓練を行なう教官や兵士たちが暮らす**宿舎**、負傷した兵士を治療する**診療所**、装備の**保管庫**などが併設されています。

　木人[注1]や射撃用の的など、訓練所に存在する設備はさまざまです。その作品ならではの設備が用意されていることも。漫画『進撃の巨人』では、**立体機動装置**の適正を見るための器具が存在しました。

　ゲームでは、プレイヤーが操作を覚えたり、キャラクターを育成するための施設として訓練所が用いられることが多々あります。ゲーム『モンスターハンター』では、訓練所でゲームの基本的な遊び方が学べる他、決められた武器やアイテムを駆使してモンスターを狩猟する腕試し的なコンテンツも楽しめました。

[注1] 人間を模した木製の人形。攻撃を当てる練習などに利用する。

関連
都市
→P.234

一般人が暮らす住宅密集地
住宅街

木材や石材で作られた家が立ち並ぶ

　現実もファンタジーも問わず、大きな都市には無数の家屋が集まる住宅街が存在するものです。この場所には、主にその都市に籍をおく一般人が住居をかまえており、場合によっては町内会的な組織も作られていたりします。

　住宅街は一般人が暮らす場所ですが、現実世界とファンタジー世界で住人には差があります。というのも、人間以外の種族が登場する創作作品では、異種族も住宅街に住んでいることがあるからです。その場合、文化の違いから住人同士で喧嘩になったりする場合もありますが、大事になるケースは少なく、比較的穏やかに暮らしています。

　ファンタジー世界の時代設定に用いられやすい中世期は、家屋のほとんどは**石材**と**木材**で作られていました。とくに木材は安価で加工しやすく、中世ヨーロッパにおいては重宝されていたそうです。この頃の人口の8〜9割を農民が占めていましたから、安価な木材の需要はかなり高かったはずです。ただ、木材には燃えやすいという欠点があり、建物が密集する住宅地の家屋には、主に石材が用いられました。こちらは頑丈で燃えにくく、風化にも強いため、建築から数百年経った現在でも建物が残っていることもあります。世界遺産にも登録されているチェコ（プラハ）の「**プラハ歴史地区**」[注1]は有名で、その町並みは中世ヨーロッパそのままだと称されます。

［注1］1992年にユネスコ世界遺産に登録された。プラハ市街の中心部に位置する。

211

知識と技術を身につける場所
学校

関連
魔法学
→P.148

その世界特有の技能・技術が学べる

「国語」や「算数」など、体系化された学問を学ぶための教育機関・施設が学校です。その歴史は古く、紀元前3000 ～ 2000年頃のメソポタミアにはすでに学校の前身となる施設が存在しました。ファンタジー世界のモデルにもなる中世ヨーロッパでは、12 ～ 13世紀頃に学校（大学）が設立されています。また、日本では平安時代に貴族の子どもが学ぶための「大学寮」が設けられたそうです。

ファンタジー世界にも学校は登場しますが、現実の世界と異なり、教えるのは文字の読み書きや計算などに留まりません。異世界の学校では、その世界特有の技能・技術を教えることも多分にあります。たとえば魔法が存在する世界には、魔法を教えるための学校が登場します。これは小説『ゲド戦記』の「**学院**」[注1]や『ハリー・ポッター』シリーズの「**ホグワーツ魔法魔術学校**」[注2]が有名です。とくに前者は後年のファンタジー作品に多大な影響を与えており、最近の創作でよく見られる「魔法は然るべき場所（学校）で学ぶ」という設定の起源とされています。

魔法を含む戦闘技術を教え、戦士や魔法使いを育てる学校は、今や珍しくもありません。小説『魔王学院の不適合者 ～史上最強の魔王の始祖、転生して子孫たちの学校へ通う～』など、近年の創作物では、本来育てるような存在ではない**勇者**や**魔王**を育成する学校も見られます。

[注1] 作中には男性のみが入学可能な魔法が学べる「学院」が登場する。

[注2] 主人公のハリーは、魔法を学ぶためにホグワーツ魔法魔術学校に入学している。

都市の暗部

スラム

関連

騎士
→P.42

君主と貴族
→P.164

すべてを失った者が集まる無法地帯

　　中世ヨーロッパの生活は基本的に厳しいものでした。経済規模が未熟で、社会全体が貧しかったのです。食糧事情は天候に大きく左右され、不作の年は食料の値段が跳ね上がり、家計を直撃したといいます。農業以外の仕事も不安定で、社会保障制度などないも同然。病気や怪我をすれば高額の医療費がかかりました。こうした状況では、家や財産を失う人が後を絶ちません。彼らが集まってできたのが、スラム（貧民街）と呼ばれる場所です。

　　住んでいる人間が人間ですから、スラムは治安が悪く、為政者[注1]の目が届かない無法地帯だったそうです。スラムの住人は路上で物乞いなどをして暮らしていました。その中には落ちぶれた**貴族**や**騎士**もいたといいます。彼らは一般人より収入が多かったようですが、そのぶん支出も膨らみがちで、借金をすることもありました。多額の借金を返済しきれず、スラムに身を落とす者もいたのです。

　　ファンタジー世界にも度々スラムが登場しますが、その性質は現実のそれと変わりません。治安が悪く、ガラの悪い連中が至るところにいます。彼らは職に就かず、**物乞い**や**盗人**として食料や金品を得ていることがほとんどです。異世界のスラムには、高いカリスマ性を持つ人間がいることもお約束です。彼を中心に何かしらのグループが形成されることもあり、それが巨大な犯罪組織だったりもします。

[注1] 王族や貴族など、その地を治める領主のこと。

人の欲を満たす場所
歓楽街

関連

君主と貴族
→P.164

領主
→P.166

多種多様な娯楽施設が集まる

[注1] 主に女性の店員が男性客に性的なサービスを提供するお店。

　酒場や賭博場、娼館[注1]など、人々の欲望を満たす多種多様なお店が集まった場所が歓楽街です。享楽にふけることを戒めるキリスト教の教義に反するため、同宗教の影響力が強かった中世ヨーロッパでは、こういった場所は本来取り締まるべき対象になります。とはいえ、歓楽街は庶民の憩いの場として機能しており、厳しく規制すると領主に不満を抱く者が現れ、やがて反乱や暴動の引き金となります。そのため、表通りから外れた目立たない場所に設けられたこともあり、こういった場所は領主たちも黙認していたそうです。そもそも王族や貴族も人間なので、彼らも結局はひと目を忍んで歓楽街を利用していました。高貴な身分の男性と、娼館などで働く女性の間に子どもができ、それが諸問題を引き起こすという展開は、創作物でもありがちです。

　ただ、規制が緩すぎると、そこに裏社会的なものが形成され、麻薬や盗品の売買などの犯罪行為が横行するため、領主たちも歓楽街の扱いには慎重だったようです。

正体を偽り隠す者の住処

隠れ家

━ 関連 ━

君主と貴族
→P.164

スラム
→P.213

身を隠すために活用される家屋

　何かしらの理由から身を隠したい者たちが、人知れず暮らす家を隠れ家と呼んだりします。ほとんどの人間は、そこに誰が住んでいるのか把握していないため、「魔物や悪魔が棲みついている」「恐ろしい魔女が暮らしている」などの噂が流れることもしばしばです。

　隠れ家を利用するのは、身分を偽りたい**王族・貴族**、罪を犯して逃亡中の**手配犯**、犯罪組織の**ボス・幹部**、何者かに命を狙われている**逃亡者**、重大事件の**証人**など、多岐にわたります。また、クーデターを画策する革命軍的な組織が、集会を開く場として隠れ家を利用するケースもあります。以上は現実・ファンタジー世界のどちらにもいえることですが、ファンタジー世界に限っていえば、世俗から離れて修行に励む**武道家**や**魔法使い**、人前に出せない**忌み子**[注1]なども隠れ家の利用者として挙げられます。たとえば、ゲーム『ドラゴンクエストⅩ』には、賢者エイドスの住処として「賢者の隠れ家」が登場します。とはいっても、この隠れ家はワールドマップにしっかり表示されており、誰でも気軽に入れるようになっていました。また、ゲーム『ライザのアトリエ ～常闇の女王と秘密の隠れ家～』のように、隠れ家をプレイヤーの拠点として用いた作品も存在します。同作では隠れ家で作物を育てたり、武器を強化することが可能となっています。

[注1] 王族・貴族の隠し子や人間と多種族のハーフなど。

215

亡骸を埋葬する場所
墓地

関連

リッチ
→P.270

グール
→P.279

ウィスプ
→P.287

ファンタジー世界では魔物の棲み家になる墓地

　墓地は死者の遺体を埋葬し、弔うための場所です。その地域の住人たちで共有している場合は「**共同墓地**」、身寄りのないひとが利用する場合は「**無縁墓地**」とも呼ばれます[注1]。中世ヨーロッパでは、その都市に存在する教会が土地を提供し、町に住む人間全員で利用していました。墓地と聞いて殺風景で不気味な場所を想像する人も多いと思いますが、当時は今ほど墓地にネガティブなイメージがなかったため、ここで市場などの催し物が開かれることもあったそうです。さらに、農家は墓地に家畜を放牧し、そこに生えた草を食べさせていたともいいます。

　郊外から人里離れた森の中まで、墓地が設けられる場所はさまざまですが、これはファンタジー世界にもいえることです。その役割についても差異はなく、いずれも死者を埋葬する場所として活用されています。ただし、ファンタジー世界の墓地は魔物が棲みついていることも多く、そもそも人が近寄れない危険地帯となっているケースも珍しくありません。ゲーム『ダークソウル』の「**無縁墓地**」や「**地下墓地**」、『デモンゲイズ』の「**奴隷墓地**」などはダンジョンと化しており、その敷地内には無数のモンスターが徘徊していました。墓地に出現する敵は作品によって異なりますが、リッチやゾンビ、グール、ウィスプなどのアンデッド系モンスターが定番です。

[注1] 日本では寺院の境内地にあるものを墓地、それ以外を「霊園」などと呼ぶ。

都市の衛生にも関わる
水道施設

∽ 関連 ∽

冒険者
　　　　→P.36

生活に欠かせない水を確保するための設備

　飲み水はもちろん、生活用水や農業用水など、人間が生きていくうえで必要不可欠となる水。水道施設は、最重要資源ともいえる水を確保するための施設です。

　世界で初めて本格的な水道施設が建設されたのは、古代ローマとされています。圧倒的な力を持っていたローマ帝国は、山中の水源からローマ市街まで長大な水道を建設しました。ただ、ローマほど水道施設が整った都市はとても少なく、中世になっても上下水道を完備した町はごく一部でした。多くの場合、河川の近くに都市を築いたり、井戸を掘って水源を確保していたのです。人々が水を使うと下水の処理も必要になりますが、これもローマが進んでいただけで、下水道が完備された都市は少数でした。ひどい場所では町中にし尿をたれ流し、雨で自然に流れるのを待つような状況だったといいます。そのため、**ペスト**[注1]などの伝染病が流行し、大勢の人が亡くなりました。

　一方、ファンタジー世界の水道施設はというと、その全容が描かれる作品が少なく、具体的な仕組みについてはわからないことがほとんどです。ただ、いずれの都市も上下水道がしっかり整備されているのか、町の中はとても清潔です。稀に**冒険者**が下水道の掃除などを頼まれることから、水道施設の維持は冒険者たちの努力の賜物といえるかもしれません。

[注1] ペスト菌による感染症で、これまでに世界規模で何度か流行している。14世紀に大流行した際は約1億人が亡くなったという。感染者の皮膚が内出血し、紫黒色に変化することから「黒死病」とも呼ばれている。

防壁

🕮関連🕮

結界魔法
→P.128

城
→P.200

守りの要となる巨大建造物

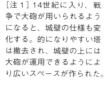

防壁は、外敵の侵入・攻撃を防ぐために、都市や建造物の周囲に築かれる防御壁のこと。創作物でもよく見られる、城に付随する「**城壁**」もその一種です。

　城の守りの要である城壁は、分厚く頑丈な石組みで作られており、上には兵士が走り回れるほどのスペースが設けられていました。さらに、城壁の上には塔が建っており、平時は警備兵が周囲を監視するために使い、戦闘時は弓兵がここに陣取って攻撃を行なったそうです[注1]。また、城壁の各所には城門という出入り口が設けられていました。二重構造だったり、跳ね橋を交えたものだったり、城門にはいくつかタイプがありますが、いずれも敵の侵入を防ぐために役立ったそうです[注2]。

　創作作品には、城壁の他にもさまざまな防壁が登場します。ポピュラーなのは、魔法の力で町全体を覆う「**魔法障壁**」でしょう。物理的な攻撃はもちろん、魔法による攻撃や敵の侵入まで防ぐ優れもので、たびたび創作家に用いられます。

[注1] 14世紀に入り、戦争で大砲が用いられるようになると、城壁の仕様も変化する。的になりやすい塔は撤去され、城壁の上には大砲が運用できるようにより広いスペースが作られた。

[注2] 門が前後にふたつある二重構造の城門の他、堀の上に跳ね橋をかけ、橋を上げるとそのまま門が閉じられる構造の城門もあった。

交易・軍事の重要拠点

港

∾ 関連 ∾

船

→P.222

船を利用するなら必須ともいえる施設

[注1] 甲板から岸に渡り板をかけ、地上と船を行き来していた。

　海上を移動できる船は、現実でもファンタジー世界でも便利な乗り物として重宝されています。ただ、船底をこすらないほど水深があり、甲板からの渡り板［注1］が届く高さの岸がないと船は上陸できません。そういった条件を満たし、自由に船舶を停泊できるようにしたのが港です。

　ここは水上輸送による交易の重要拠点になります。とくに巨大な川が流れるヨーロッパでは、川を使った水運も盛んでした。船は大量輸送に適しており、港には船に積み込む大量の物資が集まります。荷物の積み下ろしをする人間も増えていき、港町はとてもにぎやかになるわけです。また、港は軍事的にも重要な場所でした。他国の船舶を締め出して軍事的・経済的な打撃を与える他、自国の軍用船の拠点にも活用できます。食料や水が補給できる寄港地が増えれば、航海がずっと楽になるので、主要な港をおさえることは、どの国もつねに頭においていたようです。

　RPGなどのゲームでは、陸地に接岸するだけで上陸できたりしましたが、近年の作品では船を停泊するための港が用意されているケースがほとんどです。それ以外の創作物では、移動手段として船が存在する場合、大なり小なり港も登場します。新天地へ向かうために船がある港を目指したり、正規の手続きを踏まず、こっそり船に乗り込んで密航するといったシチュエーションはお馴染みです。

異世界でも大活躍
馬車

関連

商人
　　　→P.44

傭兵
　　　→P.51

船
　　　→P.222

人間や物資を運ぶ輸送手段のひとつ

　一度に大量の人間や物資を運搬できれば、時間の短縮につながり、諸々の作業が捗るわけですから、社会を発展させるうえで輸送能力の向上は重要な課題となります。これに対する解答として考案されたのが馬車です。この乗り物がいつ発明されたのかわかりませんが、紀元前2600〜1800年頃には存在していたと考えられています[注1]。

　中世ヨーロッパでは、馬車が大いに活躍しました。荷物を運ぶのはもちろん、**乗合馬車**[注2]として人間を送り届けることもありました。乗合馬車で移動すれば体力を温存できるため、子供や女性、老人なども遠出でき、巡礼や旅行に出かける人も増えたそうです。人の移動や交流が活発になると、知識の共有や異文化に触れる機会も増えるので、新たなものが生み出されるきっかけにもなったはずです。

　馬車や船の登場で物流網が整備され、中世ヨーロッパの社会は大きく発展しました。商業が興隆し、行商人が行き交うことで都市部と農村部の交流も生まれたそうです。

[注1] インダス文明の遺跡から車輪の痕跡が見られる道路跡が発掘されている。

[注2] 路線バスの起源になった交通機関。多数の人間を乗せ、決まったルートを定められた時刻どおりに走る。客に指定されたルートを走る「辻馬車」もあり、そちらはタクシーの起源とされる。また、天上が布で覆われているものは「有蓋馬車（箱馬車）」、覆われていないものは「無蓋馬車」と呼ばれていた。

ファンタジー世界の馬車にまつわるアレコレ

馬車や船のおかげで物流が発展したのは望ましいことですが、それが原因で貨物を狙う**盗賊**や**山賊**、**海賊**が増加し、その被害に遭う人も増えてしまいました。これがきっかけで、商人たちは護衛を雇ったり、他の商人とキャラバン[注3]を結成するようになったといいます。RPGなどのゲームでは、商人を護衛したり、盗賊を退治するなどのクエストをよく目にしますが、これは現実の世界でも実際に起こっていたことなのです。そもそもファンタジー世界には人間に襲いかかってくるモンスターが存在するため、何にせよ護衛役は必要になるでしょう。

ちなみに、馬車は創作作品でも優れた輸送手段として重宝されています。多くのキャラクターが仲間になるゲーム『ドラゴンクエスト』では、パーティに編成されていない者は馬車に乗る形で旅に同行します。また、ファンタジー世界では、必ずしも馬が馬車をひくとは限りません。ゲーム『ファイナルファンタジーXIV』などがこれに該当します。同作には家畜としての馬が存在せず、その役割をチョコボ[注4]が担っていました。車にあたる部分も、馬車のそれとは大きく異なるため、作中では「チョコボキャリッジ」と呼ばれています。

[注3] 目的地まで隊を組んで進む商人の一団。

[注4] 同シリーズ作品のマスコットキャラクター。外見はダチョウに似ており、陸上を素早く移動できる。一部の種は空を飛んだり、水上を走行できる。

馬車の登場で街道にも変化が

馬車の登場により社会が発展し、商業が盛んになると、街道の重要性が高まりました。馬車と馬車がすれ違えるように道が広げられたり、川に橋をかけたりと、大規模な整備が行なわれるようになったのです。また、領主は関所や橋に通行税をかけ、それを収入源としました。街道は社会のインフラであると共に、その土地を治める領主たちの貴重な資産にもなったわけです。

＊関連＊

商人
→P.44

港
→P.219

輸送力は現代でも随一

船

海上移動を可能とする船とその乗員たち

　人間が水上を進むために作り出した乗り物が船です。その歴史は古く、紀元前4000以上前には存在したといいます。船は移動手段としてだけでなく、物品を運んだり、漁をしたり、兵器としても活用されました。

　船の優れた点は、輸送能力の高さにあります。現代社会でも速度こそ飛行機に劣りますが、積載量に関しては他の追随を許さず、その他の輸送手段と比較してトップクラスです。中世ヨーロッパでも船を使った交易が盛んに行われました。取引相手を増やしたかった人々が船の改良を重ねた結果、船の大型化が進み、輸送能力も向上。より頑丈になったことで長距離を航海できるようになり、「**大航海時代**」[注1]が幕を開けたのです。

　船が大きくなると乗員の数も増えました。中世ヨーロッパの船は**帆船**なので、状況に応じて帆を広げたり、たんだりする他、風がないときはオールでこいで進むこともあったそうです。また、天候の変化をいち早く察知するために、つねに誰かが見張りを行なう必要もありました。潮風や荒波によって傷ついた船の補修も自分たちでやらねばなりません。船が大きくなるほどこれらの作業も大掛かりになるため、多くの船乗りが必要になったわけです。ただ、これは現実の船に限った話で、ファンタジー世界には適用されません。漫画『ONE PIECE』には「サウザンドサニー号」[注

[注1] ヨーロッパ人による大規模な航海が行われた15〜17世紀を指す。イタリア・ジェノヴァの商人クリストファー・コロンブスがアメリカ大陸を発見したのも大航海時代の出来事。

²⟩をはじめとする、さまざまな船が登場しますが、乗員が足りていないと思われるものもいくつか存在します。さらにゲーム作品に関しては、容量の都合もあり、船乗り自体が用意されていないことも珍しくありません。

軍船による制海権をかけた戦い

交易以外で船が役に立つ場面が、海上で繰り広げられる**海戦**です。海に面する国々は海軍を有しており、陸上だけでなく、海上でも戦いが起きました。制海権を得られれば戦略の幅が広がり、その後の戦いも有利に進められるため、海戦を制するのは重要なことでした。

海戦は単独の船同士ではなく、艦隊[注3]同士でぶつかるのが基本です。大砲が存在しなかった時代は、敵船に体当たりをかまし、乗員が乗り込んで白兵戦を行ないました。ただ、何かしらの事情で大砲が使えないときは、白兵戦を仕掛ける必要があるので、大航海時代にも船に海兵が乗っていたそうです。彼らは海賊に襲われた際、乗員を守る護衛役も兼ねています。また、艦隊には全体を指揮する**旗艦**があり、**提督**と呼ばれる艦隊司令官が座乗していました。船は車両のように小回りが効かず、各々が好き勝手に動き回ると味方の船に衝突しかねません。提督が適宜指示を出し、統制をとることでまともに戦えたわけです。

[注3] 複数の軍艦からなる部隊。日本でもよく知られるスペインの無敵艦隊は、約130隻の船で構成される。

船上で白兵戦が繰り広げられる

ファンタジー世界にも交通手段として船が登場します。基本的な性能は現実の船とそれほど変わりませんが、中には魔法の力で推進力を得たり、空を飛んだりするものも存在します。また、RPGなどのゲームでは、船上でモンスターに襲われ、戦闘になることも珍しくありません。クラーケンなどの巨大生物が船にとりつき、それを撃退するというシチュエーションはよく目にします。

大空を翔ける船

飛空艇

❦関連❧

魔法物質
→P.156

国民的RPGではお馴染みの乗り物

　飛空艇は創作作品ならではの空を飛ぶ乗り物です。人を乗せて空を飛ぶ舟状の乗り物は、これまでに多くのファンタジー作品に登場しています。ただ、飛空艇と呼ばれる乗り物に関しては正確なところは不明ですが、ゲーム『ファイナルファンタジー』を初出とする意見が多いようです。この乗り物は同シリーズのほぼすべての作品に登場することから、『ファイナルファンタジー』を象徴する要素のひとつになりました。その他に飛空艇という名の乗り物が登場するゲームとしては、『ブレイブリー』シリーズや『Worlds Adrift』、『グランブルーファンタジー』（騎空挺）などが挙げられます。これらの作品では物語やゲーム性に関わる重要な要素として飛空艇が用いられています。

　飛空艇の大きさや空を飛ぶ仕組みについては、作品によって大きく異なり、人を乗せて飛行できるという以外、これといった共通点はありません。その動力は電気的な発動機だったり、蒸気機関だったり、ファンタジー世界特有の魔法物質

だったりとさまざまです。また、飛空艇内部の仕様も一定ではなく、居住スペース以外にも何かしらの施設が用意されているケースもあります。その場合、飛空艇は乗り物としてだけではなく、活動拠点としても利用されます。さらに、『ブレイブリーデフォルトⅡ』のように、ダンジョンと化した飛空艇も存在します。その内部には無数の敵が徘徊しており、主人公らの行く手を遮りました。ちなみに、この飛空艇は、魔力的な力を内包したクリスタルを動力源としています。

ファンタジー世界でよく見る空飛ぶ乗り物

　　ファンタジー作品には、飛空艇の他にも多種多様な空を飛ぶ乗り物が登場します。中でもよく目にするのが、現実にも存在する**飛行船**です。これは巨大な気嚢[注1]に人間が搭乗できる小さなゴンドラを取り付けた乗り物です。大型の飛行船はかなりの速度で飛行できるため、20世紀頃までは、現実の世界でも航空機として活用されていましたが、今ではほとんど使われていません。

　　作品の世界観によっては、現代的な乗り物を用いるのが難しいこともあるでしょう。その場合、オーバーテクノロジー気味でも、飛行船や気球などの乗り物が、移動手段あるいは兵器として用いられる傾向にあります。

[注1]水素やヘリウムなど、空気より軽い気体をつめた縦長のガス袋。この気嚢で浮力（揚力）を得て飛行する。

飛行船が重宝された時代もある

　現代でも見られる飛行船は、数人が乗れる小さなゴンドラがついた小型船ばかりです。しかし、20世紀初頭には100人前後の乗員乗客が搭乗できる巨大な飛行船も存在しました。この飛行船は時速100キロで飛行し、2日半で大西洋を横断することも可能だったといいます。ただ、飛行機と比べて安定性に欠けることから現在では遊覧や定点観測、宣伝などのパフォーマンスに使われています。

動物から機械まで
異世界の移動手段

　ファンタジー世界の移動手段は、馬車や船だけではありません。というのも、一部の動物はある程度の知能を持ち、人間とコミュニケーションがとれるため、そういった動物を使役動物として飼い慣らすケースもあるのです。ここでは移動手段として利用される動物や、ファンタジー世界ならではの乗り物について紹介していきましょう。

人を乗せる異世界の動物たち

　ファンタジー世界には、モンスターをはじめとする多種多様な生物が暮らしています。その中には、コミュニケーションをとることで友好的な関係を築けるものも少なくありません。たとえばドラゴンは、凶暴なモンスターとして知られていますが、一部の種は人間になつくこともあります。ファンタジー世界の人々は、飼いならしたワイバーンに乗って空を飛んだり、軍馬として運用しています。創作作品では、竜に乗って戦う戦士を「竜騎士」や「ドラグーン」と呼んでいます。

　作品固有の生物では『ファイナルファンタジー』の「チョコボ」や、『ドラゴンクエストⅢ』の「ラーミア」が有名です。チョコボはダチョウに似た鳥で、空は飛べませんが、陸上を素早く移動可能です。体がそれほど大きくないため、ひとりしか騎乗できませんが、ゴンドラをひかせれば大人数が利用できる優秀な輸送手段になります。一方でラーミアは、主人公らの手で蘇った伝説の不死鳥です。人を乗せて空を飛ぶことができ、同作ではラーミアの助力を得ないとたどり着けない場所もあります。

ファンタジーとSFが融合した人型メカ

　224ページで解説している飛空艇など、ファンタジー世界でしか見られない乗り物もいくつか存在しますが、中にはSF要素の濃いものもあります。とくにアニメ『聖戦士ダンバイン』に登場するオーラバトラーは、ファンタジー世界に生物的なシルエットの人型メカが登場するという設定で当時の視聴者に衝撃を与えました。その後も、『魔法騎士レイアース』や『天空のエスカフローネ』、近年なら『ブレイク ブレイド』など、人型メカが登場するファンタジー作品は多数発表されています。

chapter 7

地理
Geography

冒険の舞台となるさまざまな環境
フィールド

❧関連❧

エルフ
→P.60

ドワーフ
→P.64

領主
→P.166

じつは少なかった平原と、中世の森林利用

平原、森林、山岳、河川、湿原、雪原、砂漠、海に離島と、世界には地域によってさまざまな環境があります。ここからは主に史実における中世西ヨーロッパの状況を中心に、各環境について紹介していきます。

先に挙げた環境の中で、平原は人間が住むに適した環境のひとつです。しかし、中世西ヨーロッパは**ほとんどが森林地帯**[注1]で、木々を伐採して開墾した土地は畑や牧草地として利用されました。そのため天然の平原は少ないですが、地質が農業に向かず放置された場所は、ふたたび森に覆われなければ人工的な平原になります。創作作品にはときおり**見渡す限りの草原**が登場しますが、これは12世紀頃までの牧草地か、もしくは各地の森林がかなり減少した13〜14世紀以降の風景になるでしょう。

土地のほとんどが森に覆われいたため、人々も当然これを利用しました。森では伐採によって木材が、採取によって果実、木の実、蜂蜜、蜜蝋[注2]などが得られ、製鉄に必要な木炭持つくっていました。何より森にはオークやブナの木が数多くあり、これらが落とすドングリ[注3]を飼料として豚の放牧が可能でした。ゲルマン人[注4]の農業技術は未発たちだったため、彼らはこうした牧畜を重視していたのです。豚とは別に牧草地で牛も育てており、豚肉やバター、チーズなどが彼らを支えていました。

[注1] 西ヨーロッパは比較的平地が多い地域だが、人間が開発する以前は日中も薄暗いほど深い森林に覆われており、人間が切り開いた居住地はほんのわずかだった。

[注2] ミツバチが巣をつくる際に分泌する油脂状の物質のこと。食用のほかロウソクの材料にも使われた。

[注3] ブナ科に属する木の実のこと。有名なスペインのイベリコ豚も放牧してドングリを餌に育ったものが最上級とされる。

[注4] 367年頃にバルト海周辺から西ヨーロッパへ移住した人々。現在の北欧や西ヨーロッパの人々の祖先と考えられている。

深い森は当時の人々にとっての「異世界」

このように森は人々の生活に欠かせぬ存在ですが、一方で**恐ろしい場所**[注5]でもありました。深い森には危険な**狼**や**熊**が徘徊しており、不用意に奥へ入り込めば迷う可能性もありました。おとぎ話でも主人公が森で迷うのは定番で、魔女が住む塔やお菓子の家、小人たちが暮らすのもすべて森ですから、当時の人々にとって**森が異界**だったことがわかります。ファンタジー世界の森といえばエルフたちの住処でもありますが、彼らが排他的に暮らせているのも森が人間の領域と隔てられているからで、迷い込んだら出られない「迷いの森」はその象徴なのです。

しかし、11世紀頃から開墾が盛んになると、森は中心となった小領主や修道会の領地に組み込まれ、使用料の徴収という形で彼らの収入源になっていきました。

フィールド

地理

中世における森林の利用

害獣退治

狼や熊など危険な野獣の退治は領主の仕事で、領民の安全を確保するだけでなく、彼らに領主としての力を示す絶好の機会でもあった。もっとも領民の狩りを禁止しながら、狼や熊については問題にしなかったという。

狩猟による訓練及び食肉の獲得

領主の狩りは軍事訓練も兼ねており、また食料の確保、そして楽しみでもあった。当初は格闘の末に仕留める猪狩りが好まれたが、これを野蛮として嫌った教会の印象操作により、のちには鹿狩りが盛んになった。

家畜の放牧

中世が始まった5世紀以来、森林では豚の放牧が盛んで、食肉といえば豚だった。開墾が進む中でも豚の放牧は続けられたが、10世紀頃から労働力としての牛馬、羊毛が得られる羊が重視されて減少していった。

木材の採取

建築用資材のほか、農業道具や日用品の材料、木炭の製作など、樹木はさまざまな用途に利用された。また開墾の際には切り株や枝などが燃やされ、その灰が土と混ぜられて新たに作る畑の肥料にもなっていた。

229

丘 陵や山岳の利用状況

森林を開墾した土地の中には丘陵地もあり、こちらは**ブドウ畑**として利用されました。というのも、ブドウの生育には適度な乾燥が必要で、水はけがよい斜面は栽培にうってつけなのです。その代表が丘陵地であるフランスの**シャンパーニュ**で、現代でもブドウの産地として有名です。教会や修道会の領地内だったり軍事上の要地でない場合は、丘の上に教会が建てられていることもありました。

また小高い丘は見晴らしがよく、頂上が**軍事拠点**として活用されることもあります。戦いでも有利[注6]なことから本陣が置かれるケースは多いようです。732年にフランク王国[注7]が侵攻してきたイスラム勢力を迎撃した際は、まだ歩兵が主力だったフランク王国が森林と丘陵を利用して騎兵を主力とするイスラム軍に対抗しました。

創作作品でも、丘の本陣から指揮を執る場面はよく登場します。また登場人物が「丘からの景色を好む」という設定はしばしば見られ、思い出の場所だったり先立った友人や恋人の墓が建てられたりする場所でもあります。

一方、標高が高く斜面が急な山岳は農業に適さず、羊や山羊などを放牧する牧草地にされています。西ヨーロッパの山岳ではドイツやフランスの南にあるアルプス山脈、フランスとスペインの国境にあるピレネー山脈がありますが、どちらも周辺地域は**牧畜**が盛んです。ただ、ここでも狼や熊が人々を悩ませており[注8]、スイスでは人狼伝説も誕生しました。また、これらの山脈は鉄鉱石の産地でもあり、ローマ時代から有名です。

ファンタジー世界の山岳は、ゴブリンなどのモンスターが住んでいたり、また謎の遺跡や地下洞窟への入り口など、冒険要素に富んだ場所のひとつです。

[注6] 斜面を登る際にはどうしても移動速度が低下するため、とくに騎兵は機動力を活かしにくい。また弓は高所から射たほうが射程が長く威力も高まるため、基本的に高所に陣取ったほうが有利になる。

[注7] 486年にフランクというゲルマン人の部族が建国した国家。他の部族が建国した国家を統合し、フランス、ドイツ西部、北イタリア周辺の広い範囲を支配した。

[注8] こうした野獣から家畜を守る目的でピレニアン・マスチフやカルパチアン・シープドッグといった大型犬が登場した。

フィールド 地理

船による輸送は荷馬車に比べて一度に運べる物資の量が多く、馬やロバなどに与える飼料も必要としない利点があります。そのため、古くから世界中で主要な運送手段のひとつとして用いられ、数多くの河川がある西ヨーロッパでも同様でした。とくにアルプス山脈から北海まで南北に流れる**ライン川**、ドイツ南部から黒海まで大陸を西へ流れる**ドナウ川**のように、川幅が広く複数の国をまたがって流れる河川では港湾が発達しました。流域には操船する船頭や水夫のような運送業者はもちろん、船大工や荷物の積み下ろしをする人夫、これらの人々を相手に商売をする商人などが住んでおり、他にも川魚を捕る漁師がいました。

また川沿いや支流の近くには農村も多く、設置された**水車**[注9]の動力に利用されてもいました。これらの河川が流れ込む大小さまざまな湖もあり、やはり漁師にとっては漁場のひとつです。

さらに大きな河川を渡るには橋、もしくは**渡し船**を利用する他に手段がなく、河川は国家や領地の境界としても機能します。大きな橋ほど軍事的にも重要なので、中には**防御用の塔**を建てたものもありました。たいてい、塔は橋の両岸と中程にいくつかありますが、河川の両岸を支配する領主が異なる場合はそれぞれが両岸の塔をひとつずつ管理し、互いに監視し合っていました。ただ、こうした橋の建設や維持にかかる費用は高額だったため、領主たちは通行料を徴収して補っていたようです。

このように河川にはさまざまな要素があります。創作作品で焦点が当たる機会は少ないようですが、目的地へ向かう途中の難所として、誰かが「水落ち[注10]」するケースはよく見られます。

[注9] 大抵は領主が設置し、領民に使用させて設定した使用料を徴収する。用途は収穫した小麦を脱穀する粉挽きが主だった。

[注10] 主人公、もしくは同行する主要人物の誰かが川へ落ちること。原因としては、突風に煽られる、何かに気を取られて足を滑らせる、突然現れた敵に襲われるなどがあり、落ちた人物がしばし行方不明になって別行動になったり、落ちる仲間を助けようとした誰かが一緒に落ちてふたりの関係が深まるといった展開がお約束になっている。

231

海は陸上よりも危険が伴いがち

船を用いた海上交易はすでに紀元前からありましたが、この頃に盛んだったのは主に東地中海でした。西ヨーロッパの周辺では8世紀末頃から<u>ヴァイキング</u>[注11]の活動が活発になり、**バルト海や北海**の周辺各地で**交易**と**略奪**を繰り返し、9世紀にイングランド東部、10世紀にはフランス北部沿岸に居住地を築いています。

大陸ではドイツやオランダ北部の人々が水路を活用して交易をしていましたが、イスラム勢力や異民族の侵入が相次いで商業が衰退しました。交易が復活するのは10～11世紀からで、北海やバルト海で穀物や材木の他、毛織物、鉱石といった生活必需品が取引されました。12世紀にはドイツの行商人たちが「**商人ハンザ**」と呼ばれる組合を結成し、帆船で異民族との交易に乗り出しました。

ファンタジー世界では海が冒険の舞台になるケースが比較的少ない[注12]ですが、近年のアニメ作品などでもときおり見かけます。ただ、登場する船については外洋での航海にも耐えられる3本マストの大型船が多く、大航海時代の船を参考にしているようです。もっとも海の覇権が生命線となる**海洋国家**なら船の改良を重視するのは当然なので、造船の技術レベルが妥当ならおかしくはないでしょう。積載量が多い丈夫な船があれば、遠方の**島を探検**できたりと行動範囲も広がります。

船を入手して行動範囲が広がるのはゲームでも同様で、海上にぽつんとある島に重要アイテムが隠されているのは定番です。ただし、**海のモンスター**は比較的強力な場合が多く、あっさり全滅する[注13]場合もあるので注意が必要です。とはいえ、未知の領域への好奇心は抑えがたいもので、この点は我々も当時の人々と同じかもしれません。

フィールド
地理

[注11] スカンジナビア半島やバルト海沿岸に住んでいた武装集団。前後に細長く、帆とオールを併用した「ロングシップ」と呼ばれる船で海を移動した。行動範囲はかなり広く、ブリテン島北西のアイスランドやグリーンランドに到たち。さらに西へ進んで北米大陸にも到たちしたようだが、彼らが築いた居留地はまだ特定に至っていない。

[注12] 海のモンスターはかなり大型の場合が多く、魔法で飛行でもしない限り船の甲板で海上の敵と戦うことになる。ゲームの場合は問題ないが、常識的に考えれば弓や魔法で対処するしかなく、剣や槍で戦う戦士などは活躍できないうえに鎧を着て海に落ちれば助からない可能性が高いため、とくにテーブルトークRPGではプレイヤーに敬遠されやすい。

[注13] コンピューターRPGでは、一般的に物語の進行具合によってプレイヤーのレベルを想定し、これに合わせてモンスターの強さが決められている。そのため船で自由に動き回ると想定外の場所に踏み込みがちで、その時点では勝てない敵に遭遇することがある。

イベント的展開になりやすい雪原と砂漠

ファンタジー世界にはしばしば雪原や砂漠が登場しますが、西ヨーロッパではあまり見られません。アルプス山脈の標高が高い場所なら一年中雪に覆われて**氷河**もありますが、平らな雪原とはやや異なります。ただ、近世の14世紀から近代の19世紀にかけて**小氷期**[注14]に見舞われており、平均気温の低下によってかなり寒い時期もあったため、真冬に大量の降雪があれば一面雪に覆われて雪原のようになることはありました。

一方の砂漠も西ヨーロッパには存在しませんが、現代では南ヨーロッパのスペインや東ヨーロッパのポーランド、カザフスタンなど数カ所にあります。ただ、これらは日本で一般的にイメージされる一面砂に覆われた土地[注15]ではなく、荒涼とした荒野といった印象です。

ファンタジー世界の環境は現実の北半球に似ており、たいていは雪原があるような寒い地域は北方、砂漠があるような暑い地域は南方に位置しています。雪原では**猛吹雪**に遭遇するケースが多く、方向を見失って迷ってしまったり、いつの間にか仲間とはぐれる場合がある他、偶然発見して避難した洞窟が地下施設の入り口だったといったケースがあります。また山岳地帯の開けた場所でも、発生した**雪崩**に巻き込まれて何かの入り口を見つける場合があります。

砂漠の場合は乗っていたラクダに逃げられる、水が尽きて気絶する、**流砂**に遭遇するといった展開が多く、通りかかった現地の人に助けられて**オアシス**へ運ばれる、流砂に飲まれたら地下の古代遺跡に到着した、などの展開がお約束です。いずれも危機的状況に陥った結果、それをきっかけに新たな人物や場所との出会いにつながるケースが多く、比較的イベントの導入に使われる傾向があるようです。

[注14] 14〜19世紀にかけての北半球の寒冷な期間。1320年頃、1460〜1550年、1660〜1715年、1880年頃と4回の波がある。とくに3度めの寒さが凄まじく、真冬にはイギリスのロンドンを流れるテムズ川が完全に凍るほどだった。

[注15] じつは砂漠にも種類がある。一面砂の砂漠は砂砂漠と呼ばれるタイプで、砂漠全体の2割程度しかない。他には礫と呼ばれる大きさ2mm以上の粒で覆われた礫砂漠、細かい粘土や土で覆われた土砂漠、岩盤が露出した岩石砂漠があり、岩石砂漠が砂漠全体の5割以上を占めている。

フィールド

地理

233

人々が集まる政治や経済などの中心地
都市

♔ 関連 ♔

ギルド
→P.160

君主と貴族
→P.166

犯罪組織
→P.178

中世の世情と中世都市が生まれる経緯

都市の定義は国によってもさまざまですが、条件としては概ね「比較的狭い地域に**人口が密集**した地域のうち、中心地となる地区があり、主要な産業が1次産業[注1]ではなく2次産業か3次産業である集落」となるようです。人口で判断する場合、西欧諸国やアメリカは2000人もしくは2500人以上が集まる地区を都市の成立条件としています。

都市は特定の場所に**定住**する人々によって形成され、古くから政治や経済、文化の中心地でした。多くの場合、都市が形成される理由は経済活動にあり、複数の街道が交差する場所、水運に便利な河川の合流地点、大きな港に適した地形などに誕生しやすかったようです。

西ヨーロッパの場合、5世紀に西ローマ帝国[注2]の支配が失われてローマ時代の都市が縮小しますが、一部はキリスト教会によって維持されてのちに**中世都市**[注3]の基盤になります。商業は消滅していませんでしたが、異民族などの侵入が相次いだ9世紀に西地中海がイスラム勢力に制圧され、交易が

[注1] 農業、漁業、牧畜など、自然に直接働きかける産業。これらによって得た原材料を加工する製造業は2次産業、小売業やサービス業が3次産業と呼ばれる。経済発展によって国民所得水準が上昇すると、国の産業は1次産業から段階的に3次産業へ比重を移していくといわれている。

[注2] 369年から東ローマ帝国と分かれて分割統治された西方のローマ帝国。異民族の侵入に脅かされるなか、反乱を起こした傭兵隊長が皇帝を追放。帝位を東ローマ帝国に返上し、西ローマ帝国としての支配権は失われた。

[注3] 10世紀頃から興隆した西ヨーロッパの諸都市のこと。

[注4] 経済規模が縮小したため貨幣経済が衰退し、とくに内陸部ではほぼ貨幣が使われなくなって現物を直接交換するようになった。

不可能になって西ヨーロッパ経済は一時後退[注4]しました。

その後、情勢が落ち着いた10〜11世紀に農業生産力が向上し、余剰生産物の現物取引が盛んになりました。11世紀末に十字軍が始まると**行商人**や**遠隔地商人**の活動が活発になり、彼らが定住を始めた集落を発展させていわゆる中世都市が誕生するのです。

都市を囲う防壁と自由都市

9世紀の戦乱で人々は都市を防御する必要性を実感し、各都市を支配する領主たちは都市周囲に**防壁**を建設しました。のちに大都市へ発展する都市では壁内に住めない新たな住人が壁の外に街を形成したため、たびたび古い壁を取り壊して新たな防壁を建設し直しています。この結果、都市の中央部に裕福な商人、中程には職人たち、壁の近くには貧民が暮らすという階層も生じました。ファンタジー世界における都市の防壁や中心部で暮らす富裕層には、こうした史実が反映されているのです。

[注5] 自治権を獲得した都市は神聖ローマ帝国統治下のドイツにも存在し、厳密には「自由都市」の名称はこちらの都市を指す。ただ、ドイツの自治都市はのちに帝国会議へ出席もしており、自治を獲得しながら帝国直属の都市として特権を得た都市もあった。よって都市の独立性が高い場合はコムーネ、自治都市ではあるが国家に所属している場合はドイツの自由都市がモデルと考えられる。

[注6] ドイツとイタリア北部は神聖ローマ帝国が統治したが、皇帝はほぼドイツに滞在していたうえにたびたび教皇と衝突していた。イタリアの諸都市では皇帝派と反皇帝派が争って反皇帝派が勝利し、本格的に自治権獲得へ向かう。

またファンタジー世界には、市民の自治で運営されている「**自由都市**」もしばしば登場します。これはイタリアの自治都市**コムーネ（comune）**がモデル[注5]でしょう。西ヨーロッパとは違い、イタリアの諸都市では商業が健在でした。十字軍が実施された10〜11世紀、貴族が領地の一部を売って得た金を元手に商業に乗り出す一方、財を得た商人は逆に土地を買い、婚姻によって貴族化しました。彼らは領主に対する自治権運動の指導者となり、君主の権力が弱く[注6]教皇に支持されたこともあって自治権の獲得に成功。貢納を免除されたうえに君主の裁判権も及ばなくなり、実質的に都市と周辺の土地を支配する独立国家のような状態になって「**都市共和国**」とも呼ばれました。

235

ファンタジー世界でのさまざまな都市形態

[注1] ここでは異世界に召喚・転生した現代人が主人公の作品を指す。

[注2] 日本でも比較的知られた作品としては1864年発表されたフランスの小説『地底旅行』、1914年から発表されたアメリカの小説『ペルシダー』シリーズなどがある。

[注3] 1726年の小説『ガリヴァー旅行記』ですでに磁場を利用して空を飛ぶ島「ラピュータ」が登場している。

　現代の都市は「商業都市」「工業都市」のように主な産業で分類されることがあります。ファンタジー世界の都市も同様ですが、こちらは主に存在する場所で分けられることが多いようです。いわゆる「異世界もの[注1]」にはまだ登場していないタイプもありますが、ここではそうした都市を紹介しましょう。

　架空の都市にはさまざまなタイプがありますが、もっとも現実的なのは迷宮都市でしょう。といっても迷宮の中に都市があるわけではなく、広大な地下迷宮や天高くそびえる巨大な塔といったいわゆる「ダンジョン」の脇にあり、集まってくる冒険者たちの拠点として機能します。「異世界もの」ではあまり見かけないようですが、ジャンルが異なる作品ではしばしば登場しています。

　地下迷宮といえば、地下に異世界や国などがあるという設定は古くからあります[注2]。ファンタジー世界ではドワーフの国がその代表で、近年でも『オーバーロード』にドワーフの都市フェオ・ジュラが登場していました。同作には主人公が拠点にしているダンジョン「ナザリック地下大墳墓」も登場しており、規模を考えるとこれも小さな地下都市といえるかもしれません。

　一方、空に島や大陸、城などが浮かんでいるという設定も昔から存在します[注3]。近年では『ロクでなし魔術講師と禁忌教典』に登場する「メルガリウスの天空城」、『無職転生 ～異世界行ったら本気だす～』の「空中城塞ケイオスブレイカー」などがあります。ただ、浮島の上に建つ城や城塞などの施設のみ、もしくは広大な大陸のどちらかが多く、いわばその中間ともいえる「都市のみが空中にある」というケースはあまり見かけません。

実現化するかもしれない架空の都市

海底都市も古くからある設定ですが、たいていは**人魚**や**半魚人**など異種族の都市です。呼吸ができないため扱いにくいのか、近年は登場作品も少ないようです。しかし、同じ海でも海上に浮かぶ**水上都市**なら呼吸の問題はありません。現代では**メガフロート**[注4]のような技術が登場し、実際に海上都市の建設を計画している国もあるようです。

海上に浮かぶといえば船ですが、その船を丸ごと都市にしたのが**船上都市**です。ファンタジー作品ではメジャーではないようですが、他の創作作品では先例[注5]があります。近年は地球温暖化による海面上昇が問題になっており、地表の多くが水没する事態が避けられなくなれば、こうした架空の都市が現実のものになるかもしれません。

[注4] 正式名称は「超大型浮体式海洋構造物」。鋼鉄でつくられた大型船の船底と同じ構造のユニットを海上で繋ぎ合わせ、何らかの方法で係留したもの。海上に浮かんでいるため地震に強く、ヘリポートや飛行場のほか、備蓄基地、物流基地などへの応用も期待されている。

[注5] SF作品『マクロス』シリーズに登場する都市機能を備えた宇宙船や、アニメ『ガールズ&パンツァー』の学園艦など。

都市
地理

■創作作品に登場するさまざまな都市

浮遊都市
古代文明の遺産、伝説上の存在の住居など、その世界の技術を超えた存在である場合が多い。

魔法都市
比較的ゲームに登場する。統治者もしくは住人の多くが魔法使い、魔法文明の遺跡などがある。

地底都市
ドワーフの国が代表だが、地中はダンジョンや魔物の住処もあるためか登場は少なめ。

宗教都市
宗教の聖地。住民のほとんどが特定の宗教の信者で、統治者も聖職者というケースが多い。

水上都市
どちらかといえばSF系の冒険作品での登場が多い。水没しかけた都市もこの部類に入る。

船上都市
都市機能を備えた巨大な艦船。都市の中で経済が回っていて補給がほぼ必要ない場合もある。

海底都市
人間が訪れるには何らかの装備か魔法が必要。邪神など強力な敵が封じられていたりもする。

その他
本文に挙げた迷宮都市の他、近年ではファンタジー世界にも学園都市的な存在も登場し始めた。

一度入ったら出られない！

迷宮

ミノタウロスのラビリンスは迷宮でもなんでもなかった!?

迷宮とは、「一度中に入ると出口がわからなくなるように造られた建造物のこと」を指します。異世界ファンタジーでは、複雑な構造を持ったダンジョンの意味で使われることが多く、主に「複数の階層にわかれるなど内部が広い」「多くの行き止まりやわかれ道がある」「隠し部屋や隠し扉といった仕掛けが施されている」「内部にはモンスターたちが潜んでおり、より深い階層へ行くほどモンスターたちも強力になる」といった特徴があります。

また、迷宮のことを英語で「**ラビリンス**」といいますが、その起源はギリシャ神話で**ミノタウロス**[注1]が閉じこめられていたラビリンスに由来します。このラビリンスはミノス王が名工ダイダロスに命じて造らせたもので、一般的には「脱出可能な迷宮」とされています。事実、物語の中でもテセウスは毛糸を使うことで、この迷宮を無事に脱出できたとなっており、その構造はさぞかし複雑だったのだろうと想像しがちです。

ところが、実際に古代ギリシャ時代に遺された

[注1] クレタ島のミノス王の妃が、雄牛と交わったことで生まれた怪物。牛の顔と人間の体を持ち、人を喰うなど狂暴な性質を持つ。ミノス王はダイダロスに命じてラビリンスを造らせ、そこにミノタウロスを閉じ込めると、生贄として9年毎に7人の少年、7人の少女をラビリンスに送らせていた。なお、ミノタウロスは英雄テセウスが退治、ラビリンスは入口から糸を垂らしながら進むことで攻略し、無事に脱出も果たしている。

「ラビリンスの図柄」は、外側から中心に向かってぐるぐると周回するように、分岐のない一本道の通路が隙間なく通されたシンプルなものとなっています。当然、一本道ですから迷いようがなく、誰でも容易に中心部へ到達し、帰ってくることができる代物でした。つまり、ミノタウロスが閉じ込められていたラビリンスは、実際は迷宮でもなんでもなく、「脱出不可能」というのは単に入った者は全員ミノタウロスに殺されてしまうことを意味していた可能性があるわけです。

時代と共に迷宮も進化

ミノタウロスがいたラビリンスは、実際には迷宮でもなんでもなかった可能性がありますが、仮に複雑な迷路型の迷宮だったとしても、目印をつけたり、あるいは「**右手法**」[注2]といったシンプルな方法で攻略されたりしてしまいます。そのため現在では、扉の選択を間違うと罠が発動する「**トラップ型**」[注3]や、先に進んでいたはずがいつの間にか元の位置に戻ってくる「**無限回廊型**」、毎回ダンジョンの構造が変わる「**ローグライク型**」といった、さまざまな迷宮のパターンが登場。より複雑でユニークな進化が続けられています。

また、異世界ファンタジーでは現実世界の主人公が異世界に飛ばされ、元の世界に戻ることができなくなりますが、「一度入ったら出られない」という意味では、これも一種の巨大な迷宮と捉えることができます。その観点でいえば、異世界ファンタジーとは、総じて「迷宮ものである」といえるのかもしれません。

もっとも、異世界ファンタジーの主人公たちの大部分は仮に「迷宮の出口」を見つけたとしても、そこから出て元の世界に戻ろうとはしないとは思いますが……。

[注2] 右手を壁に付けながら進む方法。平面的な迷路の場合、この方法だと必ず出口にたどり着くことができる。ただし、スタートないしゴールが迷路内にあるなど、迷路の構造によっては右手法の結果スタート地点に戻ってしまうといった攻略できないケースもある。

[注3] 多数のトラップが仕掛けられた迷宮のこと。一例としては、迷宮は多数の小部屋のみで構成され、小部屋には複数の扉がある。正解の扉を開けると無事に次の部屋に移動できるが、間違った扉から次の部屋に進むと罠が発動して死ぬことになる。このタイプが登場する作品には映画『CUBE』や漫画『今際の国のアリス』などがあり、たいていは正解の扉を見抜くためのヒントが提示されるなど、謎解き要素が含まれる。

239

打ち捨てられた建造物
廃墟

❀関連❀
都市
　　　　→P.234
遺跡・神殿
　　　　→P.252

なぜ廃墟ができるのか

[注1] かつてそこで暮らしていた人々が去り、建物だけが残された町のこと。

[注2] なお、廃墟ができた時期が非常に古かったり、歴史的価値がある場合は「遺跡」に分類される。

ファンタジー作品で比較的よく使われる舞台に、廃墟があります。主人公たちが冒険の途中で**ゴーストタウン**[注1]を発見する、あるいは打ち捨てられた古城や神殿を探索するというのは、ゲームでは定番のひとつです[注2]。

廃墟ができる理由はさまざまですが、まず挙げられるのは、火山の噴火や洪水などの自然災害によって都市が廃墟となるケースです。歴史的にも、かつてイタリアにあった「**ポンペイ**」という都市は、紀元79年に起きた火山噴火の火砕流に飲み込まれ、廃墟になったと伝えられます。また神話や伝承では、神の怒りによって天変地異が引き起こされ、都市が滅びるケースもあります。

「戦乱」も廃墟ができる大きな理由のひとつです。軍隊や盗賊集団、モンスターの襲撃などによって住民が町や村を追われた結果、廃墟となってしまうのです。この場合、建物が崩れていたり、火災の跡が残っていたりと、より荒廃した姿となります。また、こうした廃墟を犯罪集団が拠点にしたり、モンスターが巣くっていたりもします。

[注3] 軍艦島の通称で知られる長崎県の端島も、かつては海底鉱山の島として栄え、日本初の鉄筋コンクリート造の高層アパートなども建設されたが、1974年の閉山に伴って島民が島を離れたことで、建物だけが残る無人島となった。

現実世界でも比較的起こりやすいのが、経済的理由による廃墟化です。かつては鉱山の町として栄えたが、鉱石が採れなくなったことで住民が去った[注3]ことなどが理由として挙げられます。旧王朝時代の城や宮殿がそのまま打ち捨てられたり、平和な時代になったことで軍事施設が放置

されて廃墟化する場合もあります。

　この他にも、何らかの魔法や呪いによって村人が消えた、あるいは石や動物に変化させられた結果、町が廃墟のようになってしまった、というようなファンタジーならではの原因、逆にあまりファンタジーでは見られないものに、研究施設などで事故が起き、その影響で周辺地域に人が住めなくなり、町や村が廃墟になるパターンもあります。

廃墟ができた背景を知る

　ここまで紹介したとおり、廃墟ができる背景には事故や災害、戦争といった悲劇が存在しているケースも少なくありません。これは現実世界でも同様で、「なぜその建物が廃墟となったのか」を知ることで、未来への教訓にできます。廃墟とは単にさびれた建造物なのではなく、過去の歴史を未来に伝えるモニュメントでもあるのです。

■世界の有名廃墟

イギリス
マンセル要塞

ウクライナ
プリピャチ
（チェルノブイリ）

日本
端島（軍艦島）

ブルガリア
ブズルジャ記念館
（旧共産党ホール）

アメリカ
カリフォルニア州ボディ

廃墟
地理

モンスターたちが潜む天然のダンジョン

洞窟

◈ 関連 ◈

隠れ家
→P.215

迷宮
→P.238

隠れ里
→P.256

洞窟
地理

探索だけではない洞窟の利用法

ファンタジー作品における洞窟は、冒険者たちが探索するダンジョンとして描かれることが多いですが、それ以外にも住居や宗教的施設、貯蔵庫、鉱石の採掘場といったさまざまな用途があります。

洞窟を住居とするケースは大きくふたつの理由が考えられます。ひとつは人目を避けるためです。これには何らかの迫害を受けた人々（種族）がやむなく隠れ住んでいる場合や、その存在を公にできない**秘密結社**がアジトとして利用するといったものがあります。

もうひとつは、元来の性質によるものです。たとえば、北欧神話[注1]における**ドワーフ**は地中を好み、岩穴で暮らすとされています。また、いわゆる**地底人**のような存在が登場するパターンもあります。この場合、その住処は簡素なほら穴ではなく、発達した都市機能を備えた、巨大な地下都市として描かれることもあります。

宗教施設は、僧侶たちの修行の場、あるいは何らかの宗教的儀式を行なうための場として利用されるケースです。実際の歴史上でも見ても、洞窟と宗教には深いつながりがあります。たとえば、仏教徒たちは洞窟に篭って修行を行ないましたし、『エヴァンゲリオン』シリーズにも登場する**死海文書**[注2]も洞窟の中で発見されています。さらにいえば、世界中のさまざまな洞窟の奥で、旧石器時代に描かれ

[注1] ノルウェー、スウェーデン、デンマーク、アイスランドといった北欧の古代ゲルマン人に伝わる神話。『エッダ』および『スノッリのエッダ』を根本資料とし、世界樹ユグドラシルを軸に神々と巨人たちの戦いなどが描かれる。

[注2] イスラエルの死海北西岸にある洞窟群から発見された古文書の総称。紀元前2世紀以降に制作されたとされ、「エステル記」を除く『旧約聖書』の最古の写本の他、ユダヤ教の一派クムラン教団の戒律や思想などが記されている。ちなみに、『エヴァンゲリオン』では、「裏死海文書」と呼ばれる使徒の襲来などを予言を記した書の存在が語られている。

た動物の壁画が発見されていますが、これも狩りの成功を祈願するためだったという説もあります。

　また、洞窟内は1年中温度や湿度が一定に保たれていることも多く貯蔵庫としても最適でした。他にも標高の高い位置にある洞窟は内部も氷点下になることから、天然の氷の切り出し場としても利用されていました。

洞窟にはさまざまな種類がある

　ひと口に洞窟といっても、その構造などによって、下表のようにさまざまなタイプに分類できます。ゲームでもこうした洞窟の特徴を見ることができ、たとえばRPG『ドラゴンクエストXI』の「霊水の洞くつ」は鍾乳洞的な描かれ方をしている他、アクションゲーム『モンスターハンターライズ』には溶岩洞、『フォートナイト』には氷洞の名前を持つステージがそれぞれ登場しています。

洞窟

地理

■洞窟のおもな種類

自然洞窟	鍾乳洞	石灰岩が雨水や地下水によって溶食されることでできた洞窟。水に溶けて結晶化した石灰岩が、天井からつららのようにぶら下がっているのが特徴です。また、洞窟内を水が流れていたり、水たまりができている箇所もあります。日本にも数多くの鍾乳洞があり、中でも岩手県の「龍泉洞」、山口県の「秋芳洞」、高知県の「龍河洞」は日本三大鍾乳洞と呼ばれ、人気の観光スポットとなっています。
	氷洞	水によって氷河が溶かされることでできた洞窟。アイスランドのヴァトナヨークトル氷河にできる洞窟が有名で、夏の間に溶けた水によって氷の中にトンネルが作られるためシーズンごとに形が変化するのが特徴です。
	海蝕洞	波によって岩石が削られてできた洞窟。イタリアのナポリにある「青の洞窟」が世界的に有名ですが、日本にも静岡県の「堂ヶ島天窓洞」や兵庫県にある「但馬御火浦の海蝕洞群」など数多くの海蝕洞が存在しています。
	溶岩洞	火山の噴火によって流出した溶岩の中にできた洞窟。日本だと観光スポットにもなっている富士山の鳴沢氷穴や富岳風穴が溶岩洞としてよく知られています。
人工洞窟		坑道など人工的に作られた洞窟。世界遺産にも登録された島根県の「石見銀山」は1715年に開発された銀の採掘坑道として知られています。

異民族や未開の地との境界
辺境

関連

国家
　　　　→P.16

領主
　　　　→P.166

スローライフ系の舞台としても人気

　辺境とは中央から遠く離れた地域のことです。一般的には国境沿いや、文明社会と未開社会とが接触する地域を指し、人口が少なく、中央政権の影響が及びにくいといった特徴があります。

　異世界が舞台のファンタジー作品では、いわゆる田舎町（村）として描かれることが多く、畑を耕して自給自足の生活を送るといった、**スローライフ系**[注1]の作品の舞台として使われることもあります。

　フィクション作品において、こうした辺境の村が描かれる場合、ポジティブな面とネガティブな面のいずれかが強調される傾向にあります。ポジティブな面とはすなわち「牧歌的」「村人たちが親切で人当たりがいい」「村人同士の結束が固い」といったもので、ネガティブな面は「よそ者に対して警戒心が強く排他的」「中央政権の目が届かないのをいいことに賄賂や汚職がはびこっている」「前時代的な価値観が残る」といったものです。

　また、村ごとに独自の

[注1] 派手なバトルを主体とせず、異世界での日常の暮らしなどを描いた作品。現実世界を舞台にした作品が多かったが、最近は『神たちに拾われた男』『異世界のんびり農家』『村人転生 最強のスローライフ』『田舎のホームセンター男の自由な異世界生活』など異世界を舞台とした作品でも人気になってきている。

掟（ルール）[注2]が定められていることもあります。こうした掟はコミュニティーを維持していくために不可欠なものですが、その村ならではの価値観や風習に基づいて定められることもあり、外部の人間からすると非合理的だったり、倫理的に許容できないと感じる掟が存在している場合もあります。

[注2] 日本でも室町時代から戦国時代にかけての村落では、村民の合議制によって定められた「惣掟」という法令が存在しており、たとえば殺人や窃盗といった重大な行為については、多くの場合、死刑という重い罰則が課されていた。

辺境は社会を大きく動かすきっかけにもなる

辺境と聞くと、なんとなく中央政府にとってあまり価値のない場所と思いがちですが、それは誤りです。たとえば、国境沿いの場合、他国と接する辺境は軍事的に非常に重要な地域となります。実際、中世ヨーロッパのフランク王国や神聖ローマ帝国では、国境沿いの辺境には「辺境伯」という特別な官職を設けて、その統治に当たらせていました。辺境伯はその地域の軍事・行政・司法についてのほぼ全権が与えられるなど、通常の地方長官よりも大きな権限を有しており、こうした辺境伯が独自に力を蓄えたことで、やがてオーストリア大公国といった新たな国家[注3]が誕生するきっかけともなっています。

[注3] 現在のオーストリア共和国の前身となった国家。神聖ローマ帝国内の領邦として1457年に成立し、1806年の神聖ローマ帝国の解体まで、ハプスブルク家によって統治された。

[注4] 新たに金が発見された地へ、金脈を掘り当てて一攫千金を夢見る人々が殺到すること。アメリカだけでなく、カナダ、オーストラリア、チリ、ニュージーランドなどでもこうした現象が発生している。

また、アメリカの西部は、かつてはほとんど人の住んでいない辺境でしたが、1848年にカリフォルニアで金が発見されてゴールドラッシュ[注4]が起きたことで、国内外から人の流入が一気に加速。なにもなかった荒野に次々と町や集落が生まれ、駅馬車や蒸気船の運行も開始されるなど、瞬く間に発展を遂げます。これらは当然、経済にも刺激を与え、物価の上昇や雇用の創出が起こるなど、社会全体に大きな影響を与えました。

つい軽視されがちな辺境ですが、新国家の誕生や希少鉱物の発見など、ときに時代を大きく動かすきっかけとも成り得るのです。

関連

都市
→P.234

天空
→P.248

魔王
→P.312

天高くそびえる建造物
塔

ファンタジーにおける塔の利用方法

　最上階に魔王が棲んでいたり、お姫様が幽閉されていたりと、ファンタジー作品における塔は多彩な物語性を持った存在として登場します。

　塔が建設される理由はさまざまですが、もっとも一般的なのは監視のための塔でしょう。中世ヨーロッパでは城や砦、領主の邸宅、国境地帯などに監視塔が併設され、敵の襲来や不審者の侵入を監視するために使用されました。

　また、塔そのものが城塞や住居として利用されているケースもあります。たいていの場合、そこに住むのは魔王や魔法使いといった特別な力を持つ者たちで、『指輪物語』でも冥王サウロンがバラド＝ドゥーアという城塞化した塔に、裏切者の魔法使い・サルマンはオルサンクという塔にそれぞれ住んでいます。

　その他では、牢獄やモニュメントとしての塔も挙げられます。塔が牢獄として利用されるのは出入口がひとつしかなく、警備がしやすいからです。歴史的にもヨーロッパでは塔が牢獄として利用されており、ジャンヌ・ダルク[注1]も異端審問の際に塔へ幽閉されています。モニュメントはいわゆる街のシンボルとなる塔で、教会の鐘塔といった宗教的なものも含まれます。歴史的に有名な鐘塔としては、イタリアのピサの斜塔があります。

[注1] フランスの国民的英雄である少女。ドンレミ村の農家の娘だったが、「フランスを救え」という救国の神託を受けたと信じて出陣。オルレアンを解放してシャルル7世を戴冠させ、百年戦争を勝利に導いた。しかし、のちにイギリス軍に捕らえられ、異端として火刑に処せられた。1920年にカトリック教会の聖女に列せられている。

神の怒りに触れたバベルの塔

[注2] 紀元前3世紀頃にエジプトのアレクサンドリア湾岸のファロス島に建造された灯台。戦時には鏡の反射光を敵の船めがけて照射して、燃やすことができたという伝説がある。

[注3] 塔に幽閉されたダイダロスとイーカロスは人工の翼をつくり逃亡を図るが、その途中でイーカロスが太陽に接近しすぎて翼の蜜蝋が溶け、墜落死してしまうという話で有名。

アレクサンドリアの大灯台[注2]やギリシャ神話で**ダイダロス**と**イーカロス**の親子が幽閉されていた塔[注3]など、神話や伝承にもさまざまな塔が登場しますが、もっとも有名なものといえば、『旧約聖書』に登場する**バベルの塔**でしょう。天まで届く塔を建造しようとした人類に神が怒り、それまでひとつだった言語をばらばらにして混乱させ、塔の建造を断念させるという物語です。

この話は世界にさまざまな言語が存在する理由を神話的に説明したものですが、同時に人間の驕りを戒める話であるともされています。

なお、古代メソポタミアの都市には実際に**ジッグラト**という宗教祭儀を行うための巨大な聖塔が存在していました。中でも**新バビロニア王国**時代にカルデア人たちが築いた、エ・テメン・アン・キのジッグラトは底面が約91メートル×約91メートル、高さは推定で約90メートルもある壮麗な聖塔であったとされ、これがバベルの塔のモデルになったという説もあります。

塔
地理

■ファンタジー作品における塔の使われ方

名前	特徴
監視	周囲の監視を目的としたもの。軍事的な外敵のほか、川の氾濫を監視する目的などでも使用される。
城塞・住居	塔自体が住居、あるいは城塞化しているもの。巨大な力を持つ魔法使いや魔物軍のボスが拠点にするケースが多い。
監獄	犯罪者を収容する施設。政敵に疎まれたお姫様など、無実の人が幽閉されることが多い。
モニュメント	実用性はとくにないが、一種のシンボルとして建設されたもの。宗教的な意味合いを持つ場合もある。

天空

人智を超える者たちが住む場所

関連

神
→P.20

ロストテクノロジー
→P.30

有翼人
→P.74

天空に住む者たち

　古来から人々は、「天空は自分たちを超越した存在＝神が支配する領域」だと考えていました。

　こうした思想は神話の中にも見ることができ、ギリシャ神話の**ゼウス**やローマ神話の**ジュピター（ユーピテル）**、エジプト神話の**ホルス**、メソポタミア神話の**アヌ**など、天空を司る神の存在はさまざまな神話の中に確認できます。また、キリスト教においても亡くなった信者の魂は「**天国**」へと旅立ち、そこで神から永久の祝福を受けるとされています。

　ファンタジー作品でも天空は神々の住処というイメージが継承されていることが多く、『ドラゴンクエストⅣ』には**マスタードラゴン**という竜の神が住む天空世界と、そこで暮らす**天空人**という種族が登場しています。天空人は背中に翼を持つ外見[注1]をしており、マスタードラゴンの命令で人間の調査をするなど、神に仕える天使のような存在として描かれています。

　また、『劇場版ドラえもん　のび太と雲の王国』にも天空に浮かぶ雲でできた国家で暮らす、**天上人**という一族が登場しています。天上人たちは神ではありませんが、地上よりもはるかに高度なテクノロジーを持った一族となっており、地上に『旧約聖書』に描かれる「**ノアの方舟**」[注2]を再現しようとするなど、神のようなふるまいをする存在として描かれています。

[注1] オリジナルのファミリーコンピュータ版では頭に小さな羽を持つ姿だったが、リメイクされたプレイステーション版では背中に翼を持つ姿へと変更された。

[注2] 堕落した人間を滅ぼすために大洪水を起こすことを決めた神が、「正しい人」であったノアに巨大な方舟を建造させ、彼の一族とすべての動物のつがいだけは助ける物語。

現実にあった空中都市構想

　ファンタジー要素のある作品では、天空といえば、浮遊大陸や空中都市も欠かせない要素のひとつです。『ONE PIECE』には「空島」という雲の上にある島がありますし、『ゼロの使い魔』にも「アルビオン王国」という浮遊大陸が存在します。また、『境界線上のホライゾン』では「英国」が浮遊島として描かれている他、『銃夢』でも「ザレム」という支配者たちが暮らす空中都市が登場します。さらに『グランブルーファンタジー』のように、物語の舞台そのものが浮遊大陸という場合もあります。

　中でも、日本でもっとも有名作品のひとつに挙げられるのは、ジブリ映画『天空の城ラピュタ』でしょう。天空に浮かぶ都市「ラピュタ」は、飛行石と呼ばれる特殊な石を浮遊源としていましたが、「浮遊大陸や空中都市がどのような原理で浮いているのか」は、その作品の世界観を形づくる重要なポイントのひとつといえます。

　こうした空中都市は、決してフィクションの中だけの夢物語ではありません。じつは現実世界でも空中都市の構想は存在していました。それが、1990年に提案された、その名も「東京ラピュタ構想」[注3]です。これは東京の地上31mに1km×1kmの人工地盤を構築。その上に緑豊かな新都心を建設しようというもの。

あくまで構想レベルで、本気で建設しようと考えたわけではないようですが、これを提案したのは大手建設会社の大林組[注4]なので、まったく実現不可能というわけではなさそうなところにロマンを感じます。空中都市に登り、かつて生活していた地上を見下ろす日は、意外に遠くないのかもしれません。

[注3] このラピュタは『天空の城ラピュタ』からではなく、ジョナサン・スウィフトの冒険小説『ガリヴァー旅行記』に登場する巨大な空飛ぶ島・ラピュタ（ラピュータ）から命名されたもの。

[注4] これまでに、東京スカイツリー、大阪ドーム、東京都アクアライン、明石海峡大橋など数々の大事業を手掛けている超大手建設会社。企業理念は「「地球に優しい」リーディングカンパニー」。

けっして安全とはいえない中世の道

道

⚜ 関連 ⚜

宿屋・馬小屋
　　　　　→P.188

フィールド
　　　　　→P.228

都市
　　　　　→P.234

都市を結ぶ「街道」と、村へと続く「脇道」

　ファンタジーRPGではたくさんの街が登場しますが、当然、行き来するためには道をとおります。

　中世ヨーロッパでも、都市や城塞は「街道」で結ばれていました。街道とは王がつくった公道（そのため「国王の道」とも呼ばれます）で、道の幅は馬車同士が行違うことができる広さにするのが通例でした。

　王がこうした街道を作ったのは、支配下にある都市や城塞へのアクセスを容易くするためです。そのため街道は村や集落などは通らず、政務上で必要となる目的地のみが結ばれていました。また、都市間の商業が活発になると、街道では通行税[注1]の徴取が行われるようになります。これは国の貴重な収入源のひとつでした。

　一方、村へ行くには、街道から分岐する細い脇道を使う必要がありました。村へと続く脇道は大抵はひとつしかありませんでしたが、これは道を増やすとその分だけ耕作地が減ってしまうからです。また、同じ理由で、街道も村からは可能な限り離れた位置につくられていました。

　こうしたことから、基本的に街道沿いには民家などの建物は何もありませんでしたが、唯一「宿駅」と呼ばれる施設は設けられていました。これは宿屋と酒場が併設されたもので、旅人はそこで寝泊りすることができるようになっていました。

[注1] 街道を通る際に徴収される料金。現在も高速道路などを利用する際は料金を取られるが、中世の時代からこうしたシステムは利用されていた。

街道を歩くのは命がけ

このように中世ヨーロッパでは街道と脇道によって都市や村をつなぐ一応の交通網ができてはいましたが、だからといって誰でも気軽に旅をできるという環境ではありませんでした。というのも、こうした道には旅人を狙った**盗賊**[注2]が出没することも多く、人々にとって自分たちの暮らす街や村を離れて旅をするのは、命がけのことだったのです。

そのため人々は、街道を歩く際には「**道の霊**」に安全を祈願する風習がありました。食べ物を道端に埋めてお供え物とすることで、道の霊が道中の危険から守ってくれると信じたのです。屈強な冒険者なら話は別ですが、一般の人にとって中世の街道とはそれほど危険で恐ろしい場所だったのです。

[注2] ファンタジー作品では冒険者たちが旅の途中に、盗賊に襲われている行商の一族を発見し、救うというのは定番のシチュエーションのひとつ。

道
地理

■街道と脇道で結ばれた中世の交通網

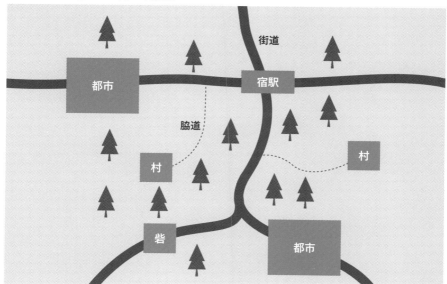

都市

宿駅

街道

脇道

村

村

砦

都市

⚜関連⚜

ロストテクノロジー
→P.30

オートマタ
→P.82

廃墟
→P.240

過去の人々が残した建築物
遺跡・神殿

遺跡・神殿

地理

当時の人々の生活や習慣が残る貴重な存在

[注1] かつては高度な技術を持つ文明があったことを示唆する重要な要素にもなる。また、当時の人々が残したものではなく、別世界の種族（宇宙人など）が置いていった遺物という壮大なパターンもある。

[注2] 漫画『メイドインアビス』に登場する巨大な縦穴アビスや、RPGで探索するダンジョンも遺跡の仲間といえる。

[注3] 複数の柱で屋根を支え、その中に小さな壁で仕切られた礼拝室を設ける形が一般的。

　創作作品には、旧時代の人々が残した「遺跡」がたびたび登場します。そこにはロストテクノロジーによって生み出された超兵器[注1]や、その世界の歴史の軌跡などが残されており、物語の世界観を深める重要な要素であると同時に、新たな展開へと繋がる魅力的なシーンとして描かれることが多いです。ときには主人公が持つ特殊な力に反応して、遺跡に残されていた遺物が起動するという展開もあります。

　そもそも遺跡とは、過去の人々が何らかの理由で作り上げた建築物や工作物などのことを指します。集落、廃墟、祭祀場、墓地、古墳、城跡など、さまざまな形態があり、いずれもその時代の人々の暮らしや慣習といった歴史を知る手がかりになるのです[注2]。

　「神殿」もよくある遺跡のひとつで、神への祈りを捧げたり、神託を授かったりするために建てられました。有名なのは「パルテノン神殿」「ゼウス神殿」といったギリシャ神話にまつわる神殿です。これらの神殿は神を祀り、礼拝するためだけの施設なので、シンプルな作り[注3]のものが多く、創作作品に登場する神殿のモデルとして用いられるケースが多いようです。エジプトの神殿も有名ですが、こちらは王の葬祭を目的としているため、作りが立派で複雑なものが多いです。複雑故にギリシャの神殿と比べるとモデルにされるケースは少ないようです。

世界の遺産とギリシャの有名な神殿

　遺跡といえば、国際連合教育科学文化機関、通称「**ユネスコ**」の「**世界遺産**」が有名です。日本最大級の縄文集落跡「**三内丸山遺跡**」、ペルーにある古代インカ帝国の遺跡「**マチュピチュ**」、エジプトの「**ピラミッド**」、ギリシャのパルテノン神殿などの遺跡が認定されています。

遺跡・神殿

地理

■世界の主な遺跡

ストーンヘンジ（イギリス）
シルクロード（中国）
パルテノン神殿（ギリシャ）
三内丸山遺跡（日本）
メサヴェルデ国立公園（アメリカ）
アンコール・ワット（カンボジア）
ピラミッド（エジプト）
バガン遺跡（ミャンマー）
チチェン・イッツァ（メキシコ）
コロッセオ（イタリア）
ボロブドゥール寺院（インドネシア）
マチュピチュ（ペルー）

■ギリシャにある主な神殿

神殿名	概要
アフェナ神殿	紀元前6世紀末から紀元前5世紀にかけて建てられた神殿。ギリシャにある神殿の中でもとくに保存状態がよく、24本の石柱が残っています。
アポロ・エピクリオス神殿	紀元前5世紀頃に建設された神殿。癒しと太陽の神アポロンを讃えるために建てられたとされています。
エレクティオン神殿	英雄エリクトニオスを捧げるために、紀元前5世紀頃に建てられた神殿。「少女の玄関」と呼ばれる、6体の少女の姿をした柱像があります。
ゼウス神殿	全知全能の神ゼウスへ捧げられた神殿で、紀元前5世紀半頃に建てられました。「オリュンピアのゼウス神殿」と呼ぶこともあります。
デルフィの古代遺跡	紀元前4世紀頃に建てられた神殿。アポロンの神託またはデルフォイの神託という神のお告げを授かる神聖な場所でした。
パルテノン神殿	紀元前5世紀に建築されたギリシャの中でもとくに有名な神殿。女神アテナに捧げるために建てたとされています。ペルシア戦争時に破壊されますが、のちに再建されました。
ヘパイストス神殿	鍛冶と火の守神ヘパイストスを祀るために、紀元前5世紀頃に建築された神殿。神殿の大部分は大理石で作られています。
ヘラ神殿	最高女神ヘラを祀るために、紀元前7世紀後半に建てられた神殿。オリンピックの際に聖火が灯される場所としても有名です。
ポセイドン神殿	海神ポセイドンに捧げるために、紀元前5世紀頃に建設された神殿。

253

関連

異界
→P.12

勇者・英雄
→P.26

隠れ里
→P.256

現世とは異なる別次元の世界

異界

境界の向こう側には物の怪の世界が広がる

異界とは、「我々が住む世界とは別の世界」のことです。より詳細に定義づけられていることもありますが、日本では**死霊**や**生霊**、**妖怪**といった「**物の怪**」の類が住む世界を指す場合が多いです。このふたつの世界はわけ隔てられていますが、山や森林、海など人智の及ばなかった未開の地などにその境である「**境界**」があり、ここを越えてしまうと、異界に迷い込んでしまうと考えられていました。

西洋にも日本と似たような考え方があります。ケルト神話には、人間とは別に妖精が住む国「**ティル・ナ・ノーグ**」[注1]があるといわれていますし、北欧神話には全部で9つの世界があり、人間が住むのはそのひとつ「**ミズガルズ**」とされます[注2]。また、かつては森林や山には妖精や悪魔が住むとして、近づかないようにしていて、これは日本における異界の考え方と似ています。

ファンタジー作品における一大ジャンル「**異世界もの**」の舞台となる異世界も、本来的には異界とほぼ同じ意味合いです。ですが、異世界は「地球のように世界そのもの」、異界は「その世界にある簡単には行き来できない場所や少数の存在が住む国」というようなニュアンスで使いわけされる傾向があるようです。たとえば、神々が住む「**神界**」や邪悪な魔族が暮らす「**魔界**」など異世界における異界として挙げられるでしょう。

[注1] 地下や海の彼方にあると考えられている世界。トゥアハ・デ・ダナーンという神の一族が勢力争いに敗れて移住した地といわれている。また、妖精が好んで住まう場所だともされる。

[注2] 他にも、アース神族が住む「アースガルズ」、妖精の住む「アルフヘイム」、ヴァン神族の住む「ヴァナヘイム」、小人が住む「ニダヴェリール」、巨人の住む「ヨトゥンヘイム」、氷に覆われた「ニヴルヘイム」、死者が住む「ヘルヘイム」、灼熱の炎が燃え盛る「ムスペルヘイム」がある。

異界の種類とさまざまな移動方法

[注3] 重要なアイテムや情報のために異界へ行く、魔王打倒のために魔界へ行く、などのパターンがある。

現実では、異界に行ってしまうのは危険なことと考えられるのがほとんどですが、ファンタジー作品では、何らかの理由で異界へと赴く展開も少なくありません[注3]。その際の方法は「**異界へ通じる扉や門を開く（鍵が必要な場合もある）**」「**異界へ行くためのアイテム、行くことができる乗り物を使用**」といった手段があるようです。また、現代人が異世界へ転移するのと同じように、神など超自然的な存在の力によって呼ばれるパターンもあります。

異界

地理

日本における異界の主な種類

現世
●私たちが住んでいる世界。
●種族は人間と動物しか存在しません。
●魔法や幻獣などはあくまで空想上のものとされています。

主な移動方法
●何らかの方法で転移する。
●現世で死んで異界へと送られる、または転生する。
●現世と異界を繋ぐ境界を通る。

異界（現世とは異なる世界）	
異世界	●現世と異なる次元にある、いわゆるファンタジー作品の世界。 ●エルフやドワーフ、オークといった、人間や動物以外の種族が生息していることも。 ●魔法や幻獣、物の怪などの概念があり、存在しています。
霊界	●死者たちの国で、死んだ人が住むとされている世界です。 ●日本神話では黄泉国という地下世界があります。
天国	●天使が支配する天上の世界。 ●善人が死んだのちに行く場所とされています。
地獄	●魔王や悪魔が支配する地の下にある世界。 ●生前に悪事を働いた人間の魂が集められ、何かしらの刑罰を受けさせられる場所とされています。

ひと目を忍んで暮らす人々の里

隠れ里

関連

ハーフエルフ
→P.86

隠れ家
→P.215

異界
→P.254

隠れ住む理由は多岐にわたる

現在では、社会の変化や個々の意識の変化もあって少なくなりましたが、かつて人は自分と異なる存在や異質な存在を排除したがる傾向にありました。排除の理由はそれぞれで、中には排除したいと思っていなかったのに、排除を願う多数派の意見や行動に同調し、いつの間にか賛同[注1]していたというケースも珍しくありません。昔はこうした偏見や差別が今よりも日常的に行なわれていて、排除された被害者は心に深い傷を負うと共に、人との接触を極力避けようとします。こういった人たちが隠れ住んでいる、人里から離れた集落を「隠れ里」と呼びます。

当然、そこで暮らす人々は自分たちの存在が明らかにならないよう、密かに生活を送ります。しかし、人が住んでいないはずの川の上流からお椀が流れてきたなど、些細なことから存在が知られるケース[注2]もあったようです。

伝承や伝説によっては人が入り込めない**現世から隔絶された異界**に隠れ里があるパターンもあります。[注3]

[注1]集団内にいるメンバー同士の絆が深いほど、集団の結束を乱したくないという心理が働き、同調してしまいがち。また集団の長に逆らえず、同調の空気が生まれることもある。

[注2]静岡県の京丸山山奥に実在した隠れ里は1600年代に発生した洪水の際に上流からお椀が流れてきたことで、隠れ里の存在が発覚した。

[注3]この場合、現世と異界の境界を超えた人が迷い込んで存在が発覚する展開が多いです。

異世界ファンタジーでも、迫害された者たちが隠れ里に住むというシチュエーションが見られます。その場合、エルフやドワーフなどヒューマン以外の種族や、数の多い民族から追い出された少数民族が隠れ住んでいるケースが多いです。彼らは基本的に外の人との接触を嫌っていますが、心優しい主人公やその仲間たちと接したことで、心を開いていくという展開がよく見られます。

他にも、何かしら強大な力を持つ種族が、その力を他の種族に悪用されないようにするために隠れ住んでいる、というのもよくあるパターンです。

創作作品の題材や舞台となることが多い隠れ里ですが、日本にも隠れ里にまつわる伝承がいくつか存在します。とくに有名なのが、壇ノ浦の合戦に敗れた平家方の武士が山奥に落ち延びた「平家の落人伝説」です。隠れた武士たちの存在はすぐに判明してしまい、源氏の総大将・源頼朝の命を受けた那須大八郎[注4]が落人の追討に向かいますが、細々と暮らす落人の姿を目の当たりにした大八郎は彼らを哀れに思い、追討を断念します。そして、頼朝に落人を追討したという嘘の報告を行った大八郎は、平家の隠れ里に留まって落人と共に暮らしたそうです[注5]。

[注4] 本来は那須与一が追討を行なうはずだったが、病気を患っていたため、与一の弟である大八郎に追討の命が下った。

[注5] 平家の隠れ里に屋敷を構えた大八郎は、平家の守り神である厳島神社を建てた。さらに、平家の人々に農耕を教え、共に協力し合いながら暮らした。

結界の力で隠れ里を守る

忍者を題材にした漫画『NARUTO -ナルト-』には、五大国と呼ばれる忍者の隠れ里が登場します。五大国は木ノ葉隠れの里（火の国）、砂隠れの里（風の国）、霧隠れの里（水の国）、岩隠れの里（土の国）、雲隠れの里（雷の国）で構成され、それぞれの里は感知結界などのバリアを張って、部外者の侵入を阻止しています。このように創作作品の中には結界で隠れ里を守るケースもあるのです。

関連

戦争
→P.22

騎士
→P.42

城
→P.200

防衛における重要拠点

砦

砦

地理

地の利を活かして強固な砦や城塞を築く

人々は古来より互いの領土を奪い合うために、数々の戦いを繰り広げてきました。そうした戦いの中で守りの要として利用されてきたのが、砦や城塞といった**軍事拠点**です。軍事拠点を構えるうえで重要なのが、敵軍が侵攻しづらい立地に構えることです。特徴的な地形を活かした軍事拠点のパターンには主に次のふたつがあります。

ひとつめは軍事拠点の周囲を**水堀**で覆ったパターンです。海岸、河川、湖沼に隣接して建造し、その水源を堀に利用して地の利を得ます[注1]。ふたつめは**険阻な山**の上に築くパターンです。切り立った崖は水堀以上に進軍が困難なうえに、山の上から敵軍を見下ろせるため、敵の動きが読みやすいのも大きな強みです。

ちなみに創作作品では、特殊な武器や飛行能力を持つ敵が登場することも多く、前述したパターンでは敵に対応しきれません。ハリウッド映画『アベンジャーズ／インフィニティ・ウォー』に登場する超文明国家ワカンダ王国では、国の領土を丸ごと覆う巨大なエネルギーバリアを防壁として利用していました。アニメ『コードギアス 反逆のルルーシュ R2』にはダモクレスと呼ばれる天空要塞が登場し、飛行能力を持つ多数のロボットに対抗しています。このように創作作品ならではの高度な技術を用いて、軍事拠点を防衛するというシチュエーションも数多く存在します。

[注1] 水堀は高い防衛能力を誇るが、それを逆手に取られたこともある。織田軍と毛利軍が戦った備中高松城の戦いでは、水堀で囲まれた高松城に水攻めを行なった。水堀の水位が上がり、城は地上から完全に分断され、毛利軍は為す術を失い敗北した。

地形を活かした砦や城の構造

水堀を利用する

● 水堀で敵の侵入を防ぎます。水面上に丈夫なツタ を伸ばす植物「菱」や網などを仕掛けて、泳いで 渡ろうとする侵入者の動きを封じることも可能です。

● 泳いで渡ったとしても高い石垣と城壁に阻まれて、 侵入が困難な点も大きな強みといえます。

水堀を利用している城
● 今治城（愛媛県）　● 中津城（大分県）
● 松本城（長野県）　● ボディアム城（イギリス）
● ベルイユ城（ベルギー）
● シャンボール城（フランス）
● フレデリクスボー城（デンマーク）など

本丸・塔

城壁

石垣

水堀

地面

険阻な山を利用する

● 切り立った崖は敵の移動を阻害し、砦や城 への侵入を防ぎます。

● 高所にあるため、視界を確保しやすく、敵 軍の動きが確認しやすいです。

険阻な山を利用している城
● 竹田城（兵庫県）　● 鬼ノ城（岡山県）
● 岩殿山城（山梨県）　● 鳥取城（鳥取県）
● ペルペルテューズ城（フランス）
● 南漢山城（韓国）など

本丸・塔

城壁

山（崖）

地面

ファンタジー世界特有の住処
超巨大生物の背中

❧ 関連 ❧

フィールド
→P.228

世界は巨大生物の上にあると信じられていた

　異世界ファンタジーでは、**超巨大な生物（巨獣）の背中**の上に独自の文明や生態系が築かれているというシチュエーションがしばしば見られます。背中の上で暮らす人々が巨獣を何らかの能力で操る、または意思疎通を図って動かしているケースもあれば、生物が勝手に巨獣の背中の上に住み着いているケースもあります。

　漫画『ONE PIECE』には、海の上を歩く超巨大な象ズニーシャが登場します。ズニーシャの背中には戦獣民族ミンク族の国があり、そこは象の背中とは思えないほど豊かな自然が広がっています。ただし、背中の上には湖がないため、ズニーシャが定期的に海水を吸い上げてそれを背中の上に撒き、雨のように降らせて水を確保しているのです。漫画『HUNTER×HUNTER』やゲーム『ドラゴンクエストモンスターズ2 イルとルカの不思議な鍵SP』など、他にも似たような超巨大生物が登場する作品はいくつか存在します。

　そもそも超巨大生物の背中という発想は「**古代インドの宇宙観**」[注1]から広まったとされています。この発想は大蛇の上に巨大な亀が乗り、その甲羅の上に乗った象が大地を支えているという古代インド人の考えに基づく宇宙の姿です。のちに観測技術の進化によって、この概念は否定されますが、創作作品のモデルとしては非常に魅力的な概念といえます。

[注1] 最近の研究で、この宇宙観はインドのいかなる文献にも存在していないことが発覚。初めてこの概念が登場したのは、1822年に出版されたドイツの本であり、一説ではイギリスの哲学者ジョン・ロックがさまざまな伝承を元に比喩的に書いたものではないかといわれている。

関連

職業（ジョブ）
→P.38

冒険者ギルド
→P.186

フィールド
→P.228

ファンタジーにおける日本文化を指す言葉
東方

侍や忍者など、あらゆる文化が登場する

　西洋ファンタジー作品にも、侍や日本刀などの**日本文化**が登場することがあり、そうした文化を持つ国を「東方」と呼ぶことがあります。この呼び方は、現実世界においてもヨーロッパより東にある日本を含めた大陸を東方と呼ぶ点や、マルコ・ポーロの『東方見聞録』[注1]に日本が紹介されていたなどの影響によるものと思われます。

　いまだ根強いファンの多いRPG『ウィザードリィ』には、侍や忍者が職業として登場しており、日本刀の村正や手裏剣といった武器も出てきました。最近では、対馬を舞台にしたゲーム『Ghost of Tsushima』も話題です。本作は海外のゲーム会社が開発した作品ですが、対馬のロケーションや侍の動きなどにこだわっており、海外のゲームファンのみならず、日本でも大きな注目を集めました。

　海外の創作作品に日本の文化が数多く取り入れられるきっかけとなったのは、日本を代表する映画監督「**黒澤明**」[注2]の存在が大きいようです。彼の撮影技術や表現方法はさまざまな人を魅了し、その手法は多くの映画に取り入れられています。じつは前述の『ウィザードリィ』や『Ghost of Tsushima』も黒澤作品の影響を受けているそうです。また、現代では「**クールジャパン**」[注3]によって、日本がより注目されるようになり、海外作品に日本の文化を取り入れる動きがさらに加速しています。

[注1] アジア諸国で見聞した内容をイタリア人小説家のルスティケロ・ダ・ピサが編纂した旅行記。

[注2]『羅生門』『七人の侍』など、数々の名作を世に送り出した日本映画界の巨匠。世界のクロサワと呼ばれており、ジョージ・ルーカス、スティーブン・スピルバーグ、マーティン・スコセッシといった世界的に有名な映画監督に大きな影響を与えた。

[注3] 食や伝統、漫画など日本の文化やサービスを世界に発信する試みのこと。

261

世界は何でできている?

　260ページでは、古代インドの宇宙観について紹介しました。今日では、地球の形は球状で自転することで昼と夜が訪れる、というのは常識ですが、こうした事実が発見されるまでは、さまざまな世界の形が語られてきました。ここでは、いくつかの世界の形を紹介します。

9つの世界がある巨木「ユグドラシル」

　北欧神話では、世界は巨大な樹木「ユグドラシル」でできているとされています。樹木は上層、中層、下層に分けられそこにそれぞれ3つずつ、合計9つの国があるのです。上層には、主神オーディンをはじめとしたアース神族が住む「アースガルズ」、妖精の住む「アルフヘイム」、ヴァン神族という神々の住む「ヴァナヘイム」があります。中層には人間が住む「ミズガルズ」、小人たちの国「ニダヴェリール」、巨人が住む「ヨトゥンヘイム」が、下層には死者が住む「ヘルヘイム」、氷の国である「ニヴルヘイム」、炎の国「ムスペルヘイム」があります。

　なお、世界が樹木でできている、あるいは深く関係しているという考え方はシベリアやインドなど世界各地にあり、こうした樹木を「世界樹」「宇宙樹」と呼ぶこともあります。

世界を支える巨大魚「バハムート」

　バハムートと聞くと、強力なドラゴンを想像する人もいるでしょう。しかし、本来バハムートとは、イスラム教に伝わる超巨大な魚で底知れぬ海を泳いでいるとされるのです。このバハムートは、背中に巨大な牛を乗せ、さらに牛の背には巨大な石板が敷かれ、そこに天使が乗っています。この天使が大地を背負うことで世界は支えられているのですが、このようになった経緯は、神が世界を創造したとき、大地が荒ぶり安定しなかったため、天使、石板、牛、バハムートの順番で置くことで、ようやく世界が定まったからだと伝えられています。

　なお、このバハムートは、ユダヤ、キリスト教のベヒモスのことだと言われています。しかし、ベヒモスは陸に住む四つ足の巨大な怪物で、世界を背負うというような伝承はありません。

モンスター事典
Monster encyclopedia

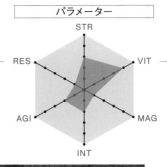

パラメーター

STR
RES — VIT
AGI — MAG
INT

凶悪モンスターからマスコット的存在へ

スライム

スライム

モンスター事典

実は強い不定形の怪物

[注1] 本来「スライム」(slime) とは、粘液やヘドロなど、粘りのある液体を差す英語。作品によっては「ウーズ」「ブロブ」などと呼ばれることもある。

　スライム[注1] といえば、異世界ファンタジー作品のほとんどに登場する、とてもポピュラーなモンスターです。多くの人は、スライムを「冒険の序盤に登場する弱いモンスター」と考えるのではないでしょうか。これは、アクションゲーム『ドルアーガの塔』や、RPG『ドラゴンクエスト』シリーズなどの影響が強いと思われます。とくに『ドラゴンクエスト』の影響で、水滴のような形に顔がある愛らしい外見を想像する人も多いでしょう。アメリカで制作されたRPG『ウィザードリィ』『ハイドライド』でも、スライムは非常に弱いモンスターとして登場します。

　しかし、テーブルトークRPG『ダンジョンズ&ドラゴンズ』では、少し事情が変わります。この作品に登場するスライム型のモンスターは「**ウーズ**」と呼ばれ、冒険者を苦しめる手ごわいモンスターなのです。たとえば、**グリーンスライム**は、体は溶解性で、触れた武器や装備を溶かしたり、生物を取り込んで同化したりと、恐ろしい能力が備わっています。グリーンスライムに安定したダメージを与え雨には松明や、魔法の火と寒さだけです[注2]。

[注2] また少し変わった個体として、透明な体をし、部屋全体を自分の体で満たして部屋に入った冒険者を捕食してしまう「ゼラチナス・キューブ」というスライムの仲間がいる。

　小説『転生したらスライムだった件』では、スライムに転生してしまった元地球人が主人公ですが、転生の際に「取り込んだ相手の力を手に入れる」能力を獲得しており、この力で最強のスライムとして、魔王にまでなっています。

スライムの起源は?

[注3] 18世紀に発見され、19世紀にギリシャ語で「変容」を意味する言葉からアメーバと名付けられた。分裂によって増殖し、絶えず形を変える不定形の生物。

[注4] 1936年に出版された、ラブクラフトの作品。南極の北東部にある「狂気山脈」を発見した探検隊が、封印から目覚めたショゴスに襲われる。なお、ショゴスのように、外見を生物の姿に変えられる怪物を「シェイプシフター」と呼ぶことがある。

スライムは微生物の「**アメーバ**[注3]」をモデルにした比較的新しいモンスターです。『クトゥルフ神話』の生みの親で知られるラブクラフトは、この決まった形がない奇妙な生物をヒントにして『狂気の山脈にて』[注4]に"**ショゴス**"という怪物を登場させました。アメーバのように不定形で変身能力を持ち、打撃に非常に強いという5メートルもの大きさがある怪物で、スライム状のモンスターの原型といえるでしょう。さらにこのアメーバ状の怪物はしだいに多くの作品に取り入れられ、少しずつ有名になっていきます。スライムという名前は1953年発表の『沼の怪』で採用され、その後、後発の作品でも使用されたことで、スライムというモンスターが広まっていきました。

スライム

モンスター事典

■スライムの原型から現在にいたるまでのおもな流れ

時期	出来事
1757年	スライムのモデルになる、不定形の微生物が発見されます。
1822年	微生物が「アメーバ」（ギリシャ語で変容）と名付けられます。
1936年	クトゥルフ神話の物語のひとつ、『狂気の山脈にて』という作品で、「ショゴス」というスライムのような不定形の怪物が登場します。
1953年	ジョセフ・ペイン・ブレナンの小説『沼の怪』（原題：Slime）で、「スライム」という名前の怪物が初登場します。
1958年	スライム状の宇宙生物「ブロブ」が登場する映画『マックイーンの絶対の危機』（原題：The Blob）が公開されます。
1974年	TRPG『ダンジョンズ&ドラゴンズ』が発売。「ウーズ」という名前でスライム状の敵モンスターが多数登場しています。
1981年	コンピュータRPG『ウィザードリィ』の、最序盤に登場するモンスターにバブリースライムが登場。「スライム＝弱い」の印象を広げるきっかけになりました。
1984年	ゲームセンターでアクションゲーム『ドルアーガの塔』が稼働。『ウィザードリィ』同様、「弱いモンスター」としてスライムが登場しています。
1986年	コンピュータRPG『ドラゴンクエスト』が発売。スライムは弱いモンスターですが、愛嬌のある姿で描かれ、マスコット的な存在となりました。

265

ファンタジーには欠かせない小鬼

ゴブリン

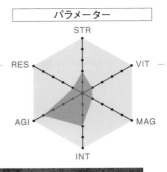

パラメーター

STR
VIT
MAG
INT
AGI
RES

ゴブリン

モンスター事典

いたずら好きの妖精から、人に仇なす邪悪な存在へ

ゴブリンはさまざまな作品に登場する、とてもポピュラーなモンスターです。多くの場合、身長は低く緑色の肌で赤い目、棍棒などを武器にします。基本的には「ザコモンスター」として描かれますが、それでも<u>戦いに慣れていない者</u>には脅威です[注1]。作品によっては魔法に長けた者や大型種が登場するケースもあります[注2]。

元々ゴブリンは、ヨーロッパの伝承に登場するイタズラ好きな妖精です。人家に住み着き、こっそり家事を手伝ってくれるフレンドリーな個体[注3]もいれば、子どもを連れ去る悪意に満ちた者もいたそうです。そんなゴブリンが現在のイメージへと変化したのは、トールキンの著作『**ホビットの冒険**』による影響が大きいといわれてます。この作中に登場するゴブリンは邪悪な冥王の先兵であり、<u>破壊の限りを尽くす存在</u>で、人間やエルフを駆逐する絶対的な悪として描かれていました[注4]。のちにこのイメージが定着し、現在の残忍で醜悪なゴブリン像が形成されていったのです。

[注1] 蝸牛くもの『ゴブリンスレイヤー』では、単体では決して強くないゴブリンが知能に優れるリーダーを中心に群れをなし、残忍狡猾な手段で村人や新米冒険者たちを餌食にしている。

[注2] 魔法を駆使するゴブリンメイジやゴブリンシャーマン、屈強な身体と高い戦闘能力を持つハイゴブリン、ゴブリンチャンピオンなどの個体も存在する。

[注3] 他種族ともフレンドリーに接するゴブリンの一種で「ホブゴブリン」とも呼ばれる。テーブルトークRPG『ダンジョンズ＆ドラゴンズ』では、「ゴブリン＝邪悪な存在」と定義しているため、ホブゴブリンはゴブリンの上位種という扱いになっている。

[注4] 原著『ホビットの冒険』では「ゴブリン」と表記していたが、のちに出版された『指輪物語』では「オーク」に置き換えられた。これに関して著者のトールキンは「ゴブリンはオークの英訳である」と注記している。

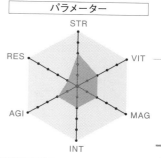

パラメーター

STR
VIT
MAG
INT
AGI
RES

いたずら好きなドイツの妖精
コボルト

爬虫類的外見から一転、犬のようなイメージに

[注1] コボルトはゴブリンと混同されることが多く、ドイツ語の書籍が英語訳される際、「ゴブリン」と書き換えられることがしばしばある。

[注2] 鉱物のコバルトはこの伝承に由来し、コボルトの名前を語源としている。

[注3] 『ダンジョンズ＆ドラゴンズ』での表記は「コボルト」ではなく「コボルド」。綴りは「Kobold」でどちらも同じだが、英語読みかドイツ語読みかで発音が異なる。

　多くのゲームで序盤に登場するザコの亜人種といえば、もちろん**コボルト**です。そのルーツはドイツやスイスの伝承に登場する妖精で、いたずら好きなひねくれ者[注1]として知られています。一方でミルクや穀物を贈るとそのお礼に家事や家畜の世話を手伝ってくれる律儀な一面も持ち合わせています。また、別の伝承では炭鉱などに住み着き、坑夫の手伝いをする[注2]といわれていますが、ひとたび機嫌を損ねると掘り出した鉱物を無価値なものに変えてしまうこともあるそうです。

　伝承ではコボルトの容姿は小柄な人型とされ、肌は濃い緑色や灰色。毛むくじゃらで尻尾があり、赤や緑の派手な服を着ているとされています。一方、小説『灰と幻想のグリムガル』など近代創作の多くでは、二足歩行をする犬のような姿や、半人半狼のワーウルフに似た外見で描かれるケースが多いようです。この犬や狼に似た容姿が定番化した背景には、テーブルトークRPG『**ダンジョンズ＆ドラゴンズ**』の紹介に「犬に似た頭部を持ち、鱗を持つ人型生物」という記述があったことが一因とされています[注3]。誰もが知る身近な動物がたとえに用いられたことで、以後の創作でもこの特長がより強調され、浸透していったようです。なお、同作では、犬顔の特長はのちに改められ、現在では二足方向の人型爬虫類として紹介されています。

残忍で伶猾な兵士種族

オーク

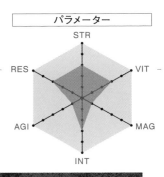

エルフから生み出された、堕ちた怪物

　異世界ファンタジー作品には必ずといっていいほど登場する、定番のモンスターが**オーク**です。作品ごとに細かい要素は異なりますが、一般的には人間よりも大柄で、牙の飛び出した豚のような顔をしており、性欲が旺盛といった特徴も持ち合わせています。

　オークはゴブリンやコボルトなどとは違い、神話や民間の伝承から生まれたモンスターではありません。オークの名が初めて登場したのはトールキンの『**指輪物語**』で、元はその前日譚である『**ホビットの冒険**』で「ゴブリン」と呼ばれていた種族の新たな呼称[注1]として使われたのがはじまりです。

『指輪物語』に登場するオークは、エルフが変容した成れの果てだといわれています。邪悪な冥王がその下僕とするため、捕らえたエルフを拷問によって堕落させたことで、醜悪な姿のオーク[注2]が誕生しました。オークはその繁殖力を生かして個体数を一気に増やすと、人間以上の腕力や破壊に適した武器を作る能力、エルフにも劣らない知識を発揮して、人間をはじめ、冥王に隷属することを嫌う中つ国のすべての民と戦い続けることとなります。

　なお、現代のファンタジー作品では、オークとゴブリンを同義、同一種として扱うことはほぼなく、まったく別の生物、種族として描かれるのが一般的です。

[注1] 小説『ホビットの冒険』における「ゴブリン」は「オーク」の英訳であると著者自ら『指輪物語』で注釈を添えている。

[注2] 原点である『指輪物語』では、オークに対し「豚野郎」という蔑称が使われることがあるが、オークの顔が豚に似ているといった直接的な記述はない。この豚顔のイメージはテーブルトークRPG『ダンジョンズ＆ドラゴンズ』での記述が最初とされる。

トカゲのような特性を持つ亜人間
リザードマン

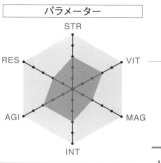

パラメーター

STR
RES
VIT
AGI
MAG
INT

多数の作品にまたがって存在する共通点

　トカゲのような風貌をして直立で二足歩行する亜人種、それが**リザードマン**です。小説『転生したらスライムだった件』のガビルたちや、小説『ゴブリンスレイヤー』の蜥蜴人など、今日の創作でもお馴染みの種族でご存じの方も多いと思います。

　大きさは標準的な人間とほぼ変わらないくらいですが、その体表は鱗に覆われているため見た目は爬虫類に近く、たくましい尻尾も備えています。また、比較的知能が高く独自の文化や言語を持ち、一族で集まって集落を形成して暮らしています。武器や道具の扱いにも長けていて、剣や盾で武装していることも多いようです。創作などでは好戦的な種族として描かれがちですが、テーブルトークRPG『**ダンジョンズ＆ドラゴンズ**』では、人間に対して中立的な立場の種族として登場しています[注1]。

　リザードマンに関する民間伝承や文献はほとんどなく、そのルーツや習性などはあまりわかっていません。しかし、複数の作品に見られるユニークな共通点があります。それが「左利き」であることです。この設定は1984年発売のゲーム『ドルアーガの塔』にてすでに反映されており、その理由は諸説ありますが、一説には初期の『ダンジョンズ＆ドラゴンズ』で紹介されたイラストが左右反転したまま掲載され、左利きに見えたからだといわれています。

[注1] 同じく『ダンジョンズ＆ドラゴンズ』に登場する半人半トカゲの亜人種トログロダイトは非常に好戦的な種族で、人に害なす邪悪な存在とされる。

269

非常に強力な不死者の王

リッチ

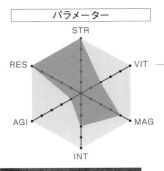

STR
VIT
MAG
INT
AGI
RES

異世界ファンタジーで一番人間に似ている種族

[注1] 命を失った生物の死体が何らかの力によって動いている存在、または怨霊や死霊とも呼ばれる幽霊のような存在のモンスター。

　　リッチは「不死者」や「不死の怪物」ともいわれるアンデッドモンスター[注1]の一種です。語源は死体を意味する古英語の「lich」で、1975年に発売されたテーブルトークRPG『ダンジョンズ&ドラゴンズ』の追加ルール『グレイホーク』にて、初めて登場しました。

リッチの外見は干からびた皮膚が張り付いた骸骨のようで、大抵は年月を経てボロボロになったローブ[注2]をまとっています。もとの記憶や人格は保持しており、知識が豊富で強力な魔法も使用します。しかも、弱者を恐怖させる、触れた者を麻痺させる、通常の武器が通じないなどの特性があり、さらに自身の魂を瓶、金属製の箱、指輪、お守りなどに移せるため、これを壊さない限り肉体を破壊しても消滅しないというかなり厄介な存在で、「不死者の王[注3]」と評価する人々もいるようです。

[注2] 善の存在もいるが、モンスターとして登場するリッチは「邪悪な魔法使いの成れの果て」といった扱いが多く、故に自然と魔法使いが装備できるローブ姿の場合が多くなる。

[注3] 近年のテレビ番組では世界各地の動画を紹介するものが多く、無人の事務所で勝手に開閉するドアや引き出し、動き回る椅子などの様子が記録された監視カメラ映像がよく登場する。「ポルターガイスト」は古くからあるこうした現象の呼び名で、幽霊の仕業、未知の原因による物理現象など諸説あるが、まだ解明されていない。

　　のちに『ダンジョンズ&ドラゴンズ』では、さらに知識を深めて半ば異次元の存在となった「デミリッチ（demilich）」も登場しました。オンラインゲームなど、他の創作作品に登場する場合もかなり強力なモンスターとして扱われ、さらにオリジナルの名称を有したリッチも増えています。近年の作品では『オーバーロード』の主人公が該当し、3つある種族レベルのうちひとつが「死者の大魔法使い（エルダーリッチ）」となっています。

創作作品によく登場するアンデッドモンスター

　リッチに代表されるアンデッドモンスターは大きくふたつに分類できます。魔法や呪いで動いている死体のように肉体があるものと、幽霊のように肉体がない**霊的存在**です。前者は通常の武器でも戦える場合が多く、物理的に肉体を破壊すれば動けなくなるので対処はしやすいタイプです。逆に肉体がない後者は銀のように魔を祓うとされる特殊な金属、もしくは魔法が付与された武器でなければ傷つけられないとする場合が多く、俗に「戦士殺し」などと呼ばれています。

　肉体があるアンデッドモンスターの中では、白骨化した死体が動いている**スケルトン**、元々はアフリカなどの一部で信仰されるブードゥー教にルーツがある動く死体**ゾンビ**、死体を喰らうイスラム圏の食屍鬼に由来する**グール**、『指輪物語』の塚人「バロウ・ワイト（Barrow-wight）から誕生した悪霊が乗り移っている死体**ワイト**などが一般的です。

　一方、霊的存在のアンデッドモンスターとしては、人間が死に瀕して抜け出た魂ともいわれるスコットランド由来の**レイス**、日本では「騒霊」と訳され超常現象[注3]としても認知されている「ポルターガイスト」、英語の「亡霊」から名付けられた**ファントム**、英語で「影」という意味の名を持つ**シャドウ**などがいます。

　これらアンデッドモンスターの中には麻痺や特定の攻撃に耐性があるタイプもおり、同じレベルでも通常のモンスターより厄介な傾向があるのが特徴です。また、他のモンスターと同じくアンデッドモンスターにも神話や伝承を元にしたものが存在しますが、とくに霊的存在のアンデッドモンスターに関してはオリジナルが多いようです。

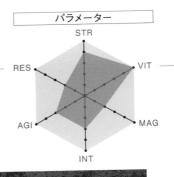

STR

RES　　　　VIT

AGI　　　　MAG

INT

石像の怪物
ガーゴイル

無機物が動き出すモンスターの筆頭

[注1] 家具や武具などの無機質な物体を魔法によって動かすことを「アニメイテッド・オブジェクト」と呼ぶことがある。しかし、多くの場合、その物体は意思を持たず、術者や主の命令を遂行する程度の知能しか持っていない。

　西洋建築の屋根などに見られる悪魔や怪物をかたどった彫刻で、雨どいの機能も備えたものを「ガーゴイル」と呼びますが、それが何らかの要因で動き出し[注1]、モンスター化したものが本項で紹介する**ガーゴイル**です。

　ガーゴイルは元々、石の彫像であるため、動かずにじっとしていると本物の石像と区別が付きません。よく知られているのは悪魔のような姿形で、背中にはコウモリの翼があり、顔立ちは人間に近いものから鳥類のようなくちばしの付いたものまでさまざまです。また、石像に擬態中はしゃがんだ体勢でいることが多く、両腕で膝を抱えたり、身体の左右にだらりと腕を垂らしたりとくつろいだポーズで冒険者の接近を待ち構えています。

　ガーゴイルは元が彫像であることから**ゴーレム**の一種と解釈されることもあります。またその活動には食事や水などのエネルギー源を必要としませんが、ごくまれに倒した敵や獲物をいたぶり、食べて楽しむ悪魔的な嗜好の個体も存在するそうです。

ガオ

ガーゴイル

魔除けとして造られた雨どい

　前述のとおりガーゴイルとは元々、**西洋建築**（主にゴシック様式）の屋根などに設置される雨どいの機能を持つ彫刻のことを指す言葉です。そのデザインはライオンや鳥、人間など、さまざまな生物の身体的特徴を合体させた怪物や悪魔のような姿が一般的とされています。

　ガーゴイルを設置する理由には諸説ありますが、宗教的な意味合いが強く、とりわけ**キリスト教**に関係の深い建物には設置されていることが多いようです。本来、屋外の排水設備であるガーゴイルは、その口から雨水などの汚れた水を吐き出す[注2]ことから、穢れを外へ追いやる、悪魔を寄せ付けないなど、魔除けの意味を込めて設置されたという説もあるそうです。雨どいに装飾を付けるという文化は、古代エジプトや古代ギリシャでも見られました。しかし、ガーゴイルのように奇怪な怪物をかたどったものでも魔除けの意味もなかったようです。

[注2] ゲーム『ドラゴンクエストX』では、ゲーム内のヒント（まめちしき）で、「ガーゴイルの声はとんでもないガラガラ声であり、本人も気にしていてときどき雨水でうがいをしている」と紹介されている。これは元が雨どいであったガーゴイルに由来するものと思われる。

ルーアンのガルグイユ

[注3] ガルグイユ（gargouille）とは、フランス語で「喉」や「食道」という意味。

　ガーゴイルの名前は、フランス語の「**ガルグイユ**」[注3]に由来するとされます。フランス西部の都市ルーアンには、同じく「ガルグイユ」の名を持つドラゴンの伝説が残っていて、町にたびたび水害を引き起こし、家畜を襲うなど好き放題に暴れ回っていましたと伝えられています。それを見かねた大司教**ロマヌス**はついに立ち上がり、神の威光によってガルグイユを打ちのめしたのです。

　退治されたガルグイユの体は火あぶりにされ、その灰は川へと投げ込まれました。そして、最後に残ったガルグイユの首を魔除けとして教会に掲げたそうです。この伝説が現代に伝わるガーゴイルのルーツといわれています。

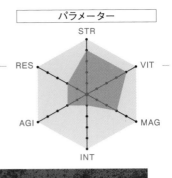

巨大な体と変身能力を持つ怪物的存在

日本の代表的な妖怪といえば**鬼**が有名ですが、ヨーロッパ版の鬼ともいえる存在が**オーガ**です。実際にオーガの訳語として「鬼」が使われることもあります。

オーガは、ヨーロッパの民間伝承などで人を喰らう怪物として登場します。姿形は人間に似ていますが、その身長や体格は人間よりはるかに大きく、巨人サイズ[注1]といっていいでしょう。また、身なりを整える習慣や知性はないため、つねに髪やヒゲは伸び放題で、見た目は巨大な類人猿や毛むくじゃらの獣[注2]のようだともいわれています。映画やゲームでは石斧や棍棒といった原始的な武器で武装している姿が一般的ですが、ごく稀に魔法に精通した個体も存在するようです。また、多くの創作に見られる特長として、知能の低さがあります。片言でも話せるならまだマシな方で、中にはただ暴れ狂うだけで意思疎通どころではないケースも。一方、伝承では人間と不自由なく対話していたともいわれ、人間の子ども程度の知能はあったのではないかと推測されます。

[注1] 大きさは伝承によってまちまちで、人間よりひと回り大きい程度のものから、山のようなサイズまで存在する。

[注2] 女性のオーガも存在し、フランス語ではオグレスと呼ばれる。男性と同様、大きな体で粗野な身なりをしている。

オーガは元々、決まった名前を持っていませんでしたが、ヨーロッパの民話『**長靴をはいた猫**』に登場する人喰いの怪物が「オーグル」と呼ばれていたことから、以降は人喰い巨人を表す呼称として「オーガ（オーグルの英訳）」が使われるようになったといわれています。

またその一方で、勇猛果敢なことで知られる遊牧民「**オノグル**」[注3]に怖れをなした人々の伝承から派生したものであるとか、ローマ神話に登場する死の神「**オルクス**」[注4]の名前に由来するなどの説も存在するそうです。なお、オルクスは妖精の一種である「**オーク**」[注5]の名前の由来ともいわれているそうです。

[注3] 現在のブルガリア人の先祖が属していたとされる部族。

[注4] 名前は冥府そのものを示す呼称としても用いられていた存在。髭を生やした恐ろしい巨人の姿で描かれることが多い。

[注5] 『指輪物語』に登場するオークの名前は、ここからとられたともいわれている。

さまざまな童話に登場するオーガ

日本の子どもたちにはあまり馴染みのないオーガですが、西洋の童話やおとぎ話にも数多く登場しています。有名なところでは、イギリスの童話『**ジャックと豆の木**』の雲の上に住む巨人や、前述した『長靴をはいた猫』に出てくる巨人の城主が挙げられるでしょう。ちなみに『長靴をはいた猫』のオーガは魔法を使って変身することができましたが、猫の口車に乗せられて小さなネズミに化けたところをそのまま食べられてしまいました。

童話の中には女性のオーガであるオグレスの姿も散見されます。有名な『**眠れる森の美女**』で美女を目覚めさせる皇子の母親がオグレスである他、グリム童話『**ヘンゼルとグレーテル**』に登場する魔女（鬼婆）も姿形こそ巨人ではないですが、人喰いの怪物として描写されています。

このようにさまざまな創作や伝承で「恐怖の対象」とされてきたオーガですが、アニメ映画『シュレック』では、主役に大抜擢されています。恐怖の人喰い巨人から子どもたちのヒーローへ、大出世を遂げたのです。

275

上半身が女性、下半身が蜘蛛の怪物
アラクネ

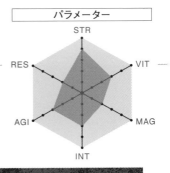

パラメーター

STR
VIT
MAG
INT
AGI
RES

元々は、織物の得意な少女だった

　現実にいる生物の特徴を持ったモンスターは数多いですが、**アラクネ**は蜘蛛型のモンスターです。大きく「蜘蛛とほぼ同じ」か「蜘蛛の頭部付近に当たる箇所から女性の上半身がはえている」という外見で描かれますが、大体は後者の姿をしています。その攻撃方法は蜘蛛の糸で拘束したり、毒を注入、噴射したりと、蜘蛛ならではのものです。

　アラクネのルーツは、ギリシャ神話に登場する織物の名人アラクネ[注1]という少女の逸話です。自身の腕前を神にも勝ると自慢していた彼女は、手芸を司る女神アテナと織物で勝負することになり、そこで神をあざ笑うような作品を織り上げます。これに激怒するアテナを見て、自らの愚行を悟ったアラクネは首を吊って命を絶ちますが、のちにアテナが復活させ、いつまでも織物ができるようにと半人半蜘蛛の姿になったというものです[注1]。モンスターとしてのアラクネの姿は、この物語が由来なのです。

　他にも日本の妖怪「**女郎蜘蛛**」や『**西遊記**』の蜘蛛の精など半人半蜘蛛の怪物が出てくる話は多く、よく女性と関連付けられます。ちなみにアニメ『蜘蛛ですが、何か？』では、異世界に転生した主人公の進化形態として「アラクネ」の名が登場します。また、『モンスター娘のお医者さん』のように半人半蜘蛛の怪人を「アラクネ族」という亜人種の種族として扱うケースもあります。

[注1]「アラクネ」（アラクネー）という名前は、ギリシャ語で蜘蛛を意味する。なお、ゲームなどで「アルケニー」という名前の蜘蛛型モンスターが登場することがあるが、これはアラクネもじったものと考えられる。

[注2] ただアテナが復活させたのは「死んでも怒りが収まらず、呪おうとしたため」という説もある。

宝箱に擬態し人を襲うクリーチャー

ミミック

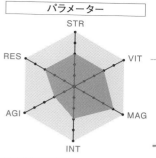

パラメーター

STR / VIT / MAG / INT / AGI / RES

油断した冒険者を餌食にするシェイプシフター

ファンタジー世界を舞台としたゲームでは、戦闘や冒険の報酬、隠されたアイテムなどは決まって宝箱に入っているため、それを開ける瞬間は誰もが喜びやワクワク感で油断してしまうものです。その心理を逆手に取り、宝箱に擬態して人を襲うモンスターが**ミミック**[注1]です。

宝箱そっくりの外見をしたミミックは、その<ruby>開口<rt>かいこう</rt></ruby><ruby>部<rt>ぶ</rt></ruby>が巨大な口になっていて、中には鋭い牙がびっしり生え揃っています。普段はしっかり口を閉じ、その場を動くことなく獲物が近づくのを待ち構えていますが、何者かがうかつに箱を開けようとすると突然襲いかかり、噛みついて攻撃してきます。また魔法を駆使する個体もいるようです[注2]。

一般的には手足を持たない姿をしているミミックですが、人気ゲーム『ダークソウル』シリーズのミミックに相当する敵・貪欲者は、宝箱の底に人型の下半身、開口部からは2本の腕と長い舌が生えており、アクティブに動き回る異形の怪物として描かれています。

ミミックは比較的新しいモンスターで、関連する神話や伝承はありません。初出はテーブルトークRPG『**ダンジョンズ＆ドラゴンズ**』とされますが、当初は「宝箱に擬態する」という特徴はそこまで強調されていませんでした。現在のイメージを定着させたのは『ドラゴンクエストIII』に登場したミミックの影響が大きいと思われます。

[注1]「ミミック」という単語は生物学において擬態を意味しており、これにちなんで名付けられた。

[注2] RPG『ファイナルファンタジー』シリーズには、タイニーミミックやミミッククイーンといったミミックのバリエーションも登場する。

グリフォン

獅子と鷹の特徴を持つ幻想生物

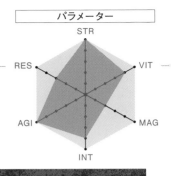

パラメーター

STR

VIT

MAG

INT

AGI

RES

ギリシャの伝説に登場する、金鉱の守護者

[注1] グリフォンの名前の由来は、ギリシャ語で曲がったくちばしを意味する「グリュプス」から来ているとされる。

[注2] ヘロドトスは紀元5世紀頃ギリシャの歴史家で『歴史』はアジアとギリシャの争いの歴史や、古代世界の説話などが記されている。

[注3] 16世紀スウェーデンの歴史学者オラウス・マグヌスの書籍で、中世の伝承や文化などについて書かれている。

[注4] 単純に馬肉を好むためとする説もある。

[注5] グリフォンと馬の相性が悪い、つまり両者の間に子ができることなどあり得ないとすることから「不可能の象徴」ともいわれていた。しかし、16世紀イタリアの作家アリオストによる英雄叙事詩『狂えるオルランド』に登場し、その後の作品でもしばしば登場することにある。

　グリフォン[注1]は、ライオンの体に猛禽類の頭と前脚、翼を備えた半鳥半獣のモンスターで、ファンタジー作品ではメジャーな存在で、登場頻度も高いモンスターです。

　前脚の鋭い鉤爪とくちばしが最大の武器で、高い飛行能力で捕らえた獲物は高山や断崖に構えた巣へと運びます。また、その力はライオン8頭分もあり、鷲の100倍獰猛とする資料もあります。

　グリフォンに関する記述は、ヘロドトスの著書『歴史』[注2]に見ることができます。この中でグリフォンは金鉱の番人とされ、金鉱を狙う単眼の巨人族**アリマスポイ人**と激しい戦いを繰り広げたとあります。また『北方民族文化誌』[注3]によると、巣に宝石のメノウを置き、荒野で黄金を掘り出すという習性があるといいます。

　また、グリフォンは神々の車や戦車を引く役目の動物としても使役され、同じ役目を担う馬を敵視し、見つけると執拗に狙って攻撃するといわれています[注4]。

　なお、グリフォンに似たモンスターに、体の前半分が鷲、後ろ半分が馬という姿をした「**ヒッポグリフ**」[注5]がいます。グリフォンと馬の間に生まれた存在であり、グリフォンに比べるとあまり目立ったモンスターではありませんが、映画『ハリー・ポッター』シリーズに登場したことで、広く知られるようになりました。

アラビアの食屍鬼

グール

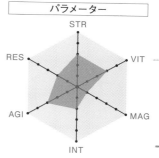

パラメーター

STR
VIT
MAG
INT
AGI
RES

グール

モンスター事典

屍を喰らう魔物からアンデットへ

　　グールは、アラビアの伝承に登場する人間の屍を喰らう魔物であり、説話集『**アラビアンナイト**』の中にもグールに関する逸話が見られます。近年の作品では石田スイの漫画『東京喰種トーキョーグール』が人気になり、人肉を食べる喰種（グール）という存在に注目が集まりました。

　　伝承に残るグールの多くは砂漠に住み、旅行者を砂漠の奥地へと誘い込んで獲物とします。人を襲って喰うという特徴からゾンビに関連付けられることもありますが、伝承ではグールは精霊であり、男は毛深く醜悪な見た目をし、女性は美しい姿をしています[注1]。人語を理解し、人との対話も可能で社会性を持っているとされています。

　　一方、ファンタジー世界におけるグールは、**アンデッドモンスター**の一種という認識が一般的です。一部では人間の死体に精霊ジンが宿ったものこそグールの正体だとする説や、屍を喰らうため墓場に住み着くといった設定も加わり、いつしかアンデッドモンスターの一種と見なされてしまったようです。グールはアメリカの作家ラヴクラフトらによって書かれた「**クトゥルフ神話**」にも登場しますが、その性質は中東のグールとは異なります。ラヴクラフトの小説『ピックマンのモデル』では、犬のような頭部に蹄のある脚を持つ生物と描写され、グールと長い時間を共に過ごした人間は、この怪物と同じ姿になってしまいます。

[注1] 女性のグールとグーラという。外見的には少し血色が悪い以外、一般的な人間女性とほぼ変わりなく、その美しさで男性を虜にし、獲物にするという。また、グーラが美女なのは、美女に化ける能力があるから、という説もある。

279

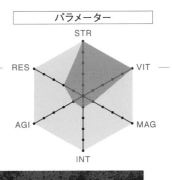

パラメーター

STR / VIT / MAG / INT / AGI / RES

主人に付き従う土人形

ゴーレム

ゴーレム　モンスター事典

現代に伝わるゴーレムの作り方と動かし方

「ラビ」と呼ばれるユダヤ教の神学者たちが作った泥人形ゴーレム。その名前はヘブライ語で「胎児」や「土の塊」を意味します。彼らは自我をもたず、言葉を話すこともできない、主人の命令に従うだけの人形です。基本的には無害ですが、その作り方や動かし方には決まりがあり、それを守らないと暴走してしまうこともあったようです。

2〜6世紀頃に書かれた「創生の書」あるいは「形成の書」と呼ばれる教典『セーフェル・イツェーラー』には、ゴーレムの作り方として「山で採取した土を泉の水で練り、各部分に応じた呪文を唱えつつ人形にする」とあります。さらに呪文を唱えながら人形の周囲を時計回りに歩くと動き出し、逆に歩くと土に戻るそうです。一方、ポーランドの伝説では、「祈りを捧げたあと、数日断食をし、粘土で人の形を作って神の名を語りかけると動き出す」とあるので、ゴーレムの作り方はいくつか存在するようです。

ゴーレムをコントロールする方法は至ってシンプルです。ゴーレムはその額や足の裏などに「emeth」と記された「シェーム」[注1]を貼りつけるだけで、自由に操ることができ、逆にシェームを外せば動きが止まるといいます。また、ゴーレムを土に還したい場合は、シェームの頭文字「e」を消し、「死」を意味する「meth」にします。これでゴーレムを土くれに戻せるそうです。

[注1]「真理」や「真実」という意味のヘブライ語「emeth」が記された紙片あるいは金属片のこと。なお、ヘブライ語でemethは「אמת」となる。

取り扱いに注意しないと痛い目に遭う

　前述したゴーレムの制御方法は、19世紀末に活躍した作家グスタフ・マイリンクの『**ゴーレム**』に記されていたものです。同作は、ボヘミア王国のルドルフ2世に仕えたレーヴというラビを主人公にした物語で、彼のミスによりゴーレムが暴走するシーンも描かれています。レーヴは作成したゴーレムに教会の鐘を鳴らすなどの単純作業を命じていましたが、労働が禁止される休息日には、シェームを外してゴーレムを停止させていました。しかしあるとき、レーヴはシェームを外し忘れて出かけてしまいます。長時間放置されたせいか、ゴーレムは彼が戻る前に錯乱状態に陥り、周辺にあるものを片っ端から壊していきました。騒ぎを聞きつけて急いで戻ってきたレーヴは、ゴーレムからシェームを外し、シナゴーグ[注2]の屋根裏にゴーレムを隠したそうです。ゴーレムは非常に便利な存在ですが、暴走する危険もあるため、慎重に取り扱わねばならないのです。

[注2] ユダヤ教における教会（会堂）のこと。

バリエーション豊富な異世界のゴーレム

　ファンタジー世界のゴーレムは、多くの場合、魔法で生み出された人造物で、基本的には主人の命令に従って動きます。ただし、RPGなどのゲームには、主人を持たず、そのへんをウロウロと自由に歩き回り、こちらを見つけると襲いかかってくる物騒なゴーレムも登場します。

　ゴーレムは本来、土から作られますが、ファンタジー世界では鉄や銅といった鉱石、あるいは溶岩などの自然物で作られたものも珍しくありません。とくにRPGには「アイアンゴーレム」や「アイスゴーレム」など、さまざまな材質のゴーレムが敵キャラクターとして登場します。

　ゴーレムは建物や財宝を守る番人として用いられることが多く、たいていは手強い相手となります。中でもゲーム『ドラゴンクエスト』に登場する、メルキドの町を守るゴーレムが有名です。このゴーレムは非常に高い攻撃力を誇る難敵で、「ようせいのふえ」を使って眠らせないと撃破するのは困難でした。

怪力、粗暴な北欧の巨人

トロール

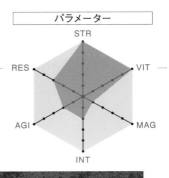

パラメーター

STR / VIT / MAG / INT / AGI / RES

再生能力を有する巨躯が最大の武器

トロールとは、ノルウェーをはじめ、デンマークやアイスランドなどの北欧地域に伝わる巨漢の妖精の一種です。テーブルトークRPG『トンネルズ＆トロールズ』のタイトルにもその名が使われているように、創作世界ではかなりメジャーなモンスターとして認知されています。

一般的に、トロールは身長が3メートル前後と見上げるほどの巨体で、腹が突き出た肥満体型ながらも全身はぶ厚い筋肉に覆われており、片手で楽々と馬を掴み上げるほどの怪力の持ち主とされています。また、一部では複数の頭部を持ち、それぞれの頭同士で会話ができるとか、驚異的な再生能力で四肢や首を切断されてもくっつけて治してしまうなど、いかにも怪物じみたエピソードと共に語られることもあるようです。

映画『ホビットの冒険』に登場したトロールは「**石のトロール**」と呼ばれ、大剣の一撃をも跳ね返す強靭な皮膚と持ち前の怪力で大暴れしてみせましたが、最期は太陽の光を浴びて石化し、討ち倒されました。この太陽光で石化するという特徴は、北欧神話に登場する闇の妖精「**ドヴェルグ**」[注1]に由来するものといわれています。このように厄介で恐ろしい怪物トロールですが、伝承国のひとつノルウェーでは「**トロール人形**」[注2]が定番の土産物として人気で、多くの店先で見ることができます。

[注1] 北欧神話に由来する妖精の一種で、ドワーフのルーツともいわれる。神によって人間に似た姿を与えられたのちも地中での暮らしを好み、暗い洞窟や坑道を棲み家とした。このため太陽の光が苦手で、浴びると石化、または身体が砕け散るといわれる。

[注2] ノルウェーを中心に北欧地域では定番のお土産物。観光地近くの雑貨屋や土産物屋には必ずといっていいほど置いてある。その多くはハンドメイドで見た目や服装、格好のバリエーションも豊富。

白き冠を戴く「小さき王」
バジリスク

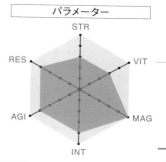

パラメーター

STR
VIT
MAG
INT
AGI
RES

猛毒を武器とする蛇型モンスター

バジリスクとは蛇、または爬虫類のような姿をした幻獣、魔獣の一種です。その大きさは体長20センチほどから、人間よりはるかに大きい2メートルを超えるものまで諸説あり、その姿形と同様、定形化されたイメージはなく、登場作品によってさまざまな姿で描かれています。

バジリスクの名が見られる最古の文献は、ギリシャの学者プリニウスが1世紀頃に記した『博物誌』[注1]です。その中に登場するバジリスクは体長25センチに満たない小型の蛇で、頭部に王冠のような白い斑紋があることから古代ギリシャ語で「小さき王」を意味する「Basileus」と紹介され、これが名前の由来となっているようです。

バジリスクといえば強力な毒を持つことで知られますが、その毒性は一般的な毒蛇などよりはるかに強く、毒液がわずかでも体内に入れば即死。肌に触れただけでも死は免れず、その吐息は草木を枯らし、石をも砕くといわれるほどです。なお、この毒に関する逸話は時を経る中で次第に誇張され、いつしか「視線で相手を殺す（石化する）」というのが通説となりました。そんなバジリスクへの対抗策として、反射性の高い鏡や水晶玉を利用し、直視を避けて戦うという方法も編み出されたほどです。これらの恐るべき能力はコカトリス[注2]の伝承にも見られることから、しばしば両種を混同して語られることもあるようです。

[注1] 古代ローマ帝国の軍人にして博物学者のガイウス・プリニウス・セクンドゥスが1世紀頃に記した著作。地理や天文、生物、芸術など当時のあらゆる知識や事柄をまとめた百科全書である。神話や伝承の怪物、幻獣などに関する記述も見られ、のちの幻想文学にも影響を与えた。

[注2] 猛々しい雄鶏の姿をして、尾には大蛇が生えた怪物。見た者を即死させる視線と猛毒の吐息を持つ。よく似た能力を持つバジリスクと混同されがちで、一部では両種は雌雄関係とする解釈も見られる。

283

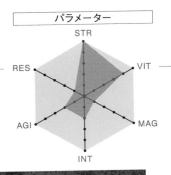

パラメーター

STR
VIT
MAG
INT
AGI
RES

巨大な体躯を誇る怪物
ジャイアント

ジャイアント

モンスター事典

ファンタジー作品では悪者にされがち?

[注1] ギリシャ神話に登場する巨人。天空神ウラノスと地母神ガイアの子だが、クロノスの手でタルタロス（奈落）に封印される。後に最高神ゼウスによって封印を解かれ、ゼウスらがクロノスを討つのに協力した。

[注2] ギリシャ神話に登場する巨人。天空神ウラノスと地母神ガイアの子。クロノスをはじめとするウラノスの子たちは「ティターン」と呼ばれ、英語で巨人を意味する「タイタン」の語源になった。

[注3] 北欧神話における巨人族（ヨトゥン族）の始祖。漫画『進撃の巨人』では、巨人化が可能な一族「ユミルの民」の始祖である少女にユミルの名が用いられている。

[注4] 日本各地に伝承が残っている巨人。山や湖を作ったとされる。

[注5] 『旧約聖書』の「サムエル記」に登場するペリシテ人の兵士。巨人の血をひいており、身長は約3メートルにもなる。のちに古代イスラエルの王となる羊飼いの少年ダビデに敗れ、首をはねられる。

世界各地の神話・伝承に登場する架空の生物ジャイアント（巨人）。彼らは人間の数倍から数十倍、数百倍にも及ぶ巨大な体躯を持ち、優れた腕力を誇ります。ジャイアント（Giant）という名前は、ギリシャ神話の巨人**ギガス**（Gigas）[注1]に由来し、その複数形である「ギガンテス」はゲーム『ドラゴンクエスト』に登場する魔物の名称にも用いられました。神話に登場するその他の巨人でとくに名が知られている者としては、ギリシャ神話の**クロノス**[注2]、北欧神話の**ユミル**[注3]、日本の伝承に登場する**ダイダラボッチ**[注4]などが挙げられます。

彼らの性質は多種多様で、神や人間に仇なす巨人もいれば、創世神話に関わる善良な巨人も存在します。とはいえ、神話に登場する巨人の多くは、『旧約聖書』の**ゴリアテ**[注5]のように、粗暴で残忍な性格をしているため、ファンタジー作品でもそのように描かれがちです。漫画『進撃の巨人』では、巨人は人間を食い殺す知性のない化け物とされ、人々に恐れられていました。さらにRPGなどのゲームでも、巨人やそれに類する生物が敵役として用いられることが多々あります。ただ、漫画『ONE PIECE』や『七つの大罪』など、巨人を心強い味方として描いた作品も存在するので、すべての創作家が巨人に対して悪いイメージを持っているわけではないようです。

284

体が大きくて力が強いと巨人に分類される？

サイクロプス[注6]のように目がひとつしかなかったり、**フロストジャイアント**[注7]のように何かしらの属性を付与されていたりと、ファンタジー作品における巨人の外見・能力はさまざまです。ただ、知能が低い反面、高い耐久力とパワーを誇り、物理攻撃を得意とするインファイターである点は共通しています。また、RPGなどのゲームでは、強敵として用いられることが多く、巨人が姿を見せるのはゲーム中盤〜終盤にかけてです。

一部のファンタジー作品では、オーク（P.268）やオーガ（P.274）のような体が大きいモンスターを、「巨人族」などと称してジャイアントに分類しています。ちなみに、巨人と似たような外見・能力を持つ存在として、ゴーレム（P.280）が挙げられますが、彼らは巨人に分類されません。ゴーレムは魔法の力で泥などに命を吹き込んで作られる人形であり、巨人のような生き物ではないからです。

[注6] ギリシャ神話に登場する、優れた鍛冶技術を持つ単眼の巨人キュクロプスをベースとしたモンスター。その名前は、キュクロプスを英語読みしたもの。

[注7] 氷属性の巨人。ファンタジー作品には、他にも火や土などの属性を持つ巨人が登場することがある。

ジャイアント

モンスター事典

現実・幻想世界の巨大生物たち

ファンタジー作品には、とるに足らない小型生物を巨大化させ、強敵として用いる文化があります。たとえばそのへんに生息しているネズミやカエルは、普段は驚異になり得ませんが、体のサイズが何十倍にもなると、恐ろしい敵に変貌します。小説『この素晴らしい世界に祝福を！』では、主人公らがジャイアントトード（カエル）の討伐に挑んだものの、体格差があり過ぎて苦戦を強いられていました。こういった生物は往々にして「ジャ

イアント○○」と呼ばれています。

現実の世界にも巨大生物は存在します。たとえばアフリカのブルンジ共和国に生息するナイルワニ「ギュスターヴ」が有名です。通常のナイルワニは体長4メートル前後ですが、このワニは6メートル以上とされています。ギュスターヴは人間を襲ったことがあり、過去に何度か捕獲・殺害が試みられました。しかし、機関銃を使っても致命傷を与えられず、いずれも失敗に終わったそうです。

285

複数の生物が合体した合成魔獣
キメラ

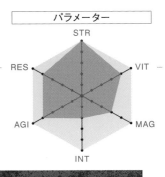

パラメーター

STR / VIT / MAG / INT / AGI / RES

獅子の体、山羊の頭、蛇の尾を持つ怪物

[注1] 紀元前8世紀頃の詩人ホメーロスが作ったとされる古代ギリシャ最古の長編叙事詩。当初は口承によってのみ伝えられていたが、紀元前6世紀頃に文字化された。

[注2] 紀元前700年頃の詩人ヘシオドスが記した古代ギリシャの叙事詩。ギリシャ神話における宇宙観の原点ともいわれる。

　ギリシャ神話に登場する三身一体の怪物がキメラ（キマイラ）です。古代ギリシャの叙事詩『**イリアス**』[注1]によれば、その姿は前方が獅子、真ん中は牡山羊、後方は大蛇という奇怪な姿とされています。のちの時代に作られた彫像などでは、頭と胴体は獅子、尾には巨大な毒蛇が生えていて、さらに前脚の肩口あたりには牡山羊の頭が付いた造形となっており、現代ではこちらの姿の方が一般的です。この他にも獅子、牡山羊、ドラゴンの3つの首を持つとする説や、背中に巨大な竜の翼が付いた姿で描かれたものもあるそうです。なお、国民的RPG『**ドラゴンクエスト**』シリーズに登場するキメラは、胴体は短く太い蛇のようで、頭部はハゲタカ、背中には白い翼を持つコミカルな姿をしています。最近では、キメラというとこの姿をイメージする人も多いでしょう。

　『イリアス』の中でキメラは、「**神の血を引く者**」とも述べられています。ヘシオドスの叙事詩『**神統記**』[注2]にも同様の記述があり、巨人テュポーンと半人半蛇の怪物エキドナの娘として紹介されています。テュポーンは大地母神ガイアの息子であることから、その娘キメラもまた神の眷属というわけです。しかし、棲み家であるリュキア火山の麓の町を何度も襲っていたことから、最期はペガサスを駆る勇者ベレロポンに討伐されてしまいました。

現世を彷徨う死者の魂
ウィスプ

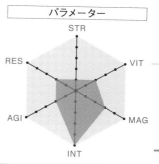

パラメーター

STR
VIT
MAG
INT
AGI
RES

ウィスプ

モンスター事典

人々を惑わせ、死へと誘う鬼火

[注1] 松明のような火が宙に浮かんでいるという怪しげな火のことで日本各地に伝承がある。基本的には動物や人間の霊が形になったものだとされる。

[注2] 生前に悪行の限りを尽くし、死後も現世を彷徨い続けることになった鍛冶屋のウィル（ウィリアム）にまつわる伝承。天国へも地獄へも行けないウィルの魂は煉獄を漂い、地獄の業火の燃えさしを手に入れる。それを頼りに彷徨う様子が鬼火の由来となった。

　暗闇に現れ、ほのかな光を放って浮遊、徘徊する球体のことをウィスプといいます。日本人にはお馴染みの人魂や鬼火[注1]もウィスプの一種です。ゲームや小説では「ウィル・オ・ウィスプ」の名で登場することもありますが、これは「**ひと掴みの藁のウィリアム**」[注2]という伝承から来た呼称であり、特定の個人名を含んでいるため、本書では広義的な表現として「ウィスプ」としています。

　ウィスプは、その地域ごとに「**狐火**」「**不知火**」「**イグニス・ファトゥス（愚者火）**」など、さまざまな呼び名があります。それらの多くに共通しているのが、墓場や廃墟、湿地帯などを好み、辺りが薄暗くなると出没することと、人間に対して大なり小なり悪意を持っている点です。とくに後者は厄介で、遭遇した人々を惑わせ、危地へと誘い、ときには生命を奪おうとすることさえあります。しかし、その正体の多くは低級の精霊や妖精、成仏できずに彷徨い続ける死者の魂（アンデッド）などであるため、直接的に死をもたらすほどのパワーは持っていません。

　一方、「ウィスプ＝無敵」という新しい解釈を生み出したのは、アクションRPG『**ドルアーガの塔**』と『**イシターの復活**』です。どちらも半永久的なプレイを防ぐための（準）無敵キャラクターという位置付けで、正攻法での対処が不可能な難敵としてプレイヤーを苦しめました。

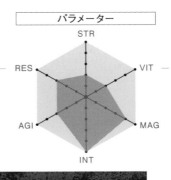

ギリシャ神話発祥の木の精霊
ドライアド

美しい女性の姿で男を森の奥へと誘う

[注1] ギリシャ神話に登場する精霊、または下級の女神のこと。山や川、木々などの自然に宿り、これを守っている。ギリシャ語で「花嫁」「新婦」などを意味するニュンペの英語読みである。

　ドライアドは、ギリシャ神話に登場する木の精霊「ドリュアス」の英語読みで、森の木々に宿るニンフ[注1]ともいわれます。樹木と同様に非常に長命で、中には寿命が数百年を超えるものもいますが、その生命は宿った木と運命を共にするため、宿り木が枯れるとドライアドもいっしょに死んでしまうといわれています。そのため彼女たちは森に敬意を払わず、むやみに木を傷つけ、木を切り倒そうとする人間に対しては非常に厳しい態度で臨み、ときには懲らしめることもあるそうです。

　ドライアドは小柄で美しい少女の姿をしており、豊かな緑色の髪はまるで新緑のようだといわれます。しかし、自らその姿を人前に現すことは滅多にありません。一方で、ドライアドは人間やエルフの美男子を好み、その美しい容姿と魅了の術で相手を誘惑して森の奥へと誘い込むこともあります。魅了された人間はドライアドと楽しいひと時を過ごしたのちに解放されますが、現実の時間では何十年も経過したあとだそうです。

創作ではお馴染みとなった植物系モンスターたち

テーブルトークRPG『**ダンジョンズ＆ドラゴンズ**』のドライアドは、伝承に比べると野性的で、より樹木に近い外見をしています。肌は滑らかな樹皮や木材のようで、木の葉のように茂った髪は季節によって色が変化するそうです。

また、ドライアドの他にも各地の伝承、創作には木々に宿る精霊や植物が変容したクリーチャーが数多く存在しています。以下でその一例を紹介していきましょう。

主な植物系モンスター・精霊の種類

マンドラゴラ

魔術や錬金術の材料に用いられる植物。土に植えられた状態はただの植物ですが、根が人型をしており、引き抜くとこの世のものとは思えぬ悲鳴を上げ、間近で聞いたものは即死、または発狂してしまうといいます。

スクーグスロー

スウェーデンの民話に登場する森の精霊。一糸まとわぬ美しい女性の姿をしていますが、長い髪で隠した背中は枯木のようで、大きなうろがあります。森を訪れた男性に祝福を与えますが、代償として愛を求めます。

エント

トールキンの『指輪物語』に登場する木の姿をした巨人。育ちの遅い木々を守る牧人です。気性は穏やかで怒ることは滅多にありませんが、ひとたび本気を出すとトロールをはるかに凌ぐ強さを発揮します。

アティアグ

『ダンジョンズ＆ドラゴンズ』の架空の生物。地下などの不潔な場所を好み、2メートルを超える巨体には大きな口と複数の触手があります。『ファイナルファンタジー』シリーズでは「オチュー」の名で登場します。

アルラウネ

人型（主に女性）をした植物系モンスター。マンドラゴラの亜種とされ、手に入れた者は未来を知ることができ、裕福になれるといいます。ドイツ語の「alp（夢魔）」と「raunen（囁く）」が語源の合成語だといわれます。

マニコイド

『ダンジョンズ＆ドラゴンズ』に登場する植物系モンスターで、人型をしたキノコの怪物。仲間を増やし、縄張りを拡大し続けることが最大の目的で、安価な労働力として奴隷化されているものも少なくありません。

木霊（こだま）

樹木に宿るという日本の妖怪の一種。山で音が反響して聞こえる現象「やまびこ」は、この木霊のしわざだとも伝えられます。ジブリ映画『もののけ姫』に登場したことで、広く名前が知られるようになりました。

キジムナー

沖縄やその周辺の島々に伝わる伝説の妖怪。ガジュマルの古木に宿る精霊ともいわれ、顔や頭髪、ときには全身が真っ赤な子どもの姿で現れるという。仲良くなると魚がもらえたり、金持ちになったりするといわれる。

トレント

『ダンジョンズ＆ドラゴンズ』に登場する樹木の精。上記の「エント」がモデルですが、版権問題を回避するため「トレント」で統一されました。『ファイナルファンタジー』シリーズにも同名のモンスターが登場します。

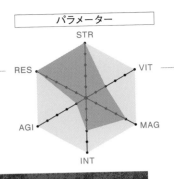

パラメーター

STR
VIT
MAG
INT
AGI
RES

昔から人気のアンデッドモンスター
ヴァンパイア

ヴァンパイアの設定の変遷

　吸血鬼の伝承は古くから世界中にあり、そのうちのひとつがヨーロッパにおける吸血鬼ヴァンパイア（Vampire）です。チェコ、ハンガリー、ポーランド、ロシアには、それぞれ各国の言葉にスラヴ語の「ヴァンピル（vampir）」につながる単語があり、東欧のバルカン諸国[注1]に伝わる伝承から発展したと考えられています。伝承の発生時期は不明ですが、17世紀半ば頃から研究されて書籍が出版されており、当時から人々の興味を惹いていたようです。

　その後、1819年にイギリスの小説家ジョン・ポリドリが発表した『吸血鬼（THE VAMPAIRE）』が人気を博し、数々の吸血鬼作品が登場。この作品における「貴族のヴァンパイア」が以後の作品にも踏襲されていきました。そして、女性吸血鬼を題材とした『カーミラ（Carmilla）』[注2]などを経て、有名な『ドラキュラ（Dracula）』[注3]が登場。この作品が非常に人気だったことから、作中で描かれたヴァンパイアの特徴（赤い眼、怪力、尖った犬歯、吸血した相手を吸血鬼にする、塵に姿を変える、動物への変身、鏡に映らない、流れる水を渡れない、十字架などの聖なる物が苦手など）がのちの作品に引き継がれていきました。ただし、作中のドラキュラ伯爵は確かに陽光が嫌いでしたが、「力が弱まる」だけで灰にはなっておらず、このヴァンパイア最大の弱点はまた別の作品による影響のようです。

[注1] バルカン半島にあるルーマニア、ブルガリア、セルビア、マケドニア、ギリシャ、クロアチア、ボスニア・ヘルツェゴビナ、モンテネグロ、アルバニアの9ヵ国のこと。

[注2] アイルランドの小説家ジェリダン・レ・ファニュによる1892年の作品。「棺桶で眠る」「杭で滅ぼされる」といったヴァンパイアの特徴は後年の『ドラキュラ』にも踏襲された。

[注3] アイルランドの小説家ブラム・ストーカーによる1897年の作品。ヴァンパイアのドラキュラ伯爵には『カーミラ』の影響があり、また「串刺し公」と呼ばれたワラキアのヴラド・ツェペシュをモデルにしたともいわれる。

アンデッドモンスターの中では高位の存在

ヴァンパイアは各国へ伝わってさまざまな作品が誕生し、ゲームに登場するようになったヴァンパイアはアンデッドモンスターになりました。「**アンデッド**（undead）」は否定を意味する「アン（un）」と「死者」という意味もある「デッド（dead）」が結合した言葉です。アンデッドモンスターといえばゾンビ[注4]やスケルトン[注5]のような動く死体が思い浮かびますが、これらは死んでいるのに動いているのでアンデッド（不死者）なのでしょう。

その点、ヴァンパイアは弱点を突かれなければ**文字とおり不死**なので、アンデッドモンスターとして扱われるのは自然なのかもしれません。とはいえ、ヴァンパイアは貴族のイメージがありますから、ゾンビなどと同等なのは違和感があります。そのためなのか、ヴァンパイアはアンデッドモンスターの中でも高位の存在とされています。

アメリカやイギリスでは昔からヴァンパイアを扱った作品が人気で、吸血鬼と人狼という一族同士による抗争を描いたアメリカの『アンダーワールド』シリーズのように、動画サイトで視聴可能な作品もあります。ただ、こうした映画作品は比較的コンスタントに制作されていたのですが、近年ではこれといった作品は登場していないようです。

一方、日本でもヴァンパイアは根強い人気で、近年でも吸血鬼兄弟の恋愛模様を描いた『DIABOLIK LOVERS』、人間の血を吸えない吸血鬼の葛藤を描いたドラマ『青きヴァンパイアの悩み』などがあります。また大ヒットした『鬼滅の刃』の始祖鬼舞辻無惨は、陽光を克服することを目的にしていました。これはいわゆるデイウォーカー[注6]になりたいと願うヴァンパイア像と共通しており、こうしたヴァンパイア的な要素を含む作品も数多く見られます。

[注4] アフリカや中南米などの一部で信仰されているブードゥー教に由来した死体が動くアンデッドモンスター。ゲームではいわゆる雑魚モンスターとしてよく登場する。

[注5] 白骨化して骨だけになった存在。アンデッドモンスターの中ではゾンビと並んで雑魚モンスターの代表的存在。

[注6] 陽光を浴びても灰にならないヴァンパイアのこと。ヴァンパイアを扱った作品では大抵「陽光を浴びると灰になる」という設定が踏襲されており、「日中も思うがままに外を歩きたい」と願うヴァンパイアが登場する作品も多い。

ヴァンパイア　モンスター事典

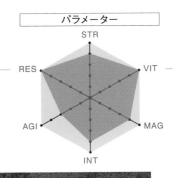

パラメーター

STR
VIT
MAG
INT
AGI
RES

"不死鳥"の名で知られる伝説の鳥

フェニックス

フェニックス

モンスター事典

古代エジプトの神話から誕生

[注1] 古代エジプト神話で、太陽神ラーに従う聖なる鳥として登場。日没になると死に、日の出と共に蘇る、太陽と同じ存在と考えられていた。赤と金の羽を持つ鷲の姿で伝えられる。

[注2] 紀元前480年頃の歴史家。ギリシャやエジプトなどの歴史を書き残した重要な人物と考えられている。著書『歴史』の中でフェニックスについて触れている。

フェニックスは、死んでも炎の中から蘇って永遠に生き続けるという伝説の鳥です。古代エジプトの神話に登場する**ベンヌ**[注1]という鳥がルーツとされ、それを古代ギリシャの歴史家ヘロドトス[注2]が自著の中で「フェニックス」として紹介したのが始まりといわれます。その後、後世の著述家によって「500年の寿命を持つ」とか「炎の中で焼死した後に蘇る」といった伝説が加えられ、現在知られる**不死鳥**のフェニックスになっていきました。

こうした神秘的な伝承を持つフェニックスは、ファンタジー作品でも伝説のモンスターとしてしばしば取り上げられています。ただ、ゲームにおいては不死だとプレイヤーが倒せない敵になってしまうため、単に炎をまとった手強い鳥という存在に落ち着いていることが多いようです。ちなみに『ファイナルファンタジー』シリーズではプレイヤーが呼び出す召喚獣として登場し、戦闘不能になった味方キャラクターを蘇らせるという、不死鳥らしい能力を発揮しています。

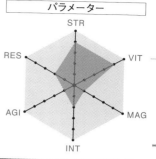

パラメーター

STR
RES
VIT
AGI
MAG
INT

ミミズ？　ドラゴン？
ワーム

ワームと呼ばれる2種類のモンスター

　ワームと呼ばれる生き物は2種類います。ひとつはミミズやイモムシなど細長い体の虫類。これらをモデルにしたモンスターは小さくて弱く、駆け出しの冒険者が戦う相手として一部の作品に登場します。毒や酸を口から吐くものもいますが、基本的には動きが鈍く、打たれ弱い存在です。

　もうひとつはヨーロッパの神話に登場する伝説の生き物で、大蛇の体にドラゴンの顔を持つというもの。有名な話に『**ラムトンのワーム**』の伝承があります。ラムトン家の跡取りである若者が奇妙な虫を釣り上げてしまい、井戸に捨てたところ数年後に巨大なワームに成長。それを魔女の力を借りて倒す、という話です[注1]。この物語はのちに、小説やオペラの題材にもなりました。

　この伝説のワームは**ドラゴンの一種**として伝えられていますが、どちらかというとヘビに近い存在で、これをモデルにしたモンスターもファンタジー作品ではよく見受けられます。テーブルトークRPG『ダンジョンズ&ドラゴンズ』における、牙を持つ巨大なヘビ型モンスターのパープル・ワームは、そのいい例でしょう。

　ちなみに、ワームという名前はコンピュータの世界で悪意あるプログラムに対しても使われます[注2]。ネットワークの中をイモムシのように這い回り、自動的に実行と複製を行なうことからそう名付けられました。

[注1] このワームは斬ってダメージを与えても傷口がすぐに治ってしまう能力を持つ。若者は魔女の教えで刃のついた鎧をまとい、巻き付いてきたワームを一気に串刺しにして倒したという。

[注2] 似たものにウイルスやトロイの木馬がある。ワームはウイルスと違ってシステムレベルで自動実行され、トロイの木馬と違って積極的に攻撃活動を行なうのが特徴。

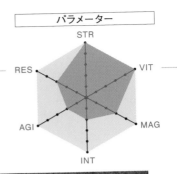

パラメーター

STR
RES — VIT
AGI — MAG
INT

9つの首を持ち猛毒を吐く怪物

ヒドラ

ヒドラ　モンスター事典

ギリシャ神話の代表的な怪物

[注1] 英表記はHydra。和表記は訳者や作品によってヒドラ、ヒュドラ、ハイドラなどまちまちである。

　ヒドラはギリシャ神話に登場する、9つの首を持つ大蛇です。ヒュドラまたはハイドラとも呼ばれます[注1]。父はゼウスと死闘を演じたテュポーン、母は上半身が美女で下半身がヘビのエキドナで、兄弟にはケルベロスやキマイラなどがいる、まさに怪物一家の出身です。英雄ヘラクレスによって倒されましたが、その首は斬ってもすぐにつぎ次の首が生えてきて、中央の首は不死身という恐ろしい強さを持っていました。また体内には猛毒を持ち、近づく者はその吐息を吸っただけで死んでしまうともいわれています。ヒドラを倒したヘラクレスが、その毒を自分の矢に塗って、以後強力な毒矢として活用したほどです。

　さて、このような伝説を持つヒドラは、ファンタジー作品でもたびたび凶悪なモンスターとして登場します。『ファイナルファンタジー』や『ウィザードリィ』などのゲームが代表的でしょう。神話のように毒を吐くほか、ブレスや麻痺攻撃、複数の首による多段攻撃など、その攻撃方法の凶悪さは随一といえるかもしれません。

[注2] 出雲地方に伝わる伝説の怪物で、8本の頭と8本の尾を持つ。スサノオによって退治され、その尾から草薙の剣が出てきたという。

　なお、同様にたくさんの首を持つ大蛇に日本神話の**ヤマタノオロチ**[注2]がいます。こちらは8つの首を持つ大蛇で、生贄に人間の女性を喰らうという恐ろしい存在でしたが、英雄神スサノオによって退治されています。毒こそありませんが、両者には共通している部分がいくつもあります。

294

巨大なヒキガエルのモンスター

トード

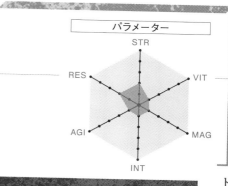

パラメーター

STR / VIT / MAG / INT / AGI / RES

それほど強くない初歩的な相手

ファンタジー作品ではカエル型のモンスターが登場することも多く、これらはたいていトードと呼ばれています。トードとはいわゆる**ヒキガエル**や**ガマガエル**のこと[注1]。体が大きく肥えていて、イボ状の体表には毒を含み、のそのそと歩くカエルです。これをモデルにしたモンスターが各種作品に登場しています。

『ウィザードリィ』では巨大なカエルの**ジャイアントトード**が出てきますし、『この素晴らしい世界に祝福を！』では主人公が最初に戦うモンスターとして同じくジャイアントトードが現れます。ただ、巨大といっても所詮はカエルなので、それほど強くない初歩的なモンスターという位置付けであることが多いようです。

ただし、現実の世界のカエルに人間を殺す猛毒を備えた種がいるように、ファンタジー世界のトードも毒には気を付けなければいけません。毒を中和する道具や魔法がない場合、たとえ勝利しても毒によるダメージで全滅してしまう可能性もあるのです。

ちなみに、口などから毒を噴射して攻撃する、というのはファンタジー作品独自のものです。現実世界におけるカエルの毒は自衛用であり、自分を捕食しようとした生物を殺すため、皮膚から分泌します。そのため、猛毒のカエルと遭遇しても触れなければ問題ありません。

[注1] カエルには数千種類が存在し、アマガエル科やアカガエル科など系統分けがされている。その中でヒキガエル科に属するカエルのみをトードといい、ほかはフロッグという。

295

北欧に伝わる海の怪物

クラーケン

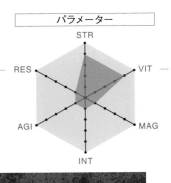

パラメーター

STR
VIT
MAG
INT
AGI
RES

一般的にはイカの姿で知られる

　中世から近代にかけて、当時は船出をしたまま帰ってこない船も多く、それはクラーケンの仕業だと考えられていました。海にはクラーケンという怪物が棲んでおり、迷い込んだ船を餌食にしてしまうのだと。そういう得体の知れない脅威としてクラーケンという言葉がありました。

　クラーケンの姿は一般的には**巨大なイカ**や**タコ**の姿で伝えられていますが、**大蛇**や**ドラゴン**などとして描かれるケースもあります。最初にクラーケンの名を広めたデンマークの司教エリック・ポントピダンによれば「クラーケンが吐いた墨で一面の海が真っ黒になった」といい[注1]、そのことからとにかくクラーケンは巨大であるということだけは共通の認識になりました。島と間違えて上陸した者がそのまま海に引きずり込まれた、という伝承もあるほどです。このクラーケンはさまざまなファンタジー作品でモンスターとして登場しますが、たいていは伝説ほどの巨大さや脅威はなく、単に大きなイカのモンスターであることが多いようです。

[注1] デンマークの司教エリック・ポントピダンは18世紀に『ノルウェー博物誌』を執筆し、その中でクラーケンの脅威について触れた。これがクラーケンという名前の初出で、それまでさまざまな名前で呼ばれていた怪物が以後クラーケンと呼ばれるようになった。

魚と人間の性質を併せ持つ生き物

サハギン

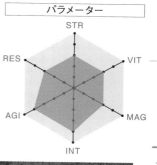

パラメーター

STR / VIT / MAG / INT / AGI / RES

ファンタジー作品オリジナルのモンスター

　　手足の付いた魚のようなモンスターのサハギンは、テーブルトークRPG『ダンジョンズ&ドラゴンズ』が生み出した架空の生物です。**顔**や**背ビレ、尾ビレ**などはほぼ魚でありながら、人間のように二足で歩き、２本の手で武器や道具を使いこなす、いわゆる**半魚人**タイプのモンスターです[注1]。人間や水中に住むエルフの亜種「アクアティック・エルフ」と対立しています。その後、『ファイナルファンタジー』で定番のモンスターとなり、日本でも広く知られるようになりました[注2]。

　　特徴は作品によってまちまちで、『ダンジョンズ&ドラゴンズ』では三叉の槍を武器とし、好戦的で凶暴ながら知能の高いモンスターとして描かれています。ただ、奇怪な見た目に反してとても人気があり、『The Sea Devil』という、サハギンについてのみ書かれたルールブックが発売されたほどです。一方、『ファイナルファンタジー』シリーズでは水辺を守る静かな種族として登場し、作品によってはプレイヤー側と同じように竜騎士や吟遊詩人などのジョブが設定されていました。

　　魚と人間の融合体といえば『ONE PIECE』にもそうした種族が出てきますが、こちらはもっと人間に近い姿でところどころに魚の面影がある「魚人」。魚の能力を持ち、人間を超越した種族として描かれています。

[注1] 日本語訳では「サフアグン」とされる。また「シー・デヴィル」という異名を持つ。

[注2] 上半身が人間で下半身が魚の、人魚とは区別される。

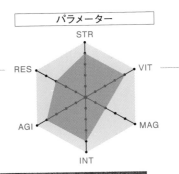

パラメーター

STR
RES — VIT
AGI — MAG
INT

ペルシャの伝説に登場する巨大な鳥

ロック鳥

ロック鳥

モンスター事典

実在した可能性もあった!?

ロック鳥といえば、ファンタジー作品で巨大な鳥として
たびたび登場するモンスターです。『ドラゴンクエストモン
スターズ』や『ファイナルファンタジー』をはじめ、『モン
スターストライク』やカードゲーム『マジック：ザ・ギャザ
リング』など、幅広い作品でお馴染みでしょう。

このロック鳥の原点はというと、ペルシャの説話集『ア
ラビアンナイト』[注1]の**シンドバッドの物語**に遡ります。シ
ンドバッドはある島で巨大な鳥に遭遇するのですが、それ
は翼を広げると空を覆うほどの巨体で、象を軽々と持ち上
げて食べてしまうという、まさに化け物のような鳥。これ
がロック鳥です。この物語をもとに、現在のロック鳥のイ
メージが作られてきました。

一方、実際にロック鳥を見た、という人ものちに現れま
す。13世紀末の旅行記『東方見聞録』[注2]で有名なマルコ・
ポーロです。その記述によると、アフリカ南東沖のマダガ
スカルに巨大な鳥が棲んでいるらしく、その羽毛が落ち
ていたのを実際に見たとのこと。現地の人が「**ルク**」と呼
んでいる鳥だそうです。また、一説にはマダガスカルに実
在した**エピオルニス**という巨大な鳥がロック鳥の正体では
ないか、ともいわれています。エピオルニスは空を飛べな
い鳥で19世紀前半に絶滅しましたが、最大で体長が3.5
メートルにも及んだ巨鳥だったといわれています。

[注1] 8世紀頃に成立し
たとされるペルシャの説話
集。『千夜一夜物語』とも
呼ばれる。その中に船乗
りシンドバッドの話があり、
そこでロック鳥が登場する。

[注2] マルコ・ポーロがイ
タリアから中東～アジアを
25年かけて巡り、その内
容を彼の口述から旅行記
にまとめたもの。その後の大
航海時代に大きな影響を与
えた。

自分にそっくりの分身
ドッペルゲンガー

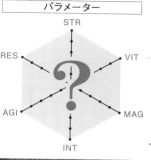

パラメーター

STR / VIT / MAG / INT / AGI / RES

ドッペルゲンガーを見た者は死ぬ！

[注1] ドッペルゲンガーは、脳に異常があったり精神的に不安定な場合に見えることがあるという。そこから死に至るケースもあったことから、「ドッペルゲンガーは死の予兆」という話が広まったといわれる。

[注2] 19世紀前半に活躍したドイツの作家。「自分の分身を見てしまう」という詩を書き、それを作曲家シューベルトが「ドッペルゲンガー」の名で歌曲にした。

「ドッペルゲンガーを見た者は死ぬ」という都市伝説があります。このドッペルゲンガーとは自分にそっくりな**分身**のこと。肉体から魂が分離したものであり、それが見えるのは死期が近い証である[注1]と、昔からいわれてきました。実際にこのドッペルゲンガーを見たことがあるという話は各国で報告されていて、小説家の芥川龍之介やアメリカのリンカーン大統領などもその実体験を語っています。

こうした**不可思議な現象**のドッペルゲンガーは、18世紀から20世紀にかけて小説や文学のテーマとしてよく用いられました。さきほど挙げた芥川龍之介もそうですし、ドイツの作家ハインリヒ・ハイネ[注2]やアメリカの小説家エドガー・アラン・ポーなども作品中で取り上げています。

翻って現代では、「自分にそっくりな分身」というモンスターとして、ドッペルゲンガーがファンタジー作品によく登場します。ゲーム『デビルメイクライ』では主人公ダンテそっくりの敵として現れ、これを倒すと自身の武器としてドッペルゲンガーを使えるようになります。また、仲間だと思っていたキャラクターがいつの間にかモンスターと入れ替わっていて、それがドッペルゲンガーだった、という設定の作品もあります。ドッペルゲンガーは固有の形を持つ生き物ではなく、自分の分身という特徴を生かした、ある種の仕掛け的なモンスターといえるでしょう。

砂漠地帯でお馴染みのモンスター

マミー

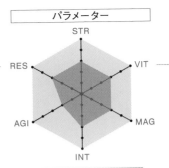

パラメーター

STR
VIT
MAG
INT
AGI
RES

アメリカ映画の影響でモンスターのイメージが定着

[注1]『ドラゴンクエスト』シリーズには「マミー」のほか、「ミイラおとこ」「ブラッドマミー」「マミーウィスプ」など複数のマミー系モンスターが登場している。

[注2] ミイラを題材としたホラー映画の始祖とされている作品。1999年公開の『ハムナプトラ/失われた砂漠の都』と2017年公開の『ザ・マミー/呪われた砂漠の女王』はこの作品のリメイク版である。

　マミーは英語圏における**ミイラ**の呼称ですが、ゲーム作品においては、しばしばミイラの姿をしたモンスターの名称[注1]として用いられています。

　元々ミイラ自体にモンスターとしての伝承はありませんでしたが、1932年に映画『**ミイラ再生**』[注2]が公開されて以降、ミイラを題材としたホラー作品が次々と制作され、モンスターとしてのマミーのイメージが定着。現在に至ることとなります。

　なお、古代エジプトでミイラがつくられたのは、彼らが「人が来世で復活するには肉体が必要である」と信じていたからです。こうしたミイラは、専門の職人の手でつくられ、おもに下図に示したような工程で行われました。その作業は非常に手間のかかるもので、成人の場合だと完成までに2～3カ月かかったとされています。

■ミイラを作成するおもな手順

1	遺体を洗浄する
▼	
2	脳と内臓を取り出す
▼	
3	遺体を塩漬けにして乾燥させる
▼	
4	遺体に樹脂と油を混ぜた防腐剤を塗って殺菌する
▼	
5	遺体を布で巻く

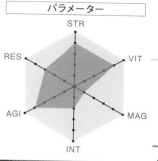

パラメーター

STR
RES
VIT
AGI
MAG
INT

人、トラ、サソリの要素を持つ合成獣
マンティコア

紀元前から語り継がれる人食いモンスター

[注1] マンティコアについて初めて言及した文献とされ、「インドに棲み、人を喰らう人面ライオン」と紹介されている。

[注2] 天文、地理、動植物、鉱物、絵画・彫刻などさまざまな事柄に関する知識をまとめた辞典。77年に完成した。マンティコアについては「エチオピアに棲むライオンで、人語を真似る」と紹介されている。

マンティコアは紀元前からギリシャを始めとする地中沿岸の地域で知られていたモンスターで、紀元前5世紀の歴史家クテシアスが著した『**インド誌**』[注1]や古代ローマの大プリニウスが著した『**博物誌**』[注2]などでもその存在が紹介されています。

マンティコアはペルシャ語で「**人食い**」を意味しますが、その名のとおり、性格は極めて狂暴で、人を好んで食べるとされています。また、走るのも非常に速い上に、人の言葉を真似るという話も残されています。

その姿は文献によってまちまちですが、一般的にはライオンの胴、人間の顔、サソリの尾を持つ合成獣です。創作作品では、背中にコウモリの羽が生えた姿で描かれることもあります。また、尾に関しては大きく、「先端に毒針があり、それで相手を刺して攻撃する」というものと、「尾に24本の棘があり、それを飛ばして攻撃する」というものの２パターンが存在します。

なお、マンティコアは、アジアを中心に棲息する**ベンガルトラ**が誇張されて伝わったことで、生み出されたモンスターだとする説もあります。実際、過去にはインドとネパールで少なくとも436人を殺害したとされるベンガルトラもおり、そうした個体がモンスター視された可能性も十分にあり得る話でしょう。

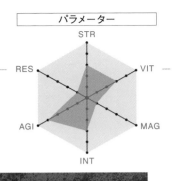

邪悪な狼の怪物

ワーウルフ

伝承でも創作でも悪役として描かれがち

[注1]「狼の毛皮を身に着ける」「呪文を唱える」「満月を見るあるいはその光を浴びる」など、ワーウルフが変身する方法はさまざま。また、人型の狼ではなく、狼そのものに変身することも可能。

[注2] 古代ギリシャに存在した部族のひとつ。ヘロドトスの『歴史』には「彼らは魔法を使って狼に変身する」と記されている。

[注3] 西洋では古くから「銀には悪しきものを滅する力がある」と信じられ、通常の弾丸が効かない吸血鬼や狼男、魔女なども銀の弾丸なら倒せるといわれていた。これをそのまま取り入れた創作作品も少なくない。

ヨーロッパ各地の伝承に登場する怪物ワーウルフ。彼らは普段は人間ですが、何かしらの方法で狼に変身します[注1]。ワーウルフの多くは変身すると理性を失い、人や家畜を襲う凶暴な獣に成り下がるそうです。

ワーウルフの起源は、古代ギリシャやローマ時代にまで遡ることができます。古代ギリシャでは、人と狼の肉を混ぜ合わせて食べると狼に変身できると信じられていました。また、ギリシャ神話にも、人を殺して生贄にした**リュカオン**という人物が、主神ゼウスによって狼に変えられてしまう逸話が存在します。

ヨーロッパの伝承では邪悪なものとして描かれることが多いワーウルフ。これはファンタジー世界でもいえることで、彼らは主人公らに敵対する悪役として描かれるケースがほとんどです。変身したワーウルフは、優れた身体能力を持ち、肉弾戦では無類の強さを発揮しますが、創作作品においては「銀の弾丸」[注3]という明確な弱点も存在します。

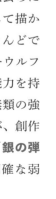

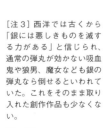

変幻自在な煙の精霊
イフリート

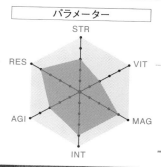

パラメーター

STR / VIT / MAG / INT / AGI / RES

イスラム教に由来する炎の精霊

イフリートは、イスラム教の唯一神アッラーが、煙のない炎から作った精霊「**ジン**」の一種で、アッラーが最初の人間アダムを創るより2000年以上も前に生み出されました。善なる存在として作られた天使と違い、ジンは善悪を定められていないため、人間のように良いジンと悪いジンがいます[注1]。また、ジンが持つ力にも個体差があり、その大きさによって5段階に分類されるそうです[注2]。

現代の創作作品では、炎をまとった筋骨隆々な人型の怪物として描かれるイフリートですが、本来の姿はまったく異なります。実際のイフリートは体が煙でできており、外見を自由に変えられます。人々の前に現れるときは、その見た目で圧倒するためか、天をつくほど巨大化し、手足や目を増やした迫力満点の姿になることもあるそうです。

創作でのイフリートは、炎の魔神あるいは精霊として扱われています。確かにイフリートは多彩な魔法を操りますが、伝承に登場するイフリートは、炎とそれほど関係が深い存在ではありません。「イフリート＝炎の精霊」というイメージが定着したのは、テーブルトークRPG『ダンジョンズ&ドラゴンズ』やゲーム『ファイナルファンタジー』などの影響です。とくに前者の影響は強く、ジンが**風の精霊**として扱われるようになったのも『ダンジョンズ&ドラゴンズ』に由来するといわれています[注3]。

[注1]イフリートはジンの中でも凶暴な部類に入る。人間の女性を好み、気に入った者を連れ去ることもあるという。

[注2]力の強さに応じて「マリード」「イフリート」「シャイターン」「ジン」「ジャーン」に分類される。イフリートは上から2番目なので、強大な力を持つといえる。

[注3]『ダンジョンズ&ドラゴンズ』の世界には地水火風の4大精霊力によって構成される異世界があり、それぞれに精霊力を担当する精霊と魔神が存在する。この魔神の名前にはジンの階級名が割り当てられており、風の精霊界はジン、火の精霊界はイフリートとされた。その影響で、後世の作品でそれぞれ風や炎と結び付けられたと考えられている。

森にすむ醜い老婆

ハッグ

パラメーター

ハッグ

モンスター事典

子どもをさらう邪悪な精霊

[注1] ヤーコプとヴィルヘルムのグリム兄弟が編纂したドイツの昔話集。1812年の出版以降、今日に至るまで大勢の人に読まれ続けており、「シンデレラ」「赤頭巾」「白雪姫」といった、誰もが知る話が多数収録されている。

　ハッグは、ヨーロッパ各地に伝わる、老婆の姿をした精霊の総称です。人里離れた森の中に棲み、鉤のように曲がった鼻と鋭い目つき、長く伸びた爪という容姿を持ちます。こうした特徴はグリム童話[注1] などに登場する「悪い魔女」のイメージそのものですが、実際にグリム童話の『ヘンゼルとグレーテル』に登場する人食い老婆は、ハッグだともいわれています。また、日本に伝わる妖怪「山姥」もハッグの仲間だといえるでしょう。ゲームなどにモンスターとして登場するハッグも、概ね伝承の姿そのままの特徴があり、魔法を使用してくることも珍しくありません。

　ハッグの伝承で有名なものに、スコットランドに伝わるブラック・アニスがいます。このハッグは、洞窟に棲み、真っ青な顔と鉄の爪、長く白い牙を持った老婆の姿をしています。また、片目しかないとする伝承もあります。住処の近くにある木の上に潜んでは、とおりかかった人に襲い掛かると、洞窟へと連れ去り、大釜で調理して食べてしまいます。また、街に現れることもあり、窓からすっと手を伸ばして子どもをさらっていくともされていました。

　この地域の人にとってブラック・アニスはとても恐ろしい存在で、彼女が爪を研ぐ音が聞こえると、人々は子どもを家に入れて扉を閉ざし、けっして窓に近づけないようにしていたとされています。

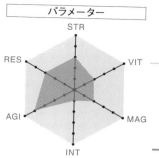

人をおそう殺人蜂

キラービー

パラメーター

STR / VIT / MAG / INT / AGI / RES

キラービー　モンスター事典

数々のゲームに登場する蜂型モンスター

　キラービーは巨大な蜂型のモンスターです。キラービー自体に伝承などはなく、近年に創作されたモンスターですが、『ドラゴンクエスト』シリーズや『ファイナルファンタジー』シリーズ、『テイルズオブ』シリーズなど数多くのゲーム作品に登場しており、昆虫型モンスターの定番のひとつとなっています。

　モチーフが蜂だけあって、大抵は毒やマヒ[注1]などの状態異常攻撃を仕掛けてきます。また、回避率が高めに設定されていることが多いのも特徴のひとつです。

　ちなみに、キラー・ビーと呼ばれる蜂は実在しています。正式にはアフリカナイズドミツバチという名前のこの蜂は北米大陸に生息しており、実際に襲われて亡くなった人も多数出ています。アフリカナイズドミツバチは防衛本能が極めて強く、巣の警戒範囲に入った相手を集団で襲う性質を持つ上、逃げても長い距離を追いかけてきます。非常に凶暴な蜂として知られており、人々の恐怖の対象となっています。

[注1]『ドラゴンクエスト3』ではシリーズで初めて「まひ」状態にしてくるモンスターとして登場。回復手段がない場合、かなり厄介な相手となっていた。

よくも巣をこわしたな!!　ゆるさ～ん

305

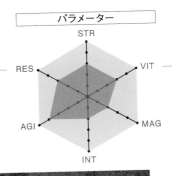

パラメーター

STR

VIT

MAG

INT

AGI

RES

冥界からやってくる地獄の猟犬
ヘルハウンド

ヘルハウンド

モンスター事典

炎のブレスを吐くこともある犬型モンスター

地獄や冥界にまつわる犬型のモンスターといえば、ギリシャ神話の**ケルベロス**や北欧神話の**ガルム**が有名ですが、「地獄の猟犬」の名を持つヘルハウンドもそうした冥界を棲家とする犬型モンスターの一種です。

ファンタジー作品でもお馴染みの存在で、『D&D』では「赤さび色の短い毛を持ち、歯や舌は煤のように黒く、らんらんと輝く赤い瞳を持つ。気性が荒く、炎の息を吐き、地獄語を理解する」とされています。

ただし、ヘルハウンドはケルベロスやガルムのような個体名ではなく、地獄に棲む犬型モンスターの総称という捉え方が一般的です。

ヘルハウンドは、**イギリスではブラックドッグ**とも呼ばれ、その存在は不吉の象徴とされています。伝承によるとブラックドッグは、**燃えるような赤い瞳と短く黒い体毛を持った大型の犬**で、夜中に古い路地や十字路などに出現するとされています。また、性格も凶暴で、人を襲うこともありました。

このブラックドッグにまつわる最古の記録とされているのは、14世紀にダートムーアに現れて人を殺害したという黒い魔犬の話で、コナン・ドイルの小説『**バスカヴィル家の犬**』[注1]は、ダートムーア地方に伝わる魔犬の伝承を基に執筆されたものです。

[注1] 1901年に出版されたシャーロック・ホームズシリーズの長編小説のひとつ。口から炎を吐く魔犬の伝説が伝わる富豪のバスカヴィル家で起きた、怪死事件を巡るミステリー小説。

淫靡な悪魔
夢魔

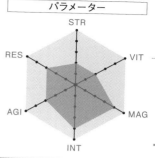

パラメーター

STR
RES　　　　　VIT
AGI　　　　　MAG
INT

夢魔

モンスター事典

魅力的な姿で現れ、人々を誘惑する身近な悪魔

　　夢魔は、夢の中や現実の世界に現れて人を誘惑し、性交を行う悪魔の一種です。男性の夢魔は「**インキュバス**」、女性の夢魔は「**サキュバス**」と呼ばれており、こちらの名称の方がお馴染みかもしれません。

　　夢魔が現れる際は、相手が異性に求める理想の姿をとるとされています。魅力的な異性なら悪魔だろうと大歓迎と思うかもしれませんが、それが奴らのやり口です。もし誘惑に負けて夢魔と交わった場合、女性は悪魔の子を妊娠させられることとなり、男性も精魂尽き果てるまで精気を吸い取られ、最終的には死に至るとされています。まさに甘い話には裏があるとはこのことで、どれだけ魅力的だろうと、誘惑には乗らないのが賢明です。

　　とはいえ、賢者[注1]でもない限り、これはそう容易いことでないのは十分予想がつくでしょう。それは中世の人たちも同じだったようで、「夢魔に襲われた」という逸話は数多く残されています。地域によっては夢魔を避けるためのまじない[注2]も行われていたそうで、夢魔の存在が身近な問題のひとつだったことが伺えます。

　　なお、インキュバスとサキュバスは同一の存在という説もあり、それによるとサキュバスが男性から精液を奪い、それを使ってインキュバスが女性を妊娠させているとか……。なんとも迷惑なモンスターです。

[注1] あらゆる知識と経験を備えた優れた人物のこと。RPGなどでは魔法使いと僧侶の両方の性能を兼ね備えた上位職に当たる存在とされることが多い。

[注2] 「枕元に牛乳を置いておくと、サキュバスに襲われない」といった風習があった。

307

神と敵対する魔王の手下たち

デーモン

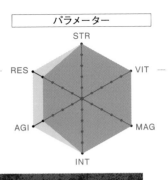

パラメーター

STR
VIT
MAG
INT
AGI
RES

同じようで異なるデーモンとデビル

　ファンタジー作品において欠かせない存在なのが、デーモンです。神と敵対するいわゆる悪しき勢力であり、数多くの作品で主人公たちが打ち倒すべき存在として物語に登場しています。

　デーモン（demon）は一般的には「悪魔」や「悪霊」と訳されますが、その語源はギリシャ語の「**ダイモーン**」（daimōn）に由来します。

　ダイモーンは本来は精霊や死者の霊といった超自然的な存在を指した言葉で、これらの存在は人に対してよい行いをしてくれる場合もあれば、災いをもららすこともあるなど、善悪両方の側面を持っていました。

　しかし、キリスト教ではこのうち悪の面だけが強調されたことで、現在のデーモン＝悪魔・悪霊という解釈が一般的に広まることになりました。

　なお、キリスト教ではデーモンは、いわゆる悪魔の王である**サタン**[注1]を除いた、悪魔や悪霊のことを指します。サタンを示す場合は、デーモンではなく「デビル」（Devil）が使われ、「The Devil」と言う場合は「サタン」を、「devils」と言う場合は「悪魔の手下たち」を意味します。

　デーモンもデビルも日本語だと「悪魔」と訳されますが、厳密にはこのふたつには違いがあるのです。

[注1] ユダヤ教、キリスト教、イスラム教における悪魔。元々はヘブライ語で「敵対する者」を意味する言葉だったが、のちに悪魔の固有名となった。

有名なデーモンたち

　キリスト教を始め、世界の神話や伝承の中には、人に災いをもたらす数多くの悪魔たちが登場しています。こうした悪魔の中には元々は天使だったが、悪魔に転落したものなど、さまざまな物語を持っています。

　ファンタジー作品でもお馴染みな悪魔たちの背景を知れば、その作品をより深く楽しむことができるようになるはずです。ここでは、そうした悪魔（デーモン）たちを紹介しましょう。

■有名な悪魔（デーモン）たち

ベルゼブブ	キリスト教の七つの大罪で「暴食」を司るとされる悪魔。その名はヘブライ語で「ハエの王」を意味する。近世のグリモワールでは権力と邪悪さでサタンに次ぐ悪魔とされる
アスモデウス	キリスト教の七つの大罪で「色欲」を司るとされる悪魔。悪魔になる前は智天使だったとされる。『ゴエティア』では東方の悪魔の首座で、72の軍団を率いる序列32番の大いなる王とされる
ベルフェゴール	キリスト教の七つの大罪で「怠惰」を司るとされる悪魔。女性の心に性的で不道徳な心を芽生えさせる力を持ち、女性に対して非常な不信感を持っていたとされる。
レヴィアタン	『旧約聖書』に登場する海中の怪物。中世以降に悪魔と見なされるようになり、キリスト教の七つの大罪では「嫉妬」を司る悪魔とされている。
ベヒモス	『旧約聖書』に登場する陸の怪物で、レヴィアタンと対を成すとされる。中世以降に悪魔と見なされるようになり、暴飲暴食を司るようになった。
マモン	キリスト教の七つの大罪で「強欲」を司るとされる悪魔。堕天使の中でもっともさもしい根性の持ち主で、天国にいた頃から神よりも下界の金銀財宝を賛美していたとされる。
バフォメット	両性具有で黒山羊の頭と黒い翼を持った姿の悪魔。11世紀末から12世紀のラテン語書簡などに現れたのが最初で、キリスト教では異教の神とされる。黒ミサを司り、魔女たちの崇拝対象となった。
ベリアル	『聖書』に登場する悪魔で、死海文書では「闇の子たちの指導者」とされる。『ゴエティア』では序列68番の強大にして強力な王であり、80軍団を率いているとされる。
メフィストフェレス	ドイツのファウスト伝説に登場する悪魔。錬金術師であり降霊術師でもあったファウスト博士が召喚した悪魔で、彼の魂と引き換えに魔力であらゆる望みを叶えた。
プルフラス	ヨーロッパの伝承に登場する悪魔。『悪魔の偽王国』では地獄の大君主にして公爵とされ、闘争、戦争、不和、欺瞞をもたらす力を持つ。また、かつてはバベルの塔で暮らしていたともされる。
サタナキア	ヨーロッパの伝承に登場する悪魔。『真正奥義書』ではルシファーの配下の悪魔で、ルシファー、アガリアレプトと共にヨーロッパ・アジアに住み、45もしくは54の悪魔を従えているとされる。
パズズ	バビロニア神話に伝わる悪霊の王。ライオンの頭と腕、ワシの脚、背中に4枚の鳥の翼とサソリの尾、さらにはヘビの男根を隠し持つという。風と共に熱病をもたらすとされる。
アザゼル	黙示文学やラビ文学に登場する堕天使。もとは人間を監視する天使団の総司令だったが、人間の娘の美しさに魅惑され、妻に娶るという禁を犯したことから堕天使となった。
リリス	ユダヤの伝承において男児を害すると信じられていた女性の悪霊。人類の始祖であるアダムの最初の妻ともされ、アダムとリリスの交わりから悪霊たちが生まれたといわれる。
ベリト	ヨーロッパの伝承に登場する悪魔。『ゴエティア』では序列28番の地獄の公爵で、26の軍団を率いるとされる。金属を黄金に変える力を持ち、過去・現在・未来の質問に真実に答えるとされる。
フルーレティ	ヨーロッパの伝承に登場する悪魔。『大奥義書』によれば精霊の大軍団を従える上級精霊で、望む場所に雹を降らせる力を持つとされる。

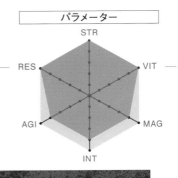

パラメーター

STR
RES
VIT
AGI
MAG
INT

ファンタジーを代表するモンスター
ドラゴン

現在のドラゴン像のルーツ

ファンタジー作品におけるモンスターの王といえば、なんといってもドラゴンです。

現在のドラゴンは、翼を持ち、口から火を吹き、財宝を隠し持っているというイメージが一般的ですが、かつてのドラゴンは蛇の姿だったり、翼がなかったりと現在のイメージとは大きく異なっていました。

では、現在のようなドラゴン像はいつできたのかというと、その源流は8～9世紀に成立したとされる『ベーオウルフ』[注1]に見ることが出来ます。『ベーオウルフ』に登場するドラゴンは翼を持ち、口から火を吐き、洞窟の中に異教徒から奪った財宝を隠し持つという、現代のドラゴンのイメージをすべて兼ね備えていました。

そして、このドラゴンのイメージを受け継いでいるのが、トールキンの『ホビットの冒険』と『指輪物語』です。言うまでもなく、この2作は近代ファンタジーに多大な影響を与えた作品ですが、これらの作品には翼を持ち、火と水蒸気を吐き、財宝を溜め込んでいるドラゴンが登場しており、これが今日のドラゴンのイメージを決定付ける上で大きな役割を果たしたことは確かでしょう。

トールキンは執筆にあたりさまざまな神話を研究していましたが、『ベーオウルフ』はその中でも、とくに影響を受けた[注2]作品のひとつとされており、今日のファンタ

[注1] 古英語で書かれた最大の叙事詩。作者不詳。英雄ベーオウルフが巨人や炎を吐くドラゴンを退治するという英雄譚。北欧の伝説をベースにキリスト教的善悪観が描かれる。

[注2] トールキンは小説家としてだけでなく、『ベーオウルフ』に関する研究の第一人者でもある。

ジーのルーツを辿る上で、『ベーオウルフ』は外すことのできない重要な古典文学のひとつとなっています。

なぜドラゴンは邪悪な存在なのか

[注3]『新約聖書』の最後の一書。この世の終末と最後の審判、キリストの再臨など、預言的内容が描かれている。

多くの場合ドラゴンは邪悪な存在とされていますが、これにはキリスト教が関係しています。『**ヨハネの黙示録**』[注3]には7つの頭を持ち、7つの冠を被り、10本の角を持つ赤い竜が登場しますが、この竜とは**サタン**のことです。つまり、キリスト教にとって竜とは悪魔であり、倒すべき邪悪な敵であるのです。さまざまな物語でドラゴンが邪悪な存在とされているのも、こうしたキリスト教の考えが大きく影響しているからなのです。

ドラゴンのパブリックイメージ

火のブレスを吐く

ドラゴン最強の攻撃手段の定番といえば、なんといっても火のブレスです。ただし、「火が吐けるなら他を吐けてもいいのでは？」とばかりに、現在では電撃や冷気などいろいろなバリエーションが登場しているのはみなさんご存知のとおりです。

財宝を隠し持っている

洞窟に巣をつくり、財宝を蓄えて守っているというのも定番のイメージのひとつ。冒険者が危険を犯してでもドラゴンに立ち向かうためには、それなりの見返りも必要なのです。

翼を持ち空を飛ぶ

翼のないタイプもいますが、一般的には翼を持ち大空を飛行できるイメージが強いでしょう。ちなみに、『ドラゴンクエスト』には翼のないタイプと、あるタイプの両方のドラゴンが登場しています。

邪悪な存在である

東洋の龍が神聖な存在であるのに対し、西洋のドラゴンは人に害を成す存在として描かれることが多いのが特徴です。ただし、近年では、いわゆる「竜騎士が乗るドラゴン」といった友好的なドラゴンも登場しています。

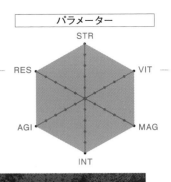

パラメーター

英雄や勇者が倒すべき敵
魔王

時代と共に変化する魔王像

　魔王といえば、『聖書』に登場する地獄の支配者サタンを思い浮かべる人が多いと思います。一方で異世界ファンタジー作品においては、<u>倒さなければいけない強大な敵の総称</u>としても使われています。物語の主人公たる**英雄や勇者の対となる存在**でもあり、物語の序盤では主人公を圧倒し、その世界に住む人々やゲームを遊んでいるプレイヤーに絶望を与えますが、<u>最終的には成長、または強大な力を手に入れた主人公によって倒されてしまう</u>という、ある意味で悲しい運命も背負っています。

　そもそも魔王とは、仏教用語で<u>修行を妨げ、人を悪へと誘う天魔「第六天魔王波旬」</u>のことを表す言葉です。「仏典」によると第六天魔王波旬は身の丈が２里で、１万6000歳の寿命を持ち、男性と女性の両方と子どもを作ることができるそうです。さまざまな日本神話に登場しますが、**スサノオ**[注1]や**役小角**[注2]に敗北しています。

　こうした伝承が各作品の悪しき魔王像へと引き継がれていき、『ドラゴンクエスト ダイの大冒険』のバーンはその代表といえるでしょう。創作作品における悪の象徴となった魔王ですが、アニメ『ハクション大魔王』のように心優しい魔王が登場したり、『まおゆう魔王勇者』『はたらく魔王さま！』のような魔王に焦点を当てた作品が作られたりと、<u>そのイメージも変化してきています。</u>

[注1] イザナミが生み出した神々の中でも、もっとも貴い３注の神「三貴神」の１柱。出雲で８つの首を持つ大蛇ヤマタノオロチを退治している。

[注2] 飛鳥時代の呪術者で、日本の山岳宗教「修験道」の開祖として崇拝されている。孔雀王の呪法を修得し、鬼神を使役していたといわれている。

■創作作品に登場する魔王たち

作品名	名称	概要
オーバーロード （アニメ）	アインズ・ウール・ゴウン	骸骨の見た目をした最強の魔法詠唱者で本作の主人公。しがないサラリーマンの鈴木悟が異世界転移した姿。仲間と共に世界征服を目指しています。
蜘蛛ですが、何か? （アニメ）	魔王	魔族を支配する王で、若い少女の姿をしています。気まぐれで無作法ですが、高いカリスマ性を持っています。
戦国無双（ゲーム）	織田信長	織田軍を率いる大将。史実でも第六天魔王信長と呼ばれていますが、こちらの織田信長は闇の波動を放つなど、ファンタジー色の強い攻撃を繰り出します。
転生したらスライムだった件 （アニメ）	リムル＝テンペスト	本作の主人公であるスライム。とおり魔に刺されて死んだサラリーマンの三上悟が異世界に転生した姿で、のちに魔王として覚醒します。
ドラゴンクエスト （ゲーム）	りゅうおう	ラダトームから平和の象徴であるひかりのたまを奪い、大地アレフガルドを支配しようとする魔王。
ドラゴンクエストⅢ （ゲーム）	ゾーマ	地下世界アレフガルドを支配したのち、地上世界の制圧に乗り出した魔王。
ドラゴンクエストⅦ （ゲーム）	オルゴデミーラ	元々は闇の精霊で神に仕える存在でしたが、人の悪意に支配され、魔王となりました。神を倒し、世界の大部分の封印に成功しています。
ドラゴンクエスト ダイの大冒険（アニメ）	バーン	魔界の頂点に立つ大魔王。勇者に倒された魔王ハドラーを復活させ、世界の征服を目論んでいます。
夏の夜の夢（戯曲）	オーベロン	ウィリアム・シェイクスピアの戯曲に登場した妖精の王。連れ去った人間の子ども（チェンジリンク）の親権を巡って、妻ティターニアと喧嘩しますが、のちに和解します。
ハクション大魔王 （アニメ）	ハクション大魔王	魔法界の王。誰かがくしゃみをすると魔法の壺から飛び出し、願い事を叶えてくれます。アクビという娘がおり、こちらは誰かがアクビをすると壺から飛び出します。
はたらく魔王さま! （アニメ）	真奥貞夫	異世界エンテ・イスラでサタンとして、暴れ回っていた魔王。勇者に破れ、日本へと転移したのち、日本征服のためにファストフード店でアルバイトを始めます。
魔王学院の不適合者 ～史上最強の魔王の始祖、転生して子孫たちの学校へ通う～（アニメ）	アノス・ヴォルディゴード	強大な魔力を持つ青年。現在の魔法技術では力を計測できないため、不適合者の烙印を押されます。その正体は、かつて人間や精霊、神をも滅ぼした魔王の始祖、暴虐の魔王が転生した姿なのです。
魔王城でおやすみ （アニメ）	魔王タソガレ	人間に敵対しており、人々に慕われているスヤリス姫を誘拐した魔王。繊細な性格で、女性を相手にするとたじろいでしまいます。
まおゆう魔王勇者 （アニメ）	魔王	魔界を統べる第43代目の魔王。美しい女性の姿をしており、戦闘能力が低い代わりに、高い知性を有します。争いや飢えのない世界を望んでおり、自身を倒しにきた勇者を説得し、平和な世界への道を歩もうとします。
勇者のくせになまいきだ。 （ゲーム）	魔王	プレイヤーである破壊神にさまざまな助言をする存在。戦闘力に乏しく、勇者にすぐ捕まってしまいます。
指輪物語（小説・映画）	アングマールの魔王	魔の国アングマールの支配者で、9人の指輪の幽鬼の首領。

索引 (50音順)

参考文献

『アーサー王百科』クリストファー・スナイダー（著）／山本史郎（訳）／原書房

『アイテムコレクション ―ファンタジーRPGの武器・装備―』安田均、グループSNE（著）／富士見書房

『異世界ファンタジーの創作事典』榎本秋、榎本海月、榎本事務所（著）／秀和システム

『1日3分読むだけで一生語れる モンスター図鑑』山北篤、細江ひろみ（著）／すばる舎

『英雄伝説の日本史』関幸彦（著）／講談社

『F FILES No.007 図解 近接武器』大波篤司（著）／新紀元社

『キャラクター・コレクション（上）―ファンタジーRPGの職業・役割―』安田均、グループSNE（著）／富士見書庫

『キャラクター・コレクション（下）―ファンタジーRPGの職業・役割―』安田均、グループSNE（著）／富士見書庫

『クリエイターのためのファンタジー世界構築教典』宮永忠将（著）／宝島社

『ゲームシナリオのためのファンタジー解剖図鑑:すぐわかるすごくわかる歴史・文化・定番260』サイドランチ（編）／
誠文堂新光社

『幻獣イラスト大事典』宝島社

『幻想世界 幻獣事典』幻想世界を歩む会（著）／スタジオエクレア（編）／インプレス

『幻想悪魔大図鑑』健部伸明（監）／カンゼン

『幻想世界の住人たち』健部伸明と怪兵隊（著）／新紀元社

『現代ダークファンタジーの基礎知識』ライブ（編）／カンゼン

『知っておきたい 伝説の魔族・妖族・神族』健部伸明（著）／西東社

『シナリオのためのファンタジー事典 知っておきたい歴史・文化・お約束121』山北篤（著）／SBクリエイティブ

『十三世紀のハローワーク』グレゴリウス山田（著）／一迅社

『十字軍大全』エリザベス・ハラム（著）／川成洋、太田直也、太田美智子（訳）／東洋書林

『図解 食の歴史』高平鳴海、愛甲えめたろう、銅大、草根胡丹、天宮華蓮（著）／新紀元社

『図説 トールキンの指輪物語世界―神話からファンタジーへ』デイヴィッド・デイ（著）／井辻朱美（訳）／原書房

『聖遺物崇敬の心性史 西洋中世の聖性と造形』秋山聰（著）／講談社

『聖剣・魔剣 神話世界の武器大全』TEAS事務所（著）／ホビージャパン

『聖母マリア 聖書と遺物から読み解く』ナショナルジオグラフィック（編）／日経ナショナルジオグラフィック社

『世界史リブレット23 中世ヨーロッパの都市生活』河原温（著）／山川出版社

『世界史リブレット24 中世ヨーロッパの農村の世界』堀越宏一（著）／山川出版社

『世界シンボル辞典』ジーン・C. クーパー（著）／岩崎宗治、鈴木繁夫（訳）／三省堂

『世界の怪物・神獣事典』キャロル・ローズ（著）／松村一男（監訳）／原書房

『世界の妖精・妖怪辞典』キャロル・ローズ（著）／松村一男（訳）／原書房

『戦闘技術の歴史 1古代編』S・アングリム、P・G・ジェスティス、R・S・ライス、S・M・ラッシュ、J・セラーティ（著）
／松原俊文（監）／天野淑子（訳）／創元社

『戦闘技術の歴史 2中世編』M・ベネット、J・ブラッドベリー、K・デヴリース、I・ディッキー、P・G・ジェスティス（著）／淺野明（監）／野下祥子（訳）／創元社

『続・中世ヨーロッパの武術』長田龍太（著）／新紀元社

『DUNGEONS & DRAGONS　モンスター・マニュアル第4版』マイク・ミアルス他（著）／日本語版翻訳チーム（訳）／ホビージャパン

『DUNGEONS & DRAGONS　基本ルールブック1　プレイヤーズハンドブック第3.5版』ジョナサン・トゥイート他（著）／日本語版翻訳チーム（訳）／ホビージャパン

『中世ヨーロッパ生活誌 LE MOYEN AGE』ロベール・ドロール（著）／桐村泰次（訳）／論創社

『トールキン指輪物語事典』デビッド・デイ（著）／ピーター・ミルワード（監）／仁保真佐子（訳）／原書房

『ドラゴン～世界の真龍大全～』寺田とものり、TEAS事務所（著）／ホビージャパン

『[日経BPムック] ナショナル ジオグラフィック 別冊　秘密結社 世界を動かし続ける沈黙の集団』日経ナショナル ジオグラフィック社

『ファンタジー資料集成 幻獣&武装事典』森瀬繚（著）／三才ブックス

『ファンタジーイラスト大事典』宝島社

『ファンタジックヒューマン～幻想世界の亜人種大全～（HOBBY JAPAN大全シリーズ）』密田憲孝、TEAS事務所（著）／ホビージャパン

『武器事典』市川定春（著）／新紀元社

『魔法・魔術』（Truth In Fantasy）山北篤（著）／新紀元社

『見てわかる！ 世界のドラゴン&モンスター案内』幻獣研究会（著）／笠倉出版社

『モンスター・コレクション──ファンタジーRPGの世界』安田均、グループSNE（著）／富士見書房

『指輪の力　隠された「指輪物語」の真実』ジェーン・チャンス（著）／井辻朱美（訳）／早川書房

『妖精事典』キャサリン・ブリッグズ（著)）平野敬一、三宅忠明（訳）／富山房

『妖精バイブル』テレサ・ムーリー（著）小浜杏（訳）／ガイアブックス

『よくわかる「幻想世界の住人」大辞典』幻想世界を研究する会（著）／ペーパーブックス（編）／廣済堂出版

『よくわかる「世界の幻獣（モンスター）」事典──ドラゴン、ゴブリンからスフィンクス、天狗まで』「世界の幻獣」を研究する会（著）／ブレインナビ（編）／ウェッジホールディングス＝（編）／廣済堂出版

『ライトノベル作家のための魔法事典』東方創造騎士団（著）／ハーヴェスト出版

『リアルな魔術の世界 魔女・魔法使い生態図鑑』レッカ社（編）／カンゼン

『われはロボット〔決定版〕』アイザック アシモフ（著）／小尾芙佐（訳）／早川書房

現代における幻想世界の新たな潮流と源を知る
現代異世界ファンタジーの基礎知識

発行日　2021年7月27日　初版

編　　著　　株式会社ライブ

発 行 人　　坪井 義哉

発 行 所　　株式会社カンゼン
　　　　　　〒101-0021
　　　　　　東京都千代田区外神田2-7-1 開花ビル
　　　　　　TEL 03（5295）7723
　　　　　　FAX 03（5295）7725
　　　　　　http://www.kanzen.jp/
　　　　　　郵便振替　00150-7-130339

印刷・製本　　株式会社シナノ

編集・構成　　株式会社ライブ（竹之内大輔／畠山欣文）

執筆　　青木聡／市塚正人／永住貴紀／寺村和也／
　　　　　　中村仁嗣／野村昌隆／林政和／横井顕

デザイン　　寒水久美子／内田睦美

イラスト　　蟹めんま

カバー魔方陣イラスト　　sclfa／PIXTA（ピクスタ）

編集担当　　株式会社カンゼン（高橋大地）

本書に関するご意見、ご感想に関しましては、kanso@kanzen.jp までEメールにてお寄せください。
お待ちしております。